利用者の生活を支える「コミュニケーション」

◆コミュニケーションの果たす役割

コミュニケーションとは，「人と人とが，互いに情報を伝える，感情を共有する，人間関係を形成する」ことです。私たちの生活にとって，コミュニケーションは欠くことのできない活動であることを理解しましょう。

◆「チーム力」を最大限に発揮させるコミュニケーション技術

メンバー間でコミュニケーションが行われることで，「チーム」がはじめて機能します。
2人のときも，多くの支援者が集まるときも，目標や方針，情報を共有することで，チーム力が発揮されるはずです。

掲載協力：社会福祉法人 伸こう福祉会／社会福祉法人 麦の家／社会福祉法人 小田原福祉会
撮影：小林智之／櫻井史博／浅田悠樹

知っておきたい基本的な手話

介護を必要とする人のなかには，耳が聞こえない，または聞こえにくい方もいます。
そうした人たちにとって，手話は大切な言語であり，コミュニケーションの手段となる場合があります。
基本的な手話を知っておくと役立つ場面もきっと出てくるはずです。ぜひ覚えておきましょう。

おはようございます

こめかみ付近に当てた右こぶしをすばやく下におろす

頭を下げて右手で拝むようにする

こんにちは

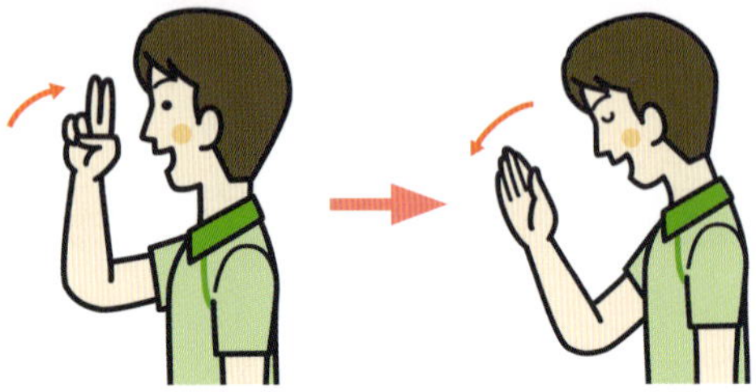

立てた右手２指を重ねて前方から額の中央へ当てる

頭を下げて右手で拝むようにする

こんばんは

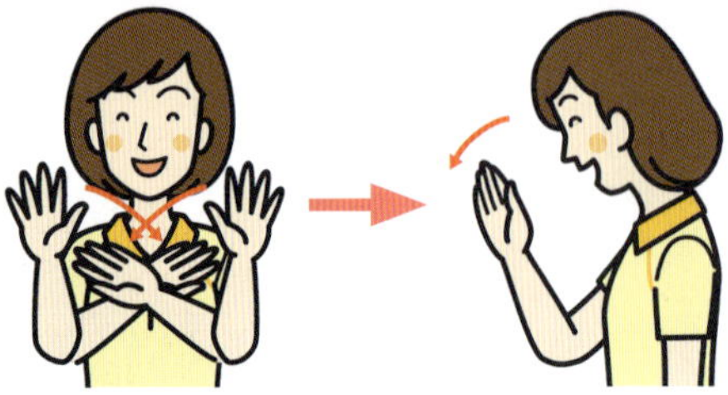

両手のひらを前に向けた両腕を目の前で交差させる

頭を下げて右手で拝むようにする

わかりました

右手のひらで胸を軽くたたく

はじめまして

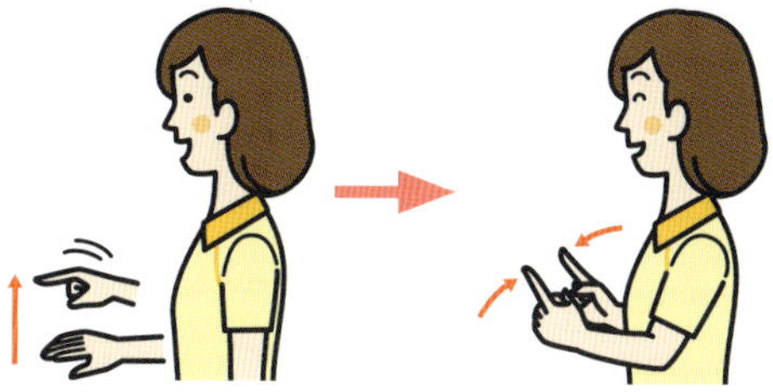

右手のひらを下にして，あげると同時に人差指を残して４指を握る

人差指を立てた両手を前後から近づけて軽くふれ合わせる

よろしくお願いします

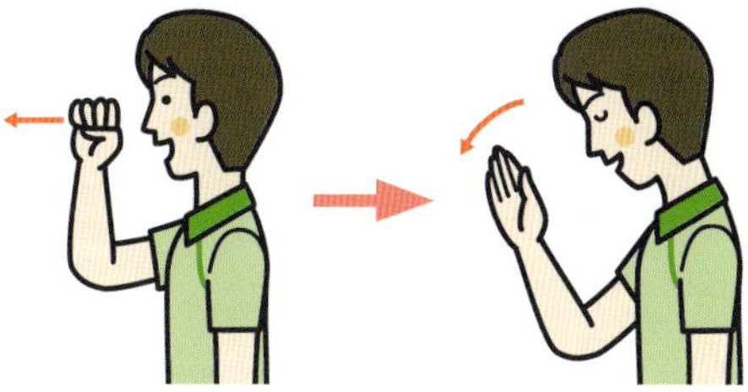

右こぶしを鼻から前に出す

頭を下げて右手で拝むようにする

ありがとう

右手を左手甲に軽く当て，拝むようにする

ごめんなさい

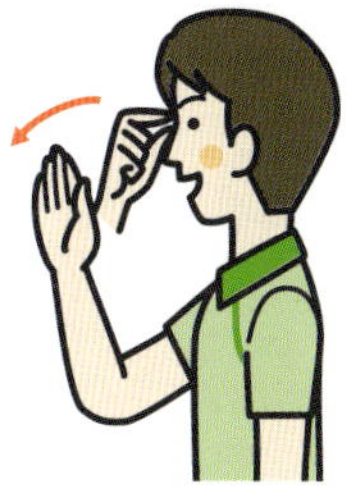

右手の親指と人差指で眉間をつまみ，右手で拝むようにする

さようなら

右手のひらを前に向けて左右に振る

おやすみなさい

頭を傾けて右こぶしを側頭部に当てる

頭を下げて右手で拝むようにする

資料：社会福祉法人全国手話研修センター日本手話研究所編集，米川明彦監修『新 日本語－手話辞典』財団法人全日本聾唖連盟，2011年を元に作成

障害者を支えるコミュニケーションツール

障害のある人は，その障害により周囲とのコミュニケーションに苦労することも少なくありません。介護福祉職になることで，そうした利用者に出会うこともあるでしょう。

そうした利用者を支えるためにも，さまざまなコミュニケーションツールがあることを知り，それを活かせるような介護福祉職になっていくことも大切です。

◆ コミュニケーション支援ボード

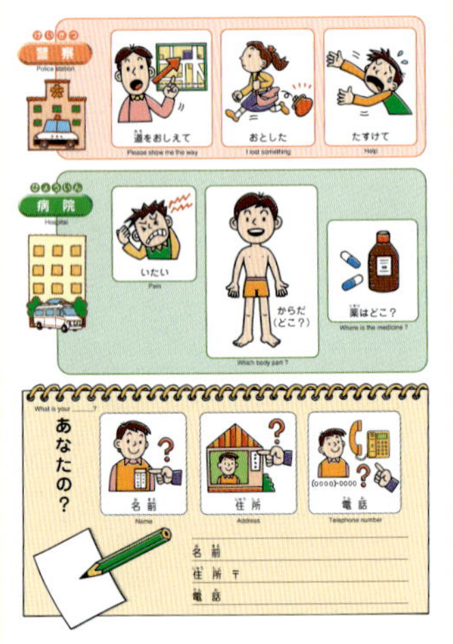

話し言葉での伝達が難しい知的障害のある人などにむけては，絵や写真をセットしたコミュニケーション支援ボードを使うことで，コミュニケーションをとることも可能になっていきます。

出典：公益財団法人明治安田こころの健康財団「コミュニケーション支援ボード」
https://www.my-kokoro.jp/communication-board/pdf/communication_board_original.pdf

◆ コミュニケーションノート

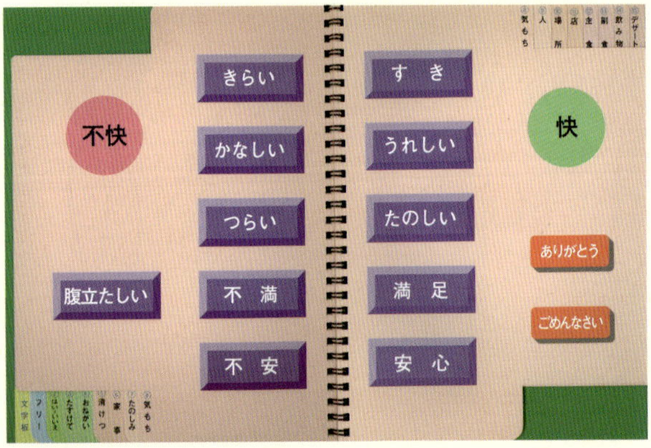

「コミュニケーションノート」は，失語症の人などとのコミュニケーションに使われるツールです。

市販されているものを使ったり自作するなどして，利用者と介護福祉職の心の距離を近づけましょう。

出典：西尾正輝『コミュニケーション・ノート』インテルナ出版，1995年

最新

介護福祉士養成講座 5

編集　介護福祉士養成講座編集委員会

コミュニケーション技術

第2版

中央法規

『最新 介護福祉士養成講座』初版刊行にあたって

1987（昭和62）年に「社会福祉士及び介護福祉士法」が制定され、介護福祉職の国家資格である介護福祉士が誕生してから30年以上が経ちました。2018（平成30）年11月末現在、資格取得者（登録者）は162万3974人に達し、施設・在宅を問わず地域における介護の中核をになう存在として厚い信頼をえています。

近年では、世界に類を見ないスピードで進む高齢化に対応する日本の介護サービスは国際的にも注目を集めており、アジアをはじめとする海外諸国から知識と技術を学びに来る学生が増えています。

もともと介護福祉士が生まれた背景には、戦後の高度経済成長にともなう日本社会の構造的な変化がありました。資格誕生から今日にいたるまでのあいだも社会は絶えず変化を続けており、介護福祉士に求められる役割と期待はますます大きくなっています。そのような背景のもと、今後さらに複雑化・多様化・高度化していく介護ニーズに対応できる介護福祉士を育成するために、2018（平成30）年に10年ぶりに養成カリキュラムの見直しが行われました。

当編集委員会は、資格制度が誕生した当初から、介護福祉士養成のためのテキスト『介護福祉士養成講座』を刊行してきました。福祉関係八法の改正、社会福祉法や介護保険法の施行など、時代の動きに対応して、適宜記述内容の見直しや全面改訂を行ってきました。そして今般、本講座を新たなカリキュラムに対応した内容に刷新するべく『最新 介護福祉士養成講座』として刊行することになりました。

『最新 介護福祉士養成講座』の特徴としては、次の事項があげられます。

① 介護福祉士養成のための標準的なテキストとして国の示したカリキュラムに対応
② 現場に出たあとでも立ち返ることができ、専門性の向上に役立つ
③ 講座全体として科目同士の関連性も見える
④ 平易な表現や読みがなにより、日本人学生と外国人留学生がともに学べる
⑤ オールカラー（11巻、15巻）、ＡＲ（拡張現実：６巻、７巻、15巻）の採用などビジュアル面への配慮

本講座が新しい時代にふさわしい介護福祉士の養成に役立ち、さらには本講座を学んだ方々が広く介護福祉の世界をリードする人材へと成長されることを願ってやみません。

2019（平成31）年３月

介護福祉士養成講座編集委員会

はじめに

「コミュニケーション技術」は、利用者やその家族との支援関係の構築やチームケアを実践するためのコミュニケーションの意義や技法を学び、介護実践に必要なコミュニケーション能力を養う科目です。

本書の内容は、「介護におけるコミュニケーションの基本」「コミュニケーションの基本技術」「対象者の特性に応じたコミュニケーション」「家族とのコミュニケーション」「介護におけるチームのコミュニケーション」の全５章で構成しています。

第１章「介護におけるコミュニケーションの基本」と第２章「コミュニケーションの基本技術」では、コミュニケーションの意義や援助関係の構築、傾聴、受容、言語・非言語コミュニケーションなど、介護を実践する際の基本となるコミュニケーションについての考え方や技術を学びます。そして、第３章「対象者の特性に応じたコミュニケーション」では、視覚障害や聴覚障害などさまざまなコミュニケーション障害のある人の特性と支援の方法を学習し、第４章「家族とのコミュニケーション」では利用者の家族とどのようにかかわっていくかを学びます。円滑にコミュニケーションをとることは、介護サービスを提供する利用者本人や家族との間だけではなく、同じ目標を共有する専門職同士でも大切です。そこで、第５章「介護におけるチームのコミュニケーション」では、チーム力を高めるコミュニケーションの方法等を学びます。

本巻全体を通じて、できる限りわかりやすい表現になるように努め、図表なども適宜盛り込んで構成しました。本巻での学びを通じて、介護福祉職としてさまざまな人とかかわるためのコミュニケーション技術を習得し、介護実践に活かしていただければ幸いです。

内容面に関しては最善を尽くしていますが、ご活用いただくなかでお気づきになった点は、ぜひご意見をお寄せください。いただいた声を参考にして、改訂を重ねていきたいと考えています。

編集委員一同

目次

本書では学習の便宜をはかることを目的として、以下のような項目を設けました。

- 学習のポイント … 各節で学ぶべきポイントを明示
- 関連項目 ………… 各節の冒頭で、『最新 介護福祉士養成講座』において内容が関連する他巻の章や節を明示
- 重要語句 ………… 学習上、とくに重要と思われる語句について色文字のゴシック体で明示
- 補足説明 ………… 専門用語や難解な用語・語句をゴシック体で明示するとともに、側注でその用語解説や補足的な説明を掲載
- 演　習 ………… 節末や章末に、学習内容を整理するふり返りや、理解を深めるためのグループワークなどの演習課題を掲載

第1章

介護における
コミュニケーションの基本

第1節

介護における コミュニケーションとは

学習のポイント

- 介護におけるコミュニケーションの意義と目的を理解する
- コミュニケーションの4つの展開過程を理解する

関連項目
①『人間の理解』 ▶第2章「人間関係とコミュニケーション」
④『介護の基本Ⅱ』 ▶第4章「協働する多職種の機能と役割」

1 介護におけるコミュニケーションの意義と目的

（1）介護実践場面で行われるコミュニケーション

介護を実践するあらゆる過程で、コミュニケーションは自然に発生します。日常の介助場面を想像すれば、利用者とコミュニケーションをとりながら介護をしている姿が思い浮かぶでしょう。レクリエーションや余暇活動の支援では、個別のコミュニケーションはもちろん、複数人で相互交流することもあります。ときには相談をもちかけられることもあるでしょう。また、直接のコミュニケーションだけでなく、介護計画の作成やケアカンファレンスなどに関連したやりとりや、施設の管理運営業務も含め、コミュニケーションは避けて通れません。

介護を要する人のなかには、こうしたコミュニケーションをはかることに支障が生じている人も多くいます。そして、コミュニケーションの支障は、その人のもつ障害や特性などによって程度や種類も多様です。その人に合わせたコミュニケーションをとる必要があります。

（2）人間の基本的欲求とコミュニケーション

人は、他者と話しあったりふれあったりというコミュニケーション行動をとることで、人間の心理的な基本的欲求が満たされることがあります。**マズローの基本的欲求階層説**[1]（図1－1）からコミュニケーショ

❶マズローの基本的欲求階層説
欲求とは、人間が生命を維持し環境に適応するために、何らかの行動を起こそうとして体内に生じる緊張状態をいう。アメリカの心理学者マズロー（Maslow,A.H.）は、人間の基本的欲求が生理的欲求から自己実現欲求に至る5段階から成り立っており、下位の欲求から順に欲求の充足段階が進むという欲求階層説を唱えた。

図1－1　マズローの基本的欲求階層説とコミュニケーション

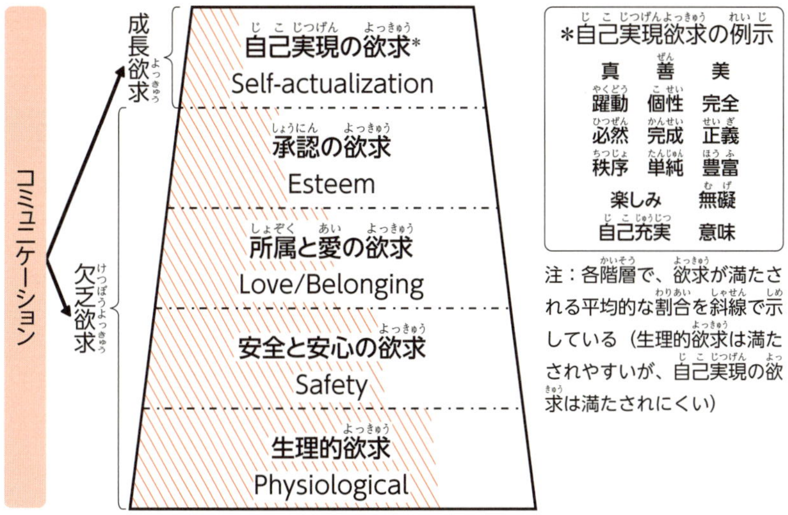

注：各階層で、欲求が満たされる平均的な割合を斜線で示している（生理的欲求は満たされやすいが、自己実現の欲求は満たされにくい）

ンを考えてみましょう。

たとえば、生理的欲求では、異性と話すことで性的欲求が満たされることがあります。安全と安心の欲求では、「大丈夫だよ」と言ってもらうことで安心感が得られます。仲間との気のおけない会話は、自分もグループの一員だという所属と愛の欲求を満たします。また、称賛されたり受容されたりすることによって承認の欲求が満たされますし、コミュニケーションを楽しんで自分の人生に充実感をもたらすなど自己実現にもつながります。このように、コミュニケーションをはかることそれ自体が、介護を必要とする人にとって必要不可欠といえます。

（3）介護におけるコミュニケーションの目的

介護福祉職が利用者とコミュニケーションをとる目的は、コミュニケーションによる基本的欲求の充足だけに限ったことではありません。むしろ、コミュニケーションを手段として、介護を必要とする人の尊厳を保持し、自立した生活を支えるという介護福祉の基本理念を実現するために介護を実践します。つまり、意図的で効果的なコミュニケーション技術を用いることで、利用者が望むよりよい生活とQOL（Quality of Life：生活の質）の向上をはかることを目的とします。

2 介護におけるコミュニケーションの展開過程

利用者が望むよりよい生活の実現という目的達成に至るまでには、基本的なコミュニケーションの展開過程を意図してかかわる必要があります。おおむね次の４つの過程にあらわすことができます（**図１－２**）。

（１）第１段階：信頼関係を構築する

利用者と接してすぐに、利用者との**信頼関係**を築くことを意図してコミュニケーションを開始します。信頼関係がなければ、介護をはじめることすら困難となります。

（２）第２段階：利用者を理解する

信頼関係を前提として、相互の情報のやりとり、とくに気持ちや思いの共有を押し進めます。利用者は、さまざまなメッセージを介護福祉職に安心して伝えることができるようになります。また、介護福祉職も利用者への**共感的理解**が深まります。人となりやその人らしさを実感としてつかみ取ることを意図してコミュニケーションをはかります。

介護過程におけるアセスメントでは、利用者全体を理解することが求められています。したがって、コミュニケーション技術は介護過程展開の基盤にもなります。

（３）第３段階：協働関係を推進する

介護は、介護福祉職が利用者に対して一方的に援助するのではなく、

図１－２　介護におけるコミュニケーションの展開過程

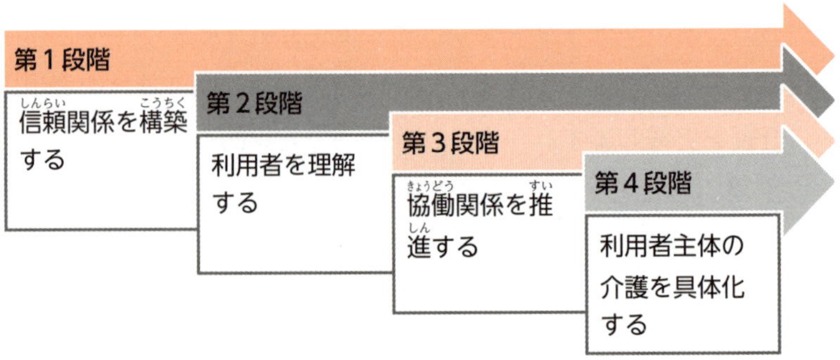

利用者のよりよい生活の実現に向けて、介護福祉職と利用者がパートナーとして互いに努力しあっていくことが重要です。そのためには、介護福祉職が利用者に対する理解を深めることに加えて、その状況に応じて適切に利用者が目標に向かって動いていけるようなメッセージを込めたコミュニケーションを意図して行います。

（4）第 4 段階：利用者主体の介護を具現化する

利用者の人生において利用者自身が舵をとり、充実した生涯を過ごせるようになることが、自立支援といえます。そのためには、コミュニケーション技術だけでなく生活支援技術も含めた介護過程の展開が必要です。この段階でのコミュニケーションは、利用者を「守る」「助ける」「支持」あるいは「指示」といったメッセージではなく、同時代を生きている人間として、また、1 人の人間として敬意を払うことが求められます。

これらの 4 段階は、必ずしも一方向的に展開するわけではなく、信頼関係の構築は介護過程を展開している間ずっと行われることであり、利用者の状況に応じて各段階を行き来することも考えられます。それでも、この過程を意識してかかわることで、どのようなコミュニケーションの技術を適用すべきかを検討するための指標にもなります。

また、この過程は日常の介護の場面ごとに応用して考えることもできます。まずは、利用者と視線を合わせたり呼吸を合わせたりして利用者のペースに合わせることで、これから介護を受けるという心構えと安心感が生まれ、信頼関係が築かれます。そして、介護福祉職にとっても利用者の心身の状況が把握できます。そのうえで優しく共感的な言葉かけをしたりいたわったりすることで、介護という協働作業がスムーズに行われます。さらに、本人のできた部分をほめたり感謝したりしながら、利用者の意欲を高めていくことにつながります。

こうした毎日の介護場面の意図的なコミュニケーションの積み重ねがあって、利用者の主体的な生活の実現に近づくといえます。

◆参考文献

- A.H.マズロー、小口忠彦訳『人間性の心理学―モチベーションとパーソナリティ 改訂新版』産能大学出版部、1987年
- L.M.ブラマー・G.マクドナルド、堀越勝・大江悠樹・新明一星・藤原健志訳、堀越勝監訳『対人援助のプロセスとスキル――関係性を通した心の支援』金子書房、2011年

第2節

介護における コミュニケーションの対象

学習のポイント

- コミュニケーションが果たす３つの役割を理解する
- 介護福祉職の職務とコミュニケーションの特徴を理解する

関連項目 ①『人間の理解』▶第２章第２節「対人関係におけるコミュニケーション」

1 コミュニケーションの果たす役割

コミュニケーションとは、「人と人とが、互いに情報を伝える、感情を共有する、人間関係を形成する」ことです。家族、友人、地域などの集団に属し、社会を形成して暮らす私たち人間にとって、コミュニケーションは欠くことのできない基本的な活動です。人はだれかとコミュニケーションをとらなければ生活することはできません。

コミュニケーションがもつ役割、**情報の伝達**、**感情の共有**、**人間関係の形成**について、それぞれ具体的にみていきましょう。

第１の「情報の伝達」は、「今日はお彼岸ですね」のように事実を伝える、「10時からリハビリテーションです」のように行動をうながす、「明日はお花見ですよ」のように予定を示すなどといった役割をもちます。

第２の「感情の共有」は、「昨日は楽しかったですね」のようにともに喜ぶ、「それは辛かったですね」のように哀しみを推察するなどといった役割です。言葉で表現するだけでなく、「微笑んで手を握る」のように、表情や行動で表現することで気持ちを共有することもできます。

第３の「人間関係の形成」は、利用者や家族との信頼関係をつくりあげたり、職場の職員との関係を円滑に保つといった役割です。

2 介護福祉職の職務とコミュニケーション

介護福祉職の職務内容には**表1－1**に示すように、①利用者の身体や生理的欲求に直接対応する（**直接性**）、②身体・精神機能の低下に対応する（**障害対応**）、③日常生活ひいては人生のすべてにかかわる（**全体性**）、④利用者本人だけでなく家族の諸問題にも向き合う（**家族対応**）、という特徴があります。

①の「利用者の身体や生理的欲求に直接対応する」際のコミュニケーションとは何でしょうか。1つは、「Aさん、おやつの時間です。おいしそうなゼリーですね」などと、食事介助をしながら、やさしく声をかけるといった言語コミュニケーションです。そしてもう1つが、介護福祉職が利用者のそばに行き、必要に応じてスプーンを渡したり、手を添えたりするといった介護行為そのもので、これが非言語コミュニケーションです。介護福祉職が行う多くの介護実践には、これら2つのコミュニケーションが同時に含まれています。

②の「身体・精神機能の低下に対応する」際のコミュニケーションとは何でしょうか。利用者の身体・精神機能の低下は実にさまざまです。身体的問題では、**麻痺**❶、**虚弱**❷、病気からくる痛み、視力低下、難聴、精神・心理的問題では、意欲のなさ、抑うつ、妄想や幻覚、暴力行為など、種類も重症度も多岐にわたります。そのような利用者の特性や、そ

❶**麻痺**
神経や筋肉の障害によりからだが部分的に動かなくなったり、動きにくくなったりする。

❷**虚弱**
体が弱く病気になりやすい状態。

表1－1　介護福祉職の職務の特徴

特徴	具体的内容
直接性	直接身体に触れることが多い
	生理的欲求（食事・排泄など）に対応する
障害対応	身体機能の低下や障害にかかわる
	精神機能の低下や障害にかかわる
全体性	日常生活のすべてにかかわる
	人生と向き合う
家族対応	家族の抱える諸問題とかかわる

のときの状態に応じたコミュニケーションをとる必要があります。

③の「日常生活ひいては人生のすべてにかかわる」際のコミュニケーションとは何でしょうか。介護福祉職は、日々の細やかな生活動作に対応しながら、その一方で、その人の人生にかかわる役割をもちます。今をどう生きるか、生きがいは何か、さびしさや不安とどう向き合うか、といった大きく深い問題にも直面することになります。日々の小さなことから、人生の大きな問題まで責任の重い職務をこなしていくためには、その場に適した、いくつものコミュニケーション技術をもっていることが必要となるでしょう。

最後に、④の「利用者本人だけでなく家族の諸問題にも向き合う」際のコミュニケーションも大事です。家族の在り方もさまざまです。家族も心身の病気を抱えている、施設のルールを守ってもらえない、こちら側が一方的に非難されるといったこともあるでしょう。また家族と本人の折り合いが悪い、面会のたびに双方の意見が違って口論になる、といった場合もあるでしょう。

このようにみていくと、介護福祉職が行う活動のすべてが、コミュニケーションを基盤として成り立っていることがわかります。コミュニケーションはあらゆる生活の基本である以上、生活を支援する介護福祉職とは切っても切れない結びつきがあります。

3 介護福祉職のコミュニケーション支援の対象

介護福祉職がコミュニケーション支援を行う対象を整理すると、**表1－2**のようになります。この表でまず大切なことは、コミュニケーション支援は、疾患や障害のためにコミュニケーションに不自由がある人だけに行うものではないということです。コミュニケーション障害がない人であっても、ときに気分が落ち込んだり、意欲がわかなかったり、怒りなどでこちらの言うことを受け入れてくれなかったりと、コミュニケーションをとりにくくなる場面があります。そのようなときに、適切なコミュニケーション技術を用いることで、気分が晴れたり、やる気が出たり、落ち着いたり、事態が悪化するのを防いだり、といった効果が得られます。

次に大事なのが、本人に加えて、家族もコミュニケーション支援の対

表1－2　コミュニケーション支援の対象と状況

コミュニケーション障害	本人	家族
ない	・気分が落ち込んでいる ・意欲がない ・人と話したくない	・気分が落ち込んでいる ・介護で疲れている ・本人とのかかわり方がわからない
ある	・難聴 ・失語症 ・認知症 ・高次脳機能障害 ・発達障害 ・構音障害	・難聴 ・認知機能低下 ・構音障害

象となるということです。超高齢社会を迎え、家族も高齢化しています。家族自身が何らかのコミュニケーション障害をもっていることも多いです。コミュニケーション障害がなかったとしても、介護で疲れて憂うつな気分になっていたり、面会に来て介護福祉職に一方的に苦情を述べたりといったこともあるでしょう。そのようなときにも役立つのが、コミュニケーション技術です。

むろん、コミュニケーション技術を知っていたからといって、すべてのコミュニケーション困難場面がすぐに解決できるわけではありません。知識をもっていることと、実際に活用できることとは、大きな開きがあります。ただ、いくつかの技術を知っていることは、実際場面で応用するための準備を整えることになります。

◆参考文献

- 諏訪茂樹編著『ホームヘルパーブックシリーズ 利用者・家族とのコミュニケーション』中央法規出版、1998年
- 大谷佳子『対人援助の現場で使える聴く・伝える・共感する技術便利帖』翔泳社、2017年

演習1－1 介護におけるコミュニケーションの役割

次の表の①～④の介護福祉士の職務内容にそったコミュニケーションとして、適切な文言を考えてみよう。

①直接的な対応	
②障害への対応	
③全体的な対応	
④家族への対応	

第3節

援助関係とコミュニケーション

学習のポイント

- 介護福祉職の職務とコミュニケーションとのかかわりを理解する
- 援助関係を意識した、対象者とのコミュニケーションを理解する

関連項目
①『人間の理解』 ▶第2章第2節「対人関係におけるコミュニケーション」
④『介護の基本Ⅱ』 ▶第4章「協働する多職種の機能と役割」

1 援助関係の特徴

人間は生涯を通して他者とのコミュニケーションを続ける存在です。人と人がふれ合うとき、そこには**コミュニケーションによる相互作用**が生じて**人間関係**が生まれます。

たとえば、乳幼児期には母親との関係が、幼少期には家族との関係が中心となるでしょう。学童期から青年期にかけては、友人との関係、教師と生徒・学生との関係、先輩・後輩との関係があります。成人期には職場など組織の上司・同僚・部下との関係、配偶者や子どもとの関係、近隣や趣味仲間などコミュニティにおける関係があるでしょう。老年期には、組織における人間関係は減少するものの、気の合う仲間や知人、大切な家族などとの関係が続きます。

このような生涯のうちに結ぶ人間関係のなかでも、教師と生徒・学生の関係、医師と患者との関係、介護福祉職と介護サービス利用者との関係など、福祉・保健・医療・教育などの対人援助職とその利用者との関係を**援助関係**と呼びます。対人援助職のなかでも臨床心理学系では、意図的なよりよい援助関係をラポール（Rapport）と呼ぶことがあります。ラポールとは、フランス語読みの心理学用語で、援助者と利用者との間に調和的・共感的な関係がとれている状態を意味する言葉です。お互いのこころに橋が架かっている状態をイメージすることができます（図1－3）。

図1－3　ラポールのイメージ図

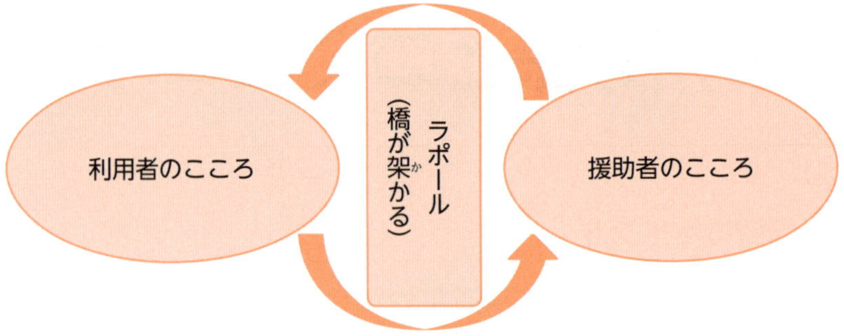

表1－3　ほかの人間関係と異なる援助関係の特徴

①　援助者による利用者の受容
②　利用者にとって利益になる関係
③　「援助」という役割の明確さ
④　利用者から信頼されるための意図的なかかわり
⑤　「援助をする―援助を受ける」という契約の関係
⑥　援助者に求められる社会的責任

援助関係は、人間同士の交流という点においては家族や友人などとの関係とも類似していますが、それらとは大きく異なる特徴もあります（表1－3）。

（1）援助者による利用者の受容

援助関係では、援助者側が利用者を**受容**することが特徴の1つです。人間は1人として同じ価値観をもっておらず、相手の考えや思い、行動などを常に理解できるわけではありません。一般の人間関係であれば、どうしても理解できないときには、縁を切って関係を終わらせるといったこともあり、それは当人同士の自由意志によります。

しかし、援助関係では、援助者の自由意志を利用者に不用意にぶつけることは避けるべきことです。したがって、援助におけるコミュニケーションでは利用者を受容した態度が求められます。

（2）利用者にとって利益になる関係

一般的な人間関係におけるコミュニケーションには、互恵関係があります。お互いに気分がよくなるコミュニケーションをとることで両者の関係は良好になっていきます。

一方、援助関係では、援助者側が常に利用者にとって利益になることを意図したコミュニケーションが行われます。たとえば利用者から「ありがとう」という言葉をもらえないからといって、その利用者を邪険にすることは援助的ではありません。利用者から何の見返り（利益）も期待することなく、利用者にとって利益になることは何かと問いながらかかわることが特徴です。

（3）「援助」という役割の明確さ

友人や知人、家族は、その状況によって果たすべき役割が変化し、曖昧ともいえます。コミュニケーションも、ときには助け助けられ、励まし励まされるなど、何らかの明確な役割関係が固定されていません。それに対して、援助関係は契約関係が終了するまでは、援助者は常に援助を提供する役割を担っています。

介護福祉職は、専門的介護を提供するという役割においてのみ、利用者との人間関係を結んでいます。もちろん人間同士の温かな相互交流もありますが、それがあるからといって、ほかの一般的な人間関係のように深くつきあうようになるなどは、援助的ではありません。介護という援助を通した関係という側面を常にもち合わせています。

（4）利用者から信頼されるための意図的なかかわり

一般的な人間関係でも、関係を深めるために信頼関係は重要です。長期間かけてさまざまな出来事を通して信頼できる人かどうかを見極めていきます。相手のことを信頼できない人だと認識すれば、それなりの関係にとどまることが多いでしょう。しかし、援助関係におけるコミュニケーションでは、援助者の側が努めて利用者を信頼し、さらに利用者から信頼してもらえるよう意図したコミュニケーションを展開する必要があります。

たとえば、信頼感をもってもらえる範囲で**自己開示**❶を試みることがあります。また、利用者とコミュニケーションをはかる際には、誠実で真摯な態度で、言語・非言語コミュニケーションを使って**自己一致**❷の

❶自己開示
自分の考えや経験、感情などを、自分の意思で開放して、他者に示すこと。

❷自己一致
相手との関係のなかで、体験していることと意識していることが一致した態度で示されることにより、一貫性があり誠実な印象を与えること。たとえば、相手と話しているときに、相手の話を聞きたくないという気持ちになった（体験した）とき、自分が相手に対してマイナスの感情をもっていることを否定せずに正直に認める（意識する）ことが自己一致となる。ただし、その感情を隠さずに相手に伝えるかどうか、伝えるとすればどのようにするかは、自分の体験をじっくりと吟味して検討することが必要である。

姿勢を示します。利用者を受容するとともに、「～しなさい」「～しないで」といった操作的あるいは指示的なコミュニケーションを避けることも、信頼関係を醸成するために行われます。

（5）「援助をする―援助を受ける」という契約の関係

人の出会いは偶然です。たまたまそこで出会って、そこから関係を深めるか途切れるかも両者の間に何らとりきめはありません。たとえば一般的な友人関係などは約束や契約ではないので、自然消滅することも当然ありますし、友人関係から恋愛関係に変化することすらあります。

しかし、援助関係では援助者は援助を提供することを、利用者はそれを受けることを文書や口頭での約束といった契約として、あるいは暗黙の了解として援助関係が成立しています。これもコミュニケーションが成立していることが大前提となります。利用者が介護を必要としている状態が解消されず介護のニーズが引き続きあるにもかかわらず、援助者側が援助関係を終了することは、援助的ではありません。

（6）援助者に求められる社会的責任

対人援助職は、それぞれの専門性を発揮して役割を果たす社会的な責任があります。また、多くの人は道義的にも責任があるといえます。報酬が発生しているか否かにかかわらず、援助者が利用者に援助を提供することには、一定のルールが求められますし、その援助を提供した結果にも期待と責任がかかってきます。家族や友人などの関係であれば、何の意図もない世間話や冗談などはとりたてて問題にはなりませんし、長時間無駄話を続けても両者が納得していればとがめられることもありません。しかし、援助関係において援助者が行うコミュニケーションは、その援助にとって意味があることでなければなりません。

たとえば、何の意図もなく行ったコミュニケーション行為が、利用者にとって不利益を引き起こしてしまった場合、その責任はすべて援助者がとることになります。たまたま援助者側に暇な時間ができたからといって、何の意図もないコミュニケーションを長時間とり、それが利用者にとってよい結果に結びつかないなら、それは援助者側の自己満足なコミュニケーションとみなされてしまうでしょう。

2 援助関係を構築するための原則

よりよい援助関係を構築するためには、コミュニケーションにおける基本的態度が重要です。バイステック（Biestek, F. P.）は、援助者と利用者（**クライエント**[3]）がよりよい援助関係を形成するための７つの原則をまとめています（**表１－４**）。

バイステックの７原則は、ソーシャル・ケースワークにおける原則としてまとめられたものです。この７原則を守ることで、利用者との信頼関係を深めることができ、介護における尊厳を保持して自立を支援するという目的を意識したコミュニケーションの原則として活用できるものです。利用者とのよりよい援助関係を築いていこうとする意識を常に自覚することが求められます。

[3]クライエント
専門職に援助を要請する依頼人。クライアント、来談者ともいう。カウンセリングやソーシャルワークなどの福祉分野では、相談者の意味でよく用いられる。ここでは、介護保険や障害福祉サービス等の利用者という意味だけにとどまらず、専門相談のニーズをもっている人という意味で、クライエントという用語を使用している。

（１）クライエントを個人としてとらえる（個別化）

利用者は、誰１人として同じ人はなく、個別の「その人らしさ」を理解することが重要です。その理解によって、個別ケアを適切に行う必要があります。

援助場面での具体例として、次のようなものがあげられます。

表１－４　バイステックによる援助関係を形成する７つの原則

新訳	従来の訳
クライエントを個人としてとらえる	個別化
クライエントの感情表現を大切にする	意図的な感情の表出
援助者は自分の感情を自覚して吟味する	統制された情緒的関与
受けとめる	受容
クライエントを一方的に非難しない	非審判的態度
クライエントの自己決定をうながして尊重する	自己決定
秘密を保持して信頼感を醸成する	秘密の保持

出典：F.P.バイステック、尾崎新・福田俊子・原田和幸訳『ケースワークの原則[新訳改訂版]――援助関係を形成する技法』誠信書房、2006年をもとに作成

①きめ細かく配慮すること
②面接時にはプライベートに配慮すること
③面接時間を守ること
④面接の準備をすること
⑤クライエントのもてる力を活用すること
⑥柔軟であること

上記の「面接」を「介護」に置き換えても、何ら不自然はありません。介護の現場で行われている「気配り」の重要性を示しているといえます。

（2）クライエントの感情表現を大切にする（意図的な感情の表出）

介護福祉職は、利用者が負の感情を表現することを止めたり、非難したりせず、その背景にある心情を受けとめてじっくりと考えてかかわる必要があります。場合によっては、あえて利用者に感情をがまんしないで出してもらえるようにすることも必要となります。

（3）援助者は自分の感情を自覚して吟味する（統制された情緒的関与）

介護福祉職は、利用者のよりよい生活を実現するという目的を常に意識し、自分自身がそのとき抱いている感情を無自覚に利用者にぶつけることなく、自己分析した後に適切に反応する必要があります。

（4）受けとめる（受容）

受容は、利用者のありのままを感じとって理解し、利用者全体にかかわることです。利用者の態度が好感をもてるものでもそうでなくても、利用者の感情が肯定的でも否定的でも、利用者の行動が建設的でも破壊的でも、介護福祉職の価値観と合わなくても、それを尊重してかかわるということです。

ただし、自傷他害や犯罪行為などの反社会的態度や行動を容認することは受容ではありません。介護福祉職の価値観で善悪を判断せず、ありのままの現実に対して関心をもった態度でかかわることです。

(5) クライエントを一方的に非難しない（非審判的態度）

利用者がどんな判断基準で物事を理解しているのか、多面的に評価していく必要があります。介護福祉職の価値観で善悪を判断し、処罰や責任追及などをすることは援助的な態度ではありません。

介護福祉職が思っていることはちょっとした言葉や態度に出やすく、それが利用者に伝わると自覚する必要があります。たとえば利用者が失禁したときに、優しい言葉であっても「失禁しちゃったんですか？」という言葉づかいには「してはいけないことをしてしまった」というニュアンスで非難しているものとして伝わることもあります。介護福祉職が自分のもっている価値観を日ごろから自覚していくことが重要です。

(6) クライエントの自己決定をうながして尊重する（クライエントの自己決定）

介護福祉職は、利用者が自己選択と自己決定する自由と権利をもっていることを、具体的に認識することが求められています。さらに、この原則はそれだけではなく、地域社会や利用者自身のなかに活用できる資源（リソース）を発見し、その力を高める援助も含まれています。この資源（リソース）とは、所有物など物理的なものにとどまらず、家族や友人・知人などの人的資源、制度やサービスなどの社会的資源、能力・技能・意欲・意志などの本人の特性といった活用可能なあらゆるものを含みます。

(7) 秘密を保持して信頼感を醸成する（秘密の保持）

秘密の保持とは、個人情報の保護に関する法律を遵守するという観点とは次元が異なり、利用者が援助関係のなかで開示した秘密を、介護福祉職がしっかりと守ることを意味しています。信頼関係を構築することを意識して、秘密をしっかりと守ることは、専門職としての倫理的な義務でもあり、介護サービスの効果を高めるうえで不可欠な要素です。

ときには、その秘密を保持することで、利用者本人や他者に何らかの不利益を生じさせる可能性が想定されることがありえます。このような場合には、上司や同僚、あるいはほかの専門職と情報を共有し、チームとして、利用者のよりよい生活の実現のために必要な対応方法を検討します。

3 介護における援助関係を意識したコミュニケーション

（1）援助関係を意識した利用者本人とのコミュニケーション

これまで述べてきた対人援助における援助関係は、相談場面などを想定して考えられたものです。相談面接で用いる手段はコミュニケーションとしての対話です。

一方介護の展開は、個別の相談面接場面はむしろ少なく、具体的な生活支援技術を用いてADL（Activities of Daily Living：日常生活動作）の介助などで利用者の身体に直接ふれたり、それが個室ではなく集団レクリエーション中の介助だったり、プライベートな生活空間に直接入りこんで家事支援を行ったりする場面でコミュニケーションが同時に用いられるという特徴があります。利用者との身体的接触やプライベート空間の共有は、その行為だけで密着した関係性を形成する要素となります。

対話を中心としたコミュニケーション技術もさることながら、ふれる力加減や速さ、近づき方や家に上がりこんで声をかけるタイミングや声の大きさなど、あらゆる非言語コミュニケーションを駆使する必要があります。

さらに、密着性から援助関係のバランスが崩れ、親密さを感じすぎたり逆に拒絶感を強く感じたりしやすいともいえます。そうした違和感をもった場合でも、介助を受ける必要がある限り距離感を調整して接することは物理的に難しいため、ほどよい援助関係を意図的に保持していく技術が求められます。

（2）援助関係を意識した介護を必要とする人の家族とのコミュニケーション

利用者にとって家族は、人生の一角を占める大きな存在です。介護福祉職が利用者の家族とどのような関係を形成するかは、利用者のこれからの生活や人生に大きな影響を与えます。さらに、家族もまた介護ストレスや家族関係の問題などを抱えており、対人援助を必要としている存在です。したがって、利用者本人と同様に、家族に対しても、上で述べた展開過程をふんでコミュニケーションをとり、意図的に信頼関係を構築します。

コミュニケーションに支障のある利用者への介護を展開する場合には、家族とのコミュニケーションを中心におき、利用者主体の原則から離れてしまう危険があります。そうならないよう、利用者にとってのよりよい生活の実現という目的を常に意識して両者とコミュニケーションをとる必要があります。ときには利用者の声を代弁して家族の意向とすりあわせを試みたり、適切な家族介護が行われるようなアドバイスや指導など支持的で教育的なかかわりをしたりすることも必要です。

(3) 援助関係を意識した介護チームにおけるコミュニケーション

チームにおけるコミュニケーションは、介護福祉職同士のコミュニケーションと、多職種協働のコミュニケーションの大きく2つに分けられます。ただ、援助関係という観点から両者に共通しているのは、利用者がチームの中心にいることです。つまり、チームとして利用者にどうかかわっていくかという援助関係の考察が必要です。その際に押さえるべきは、連携による状況の認識の一致と、利用者に対する援助方針・目的の共有という2点です。

連携とは、利用者を取り巻く状況をチームの構成員が同じように理解できるように情報の共有を行うことです。そのためには、断片的な情報を流すのではなく、専門職としての判断も含めて行い、カンファレンスの場などで認識が確実に一致できるようにします。

また、利用者の状況が把握できると、援助方針や目的の共有も進みます。援助方針や目的が異なると、利用者とのコミュニケーションにおいても援助者ごとに差異が生じ、利用者の混乱を招くおそれもあります。そのためには、日常業務における報告・連絡・相談や専門職としての介護記録の整備、カンファレンスや会議などを効果的に展開する技術が必要となります。

◆参考文献

- F.P.バイステック、尾崎新・福田俊子・原田和幸訳『ケースワークの原則[新訳改訂版]――援助関係を形成する技法』誠信書房、2006年
- 稲沢公一『援助関係論入門――「人と人との」関係性』有斐閣、2017年

第 2 章

コミュニケーションの基本技術

第1節

コミュニケーション態度に関する基本技術

学習のポイント

- 傾聴の意義と技法を理解する
- 受容・共感の大切さを理解する
- 利用者とのコミュニケーションにおける「距離」とは何かを理解する

関連項目 ①『人間の理解』▶第2章第3節「対人援助関係とコミュニケーション」

1 傾聴

(1)「聞く」と「聴く」

相手の話を「きく」という行為は、漢字で表すと、「聞く」と「聴く」の2種類に分けることができます。**聞く**は英語のhearingにあたり、音が耳に届くことを意味します。相手の声を音声として聴覚でとらえている状態で、特に意識せず声が自然に耳に入ってきていますから、あまり記憶に残らず、場合によっては聞き流すこともできます。

聴くは英語のlisteningにあたり、意識して聴きとろうとすることです。相手の伝えたいメッセージを注意深く受けとめ、理解しようと積極的に努める態度です。相手のメッセージをこころで「聴く」こと、脳で理解しながらついていくこと、相手に合わせることともいえるでしょう。

(2)傾聴のための技法

傾聴とは、「聴く」ことといえるでしょう。傾聴するためには、「相手の話を聴きたい、相手を理解したい」という気持ちや熱意をもっていることが前提です。しかし、熱意だけでは傾聴を成し遂げることはできません。**表2－1**に示すような、うなずく、相づちをうつ、相手の言葉を

表2－1　傾聴のための技法

- うなずく
- 相づちをうつ
- 相手の言葉をくり返す
- 適切な質問をする
- 話を要約する
- 沈黙を大切にする

くり返す、適切な質問をする、話を要約する、沈黙を大切にする、といった技法を知り、活用することが必要です。

これらの技法は、「私は、あなたに関心をもっています」、「今、私はあなたの話を真剣に聴いています」、「あなたが話したいことがわかったように思います」などという気持ちを伝え、聴き手側の熱心さの証になるのです。このような態度で話を聴いてもらうと、相手には、「この人は私を理解しようとしてくれた」、「この人に聴いてもらえてよかった」という安心感やうれしさが自然に生まれます。

では、これらの傾聴技法を具体的にみていきましょう。

1 うなずき・相づち

私たちは、自分の話に相手が「うんうん」とうなずいてくれると、気持ちよく話を続けられるものです。**うなずき**はコミュニケーションの基本です。

うなずきは、速度、回数、タイミングが重要です。相手の話に合わせながら話の途切れ目にうなずく、大事な話のときは深く何度もうなずく、といった工夫が必要です。

そこに、**相づち**が入ると、効果はより一層上がります。うなずきながら、「なるほど」、「へえ～」、「そうだったんですか」などという言葉を時折はさむのです。相づちをはさむタイミングも重要です。こちらのペースというより、相手のペースに合わせて、話がうまくつながるように声をかけます。相づちとは、杵と臼で餅をつくときの、杵でつく人と、その合間を縫って餅を素早くひっくり返す人との、あうんの呼吸にも似ているかもしれません。リズミカルに両者がかみ合えば、歯ざわりのよい良質の餅がつけますが、どちらかのリズムが狂うと、ぎくしゃくしたり、ときには誤って餅ではなく手や頭を杵で叩いてけがをしてしま

表２－２　相づちのバリエーション

同意	はい、ええ、うんうん、ふんふん
容認	そうですか、そうだったんですね
おどろき	へえ～、うわあ、びっくりですね、おどろいた
承認	なるほど、確かに
賞賛	すごいですね、たいしたものです、さすがです

う、ということも起こります。

相づちの言葉のバリエーションをもっておくことも大事です。相手が何を話しても「うんうん」というワンパターンの相づちでは会話は広がりませんし、「この人は、本当に聴いているのか？」、「軽くあしらっているのではないか」というような、聴き手に対する疑念やマイナスの感情もわくことでしょう。

また、相づちは必死に絞り出すものではありません。相手の話の流れにそって、驚いたときには「ええっ？」、感心したときには「へえ～、すごい」など自分が感じたままを言葉にしましょう。そのためにはまずは自分がリラックスしていることも大切です（**表２－２**）。

2 くり返し

嬉しい、楽しいといった話の場合は、相づちもすんなり出てきやすいのですが、悔しい、つらいといった話の場合は、口ごもったり、相づちが思い浮かばなかったりすることも多いものです。そのようなときに使いたいのが**くり返し**です。

たとえば、利用者が「家に１人でいるだんなが心配だ。早く帰らんと」とポツリと言ったとしましょう。そのときに、「今日、入所したばかりだから帰れないんですよ」と事実を伝えたり、「大丈夫ですよ」とはげましたりする前に、まずは、相手の言葉をくり返すのです。「心配ですね」と、一言くり返すことで、相手は「受けとめてもらえた、わかってもらえた」という気持ちになります。そして、「だんなはご飯がつくれないから、心配だ」という心配事の中身が語られたり、「いつごろ帰れますかね？」と質問がきたり、という展開が期待できます。具体的な話が出たら、それに応じればよいのです。

くり返すためには、相手の言ったことを正確に聞いていなければなりません。くり返しの技法を使おうとすれば、必然的に、相手の話を集中して聴く、ということにつながります。

3 適切な質問

傾聴とは、相手の伝えたいメッセージを理解するために聴くことです。ただ、こちらがどんなに熱心に耳を傾けても、相手が何を言いたいのかわからないことがあります。そのようなとき、適切な質問をして、相手の言いたいことを引き出したり、明確にしたりする必要があります。

質問には、いくつかの方法がありますが、**開かれた質問**（**オープン・クエスチョン**）と**閉じられた質問**（**クローズド・クエスチョン**）は、代表的な技法です（**表2－3**）。開かれた質問とは、「どう思うか？」などのように、回答の範囲を限定せずに相手に自由に答えさせる質問のしかたです。英語の**5W1H**[1]の問いかけといえます。「What？何を」「Why？なぜ」「Where？どこで」「Who？だれが」「When？いつ」「How？どのように」といった、相手に詳しく具体的に状況を話してもらうための質問です。開かれた質問は、相手が自由に、自分自身の考えや気持ち、自分が選んだ結論など話すことをうながします。自分のペースで語れるので、何を話してもよいような雰囲気が生まれ、本音を

1 5W1H
情報をわかりやすく整理して、正確に相手に伝えるために必要となる情報の要素の1つ。同じ趣旨で、6W3H（第5章第2節参照）などもあり、情報伝達における意識づけのツールとして用いられる。

表2－3　開かれた質問（オープン・クエスチョン）と閉じられた質問（クローズド・クエスチョン）

開かれた質問	感想はどうですか？
	○○さんはどう思います？
	○○さんの好きな歌は何ですか？
	このあと、どうしますか？
	昨日の時代劇の結末、どうでした？
閉じられた質問	今日の晩ご飯は、豆腐がいいですか？　それとも鶏肉がいいですか？
	散歩は、中庭がいいですか？　それともデイルームがいいですか？
	お茶がいいですか？　それとも水がいいですか？
	おもしろくないですか？
	嬉しそうですよね？

話しやすくなる効果もあります。

閉じられた質問とは、相手が「はい、いいえ」、または「ＡかＢか」のどちらかを選んで答えられるように質問する方法です。この質問の利点は、短時間ではっきりとした答えが得られることです。とくに、認知症などでコミュニケーション能力が低下している場合は、閉じられた質問が役立ちます。たとえば、「どこに行きたいですか？」という開かれた質問では、答えが得られなかったとしても、「デイルームですか？　自分の部屋に戻りますか？」と、選択肢をあげれば、利用者は「はい、いいえ」を示したり、「デイルーム」と自分の意思を伝えたりすることができます。

一方で、閉じられた質問を多く用いると、利用者の話の展開を介護福祉職側から狭めてしまう場合があります。介護福祉職の指し示す方向や内容に、話を誘導してしまう危険性があるということです。開かれた質問、閉じられた質問、両方の質問の仕方の利点と欠点を理解して、状況に応じた使い分けをしましょう。

4 話の要約

要約とは、会話の内容を総合的にまとめ、相手に伝える技法です。要約して返されることで、相手は自分の考えや気持ちがすっきり整理され、自分の言いたかったことを改めて確認・納得することができます。それは、すがすがしさを感じることでもあります。そして、「この人は、よくわかってくれる」「この人に話すとすっきりする」という介護福祉職への信頼感や、また話そうという意欲にもつながります。

相手の話を要約する過程で、「本当にこのようなまとめでよいのだろうか」と自信がなくなったり、とまどったりする場合もあるでしょう。そのようなときは、「Ａさんがおっしゃったことは、こういうことかなと思ったのですが、合っていますか？」など、率直にたずねて確認しましょう。なお、認知機能が低下している人の場合、こちらが話を要約して返したとしても、文章が長いと理解するのが難しくて、かえって会話がうまくいかないこともあります。一文ごとに区切りを入れて、そのつど、理解したかどうかを確認しながら、要約を進めましょう。

5 沈黙

人は、話しながら、ふと考えこんでしまったり、過去のことを思い出したり、どう話していいか迷ったりすることがあります。また、悲しみにくれているなどの場合は、言葉を発さず、ただ黙ってそばに寄り添ってほしいものです。

会話のなかでみられる沈黙は大切にしましょう。聴き手は、沈黙にたえられず、矢継ぎ早に質問してしまったり、焦って話題を探したり、無関係な話をもち出したりすることがありますが、そこをがまんしましょう。沈黙には意味があるのです。

特に、高齢者や認知症の人の場合は、考えをまとめたり、思い出したりするのに時間がかかります。ちょっと沈黙が長すぎるかな、と思うくらいが、相手にとってちょうどよい沈黙時間である場合が多いものです。沈黙の間は、相手の表情や動作などをよく観察し、相手がいつでも話を切りだせるような温かい落ち着いた雰囲気づくりをすることも大切です。

（3）傾聴を使い分ける

傾聴は、コミュニケーションの基本として極めて大事ですが、一方で、介護支援において、常に傾聴しなければならないわけではありません。傾聴するためには、ある程度のまとまった時間が必要です。聴き手側の注意力や、理解しようとする努力も要りますから、精神的エネルギーも使います。「聞く」と「聴く」を使い分けることが大切です。

食事、整容、入浴、排泄といった、日々の細かな介護実践は、時間的な制約があります。ちょっとした会話、情報の伝達や確認などは、むしろ、テキパキと速やかに、用件だけをサッと伝えて、サッと対応するべきでしょう。あるいは、一定の間は傾聴して、うまく話題を切り替えて、次の介護行為に移るといったやり方もあるでしょう。一方で、利用者が不安そうにしていたり、悲しんでいたりするときは、立ち止まって、耳とこころで傾聴しましょう。

今、利用者に向き合っているこの場面では、「聞く」と「聴く」、どちらのきき方がよいのか、「聴く」のであれば何をどのくらい聴くのか、その時々で判断する必要があります。これらの使い分けは、一朝一夕にはできないものですが、試行錯誤を経て、場面ごとのふさわしい聞き方、聴き方が身についていくものと思われます。

2 受容

（1）受容とは

コミュニケーションにおける**受容**とは、相手の言ったことを否定も肯定もせず、評価を加えずそのまま受け入れることです。聞き手側の価値観、善悪の基準、好き嫌いなどは、とりあえず脇に置いて、相手の言ったことを、まずはすべて受けとめることです。

事例1

Bさん（83歳、男性）は、独身で蓄えも少なく、近隣に住む兄弟たちから経済的なことも含めてさまざまな支援を受けながら1人暮らしを続けていましたが、1か月ほど前に、介護老人福祉施設に入居となりました。

Bさんが住んでいた地域からは多少交通の便が悪いこともあり、兄弟たちはなかなか面会に来ることができません。新しい環境にまだ慣れないこともあり、Bさんは硬い表情で、介護福祉職に「兄弟が面会に来ても、あまり喋らず、すぐ帰る。こんなことなら、来なくてもいい」と強い口調で怒ったように言いました。

⇒ポイント

介護福祉職は、兄弟たちがこれまでBさんを十分に支援してきたことを知っています。一般的な価値基準からいうと、「Bさん、何を言ってるんですか。これまで、兄弟にさんざん世話になってきたでしょう」「お兄さんはBさんより高齢なんですよ。面会に来てくれるだけでもありがたいと思うべきですよ」などと思わず反論したくなることでしょう。これらの反論は、理屈としてはもっともです。むしろ正論といえるかもしれません。

しかし、Bさんにとっては、自分の言いたいことが伝わったとは決して感じられませんし、逆に、説教をされた、怒られた、という気持ちになるでしょう。また、自分の発言の奥にあるさびしさや怒りがわかってもらえなかった、という残念さやあきらめの感情が残るでしょう。

受容的にかかわるとは、「ちょっと、それはないよな」と自分の価値基準とまったく相容れなかったとしても、さびしさ、怒り、憎しみ、苦しみなど相手が感じていることを、とりあえず、そのまま受けとめることなのです。

このときの受容的な返しは、「兄弟がせっかく来たんだから、ゆっくり喋りたいですね」です。このように返すと、Bさんは、自分の気持ちを受けとめてわかってもらえたと感じられます。そのうえで、Bさんの様子をみながら、「また、今度来るのを楽しみに待ちましょう」と未来につながる声をかけましょう。

人は、受けとめてもらえると、今の自分を肯定されているように思えます。これを自己肯定感といいます。自己肯定感が高まると、自分に自信が出て、気分が安定し、生活や対人交流の意欲が向上するのです。

（2）受容と援助者

人は、悩み、悲しみ、怒りなどネガティブな感情を相手に話すとき、わかってもらえるだろうかと不安になったり、否定されるのではないかとためらったり、笑われないだろうかと恥ずかしく思ったりするものです。そのような状態にいる相手を、やさしく温かい雰囲気で、いったん、丸ごと包みこんでみることで、次の展開に進むきっかけをつくりましょう。

ただ、受容的な態度をとろうとすることで、聴き手側が苦しむ場合もあります。なぜなら、聴き手には、自分がこれまでつちかってきた自分なりの価値基準や善悪判断、好き嫌いがあり、自分とは相容れない意見を受け入れるには、どうしても納得できない、反感をおぼえる、嫌悪感がぬぐえないという気持ちが当然起こります。わかろうとすればするほど精神的に参ってしまうこともあります。受容を心がけることは大切ですが、あまり突き詰めすぎると、聴き手自身が**バーンアウト**[2]してしまうことにもつながります。完璧な受容を目指さず、「受容を心がけて援助している」、「ひとまず、いったん、受容する」というスタンスが大事でしょう。

❷バーンアウト
強い使命感や責任感をもって仕事に取り組んでいた人が、あるときを境に、燃え盛っていた火が消えるように、急に意欲を失ったり投げやりになったりする症状。

3　共感

（1）共感とは

共感とは、相手の側に立って、相手が感じている感情を、その人自身になったつもりで、あたかも自分が感じているかのように感じることです。大事なポイントは、その人になった「つもり」、「あたかも」自分が感じているかの「ように」、という点です。他人の感情は、最終的にはその本人でなければわかりません。自分がすべてを完全に理解できるわけではないけれど、相手の心情を、相手になったつもりで察しようとする努力が大事であるということです。

たとえば、「もし、私がＣさんで、Ｃさんのような生活歴があり、Ｃ

さんのような価値観をもっていたとしたら、この状況では、やっぱりそんな風に思うだろうなあ」と、相手の現在の心情や、現在の心情に至るまでの流れを理解しようとすることです。

(2) 共感を伝える

共感したら、相手にそれを返します。第1の方法は、上述したように、感情をあらわす言葉で、「それは辛かったですね」などと率直に伝えることです。ただし、こちらが共感したと思っていても、相手の気持ちとすれ違っていることもあります。それを確かめるために、「Dさん、おつらかったですね」「悔しかったですね」「ホッとされましたね」「待ち遠しいですね」などと、こちらが感じた感情を言葉で表現してDさんに返し、それが合っているか確かめる必要があります。そのときに、Dさんから「それは違う」と言われたら、「では、～ということでしょうか」と、自分の理解を修正しながら、正確な理解に近づけていきます。はじめから的確に共感できるというより、それを目指していくプロセスが重要です。

共感を伝えるための第2の方法は、表情、うなずき、じっと目を見る、そっと手に触れるなどの非言語コミュニケーションを用いて伝える場合です。これらは、ときに言葉でのメッセージよりも強く相手に伝わります。

(3) 自己覚知

感情には、うれしい、楽しい、気持ちいいなどの肯定的なもの、さびしい、つらい、不安だ、悔しいなどの否定的なもの、恥ずかしい、驚きといった否定的とも肯定的とも分けられないものとさまざまです。うれしさととまどい、不安と喜びなど同時に2つの感情が入り混じることもあります。相手の感情に共感し、それを相手に伝えるために、まずは自分自身の感情について、その傾向を知ることが大切です。これを**自己覚知**といいます。

また、ある感情が自分に起こったとき、自分はどのように表現しているかを客観的に知っていることも重要でしょう。自分ではなかなか気づかないものです。同僚などから**フィードバック**[3]をもらうことも必要です。加えて、感情に関する言葉を多く知り、使えるようになることも、共感の技術を高めることにつながります。

❸フィードバック
ある物事への反応や結果に対して、改良・調整のための意見を客観的にもらうこと。

（4）共感と似ている感覚

共感と似たものに、同情がありますが、両者は異なります。同情は、自分の価値観や見方から発生する感情です。たとえば、病気や経済的なことで苦しんでいる人に対して、「気の毒だ」、「かわいそうな人だ」などと、自分の立ち位置から相手をみて抱く感情です。

同感も共感と似ていますが、これも異なります。同感は、相手と同じ考えや意見であり、賛同の気持ちをもつことです。これも自分を基準にした判断であるといえるでしょう。

これに対して、共感は、あくまでも相手の側に立って、相手の感情を推し測ります。「病気になってつらいですね」、「たいへんな思いをしましたね」と、自分が相手の立ち位置に立ったとしたら抱くであろう気持ちを感じることです。

4　コミュニケーションにおける距離

（1）対人距離

対人距離（パーソナルスペース）とは、人と話したり活動したりするときの2人の間の物理的距離のことです。相手がだれであるか、話や活

表2－4　対人距離

距離の名称	距離	内容
密接距離 (intimate distance)	15～45cm	愛しい、慰める、保護するといった気持ちをもつことのできる距離。一方で、けんか、言い合い、格闘にもつながる距離。
個人的距離 (personal distance)	45cm～1.2m	相手の気持ちをやや客観的に察しながら、個人的なことを話し合える距離。
社会的距離 (social distance)	1.2～3.6m	一般客や他人と応対する距離、人前でも自分の仕事に集中できる距離。
公衆距離 (public distance)	3.6m以上	公演会など、公衆との間にとる距離。

動の内容が何であるかによって、適切な距離が違ってきます。

ホール（Hall, E. T.）によると、同僚同士が仕事をするのにちょうどよい距離は45cm～1.2m、親密な間柄だと45cm以下であるといわれています。それ以上接近すると、「ちょっと近すぎる」と不快感が生まれたり、無意識のうちに警戒感から体を引いたりするといわれます（**表2－4**）。

介護場面で利用者とコミュニケーションをとるときの距離は、基本的に45cm以下のことが多いでしょう。この距離は親密な雰囲気をつくり出すことができますし、たとえば利用者に難聴があって聞こえにくい場合でも、すぐに耳元に近寄れます。お互いのジェスチャーや表情などもよく見えます。また、覚醒度が低くてぼーっとしていたり、うつ的でテーブルに顔を伏せたりする場合は、利用者の肩や腕、背中に触れながらコミュニケーションをとることもできます。

一方で、暴力、暴言、感情の起伏が激しいときは、あまり近づきすぎると、かえって感情の高ぶりをあおってしまうことがあります。知らず知らずのうちに相手の感情に巻き込まれ、怒りが伝染してしまって、大声で感情的に話してしまうことにもつながります。そのようなときは、あえて、いったん少し離れたところで落ち着いて事態を眺め、それから対処法を考えることも必要です。

また、相手との位置関係も重要です。真正面で対面する位置は互いの緊張感が高まることがあります。斜めの状態のほうが話しやすいといわれています。両者の間に机やテーブルなどをはさむかどうかもコミュニケーションに影響します。このように、状況に応じて、相手の反応も観察しながら、互いの距離や位置関係を決めましょう。

（2）心理的距離

介護福祉職は、利用者との間に適度な**心理的距離**を保つことも必要です。介護福祉職は、職業として、すべての利用者に、等しく関心や熱意を向けることが望まれます。

しかし、「なぜか、Ｅさんのことはお世話したくなる」、「気がつけば、Ｅさんの部屋をよく訪れている」といったことがあるかもしれません。また、逆に、「どうもＦさんのことは親身になれない」、「一緒にいると息苦しく感じる」ということもあるかもしれません。これらのことは、単に、人として気が合う合わない、といったことの反映かもしれません。また、単純接触効果といって、最初は気まずかったが、回数を重ねると相手を好意的に思えてくるという現象もあります。なじみの関係が構築された、と言い換えることもできます。

しかし、それらでは説明できない、過度に気になってしょうがない、あるいは、逆にどうにも毛嫌いしてしまう場合があります。これらの現象は、**精神分析**❹の考え方で、逆転移と呼ばれるものです。逆転移とは、これまでの人生における重要な人物との関係が、目の前の人との二者関係に深く影響していることを指します。たとえば、親から十分にかまってもらえなかったさびしさから、逆に利用者に過度にかまってしまう、祖父に優しくできなかったから、面影が似ている男性利用者がとても気になってお世話をし続けてしまうことなどです。

これまでの自分の経験を介護にいかすことは大事なことであり、介護福祉職各個人の介護の持ち味であるともいえますが、それが特定の利用者に過度にかたよったり、あるいは自分自身が苦しくなったりする場合は、逆転移という概念を頭に入れておくことも重要でしょう。

❹精神分析
フロイト（Freud, S.）によって始められた精神治療の方法。精神過程は意識、前意識、深層である無意識の3層に分けられ、抑圧された願望は無意識層に押し込められる。それを対話・夢・連想などから発見、意識化することで治療する。

◆参考文献

- Egan, G.、鳴沢実・飯田栄訳『熟練カウンセラーをめざすカウンセリング・テキスト』創元社、1998年
- 國分康孝『カウンセリングの理論』誠信書房、1980年
- 飯干紀代子『基礎から学ぶ介護シリーズ 今日から実践認知症の人とのコミュニケーション――感情と行動を理解するためのアプローチ』中央法規出版、2011年
- 尾崎新『ケースワークの臨床技法――「援助関係」と「逆転移」の活用』誠信書房、1994年

演習2－1　話を聴く態度

話を聴くときの態度を確認しよう。

❶２人組になり、１人が話し手、もう１人が聴き手になる。

❷以下、ABCのパターンで演習を行い、記録用紙にそれぞれの役割の感想を書く。

Ａ：聴き手は、顔を横に向け、一切相手を見ずに聴く。うなずきや相づちもしない。話し手が話す内容は、ここ１か月で嬉しかったこと

Ｂ：聴き手と話し手を交代する。聴き手は、相手の顔を見てよいが、うなずきや相づちなし。話し手が話す内容は、ここ１か月で嬉しかったこと

Ｃ：聴き手と話し手を交代する。聴き手は、思う存分、傾聴技能を発揮して聴く。話し手が話す内容は、これからやりたいこと

	話し手のとき	聴き手のとき
Ａ：顔を横に向ける		
Ｂ：相手の顔を見る		
Ｃ：傾聴技能を発揮する		
全体の感想		

第2節

言語・非言語・準言語コミュニケーションの基本

学習のポイント

- 言語コミュニケーションの機能を理解する
- 言葉以外を使った非言語・準言語コミュニケーションの役割を理解する

関連項目 ①『人間の理解』▶第２章第２節「対人関係におけるコミュニケーション」

コミュニケーションをとるための手段は、①言語を用いる（**言語コミュニケーション**）、②言語を用いない（**非言語コミュニケーション**）、③言語そのものではないが、言語メッセージを修飾する（**準言語コミュニケーション**）の３つに分けられます（**図２－１**）。

最も、効率的に多くの情報を伝えることができるのは、言語コミュニケーションです。一説によると、私たちの祖先であるホモサピエンスが話し言葉を獲得したのは、10万年前ともいわれています。人は、10万年という年月をかけて、言語によるコミュニケーションを積み重ね、洗練させてきたのです。

一方で、コミュニケーションは、言語だけで行われるものでは決してありません。先に述べたように、コミュニケーションには、感情の共有、人間関係の形成といった側面があります。そこでは、視線や表情、声色やイントネーションなどの非言語・準言語コミュニケーションが果たす役割が非常に大きいのです。ときには言語よりも雄弁にメッセージを伝えるともいえます。この節では、言語・非言語・準言語コミュニケーションについて、詳しくみていきましょう。

図2－1　コミュニケーションの手段

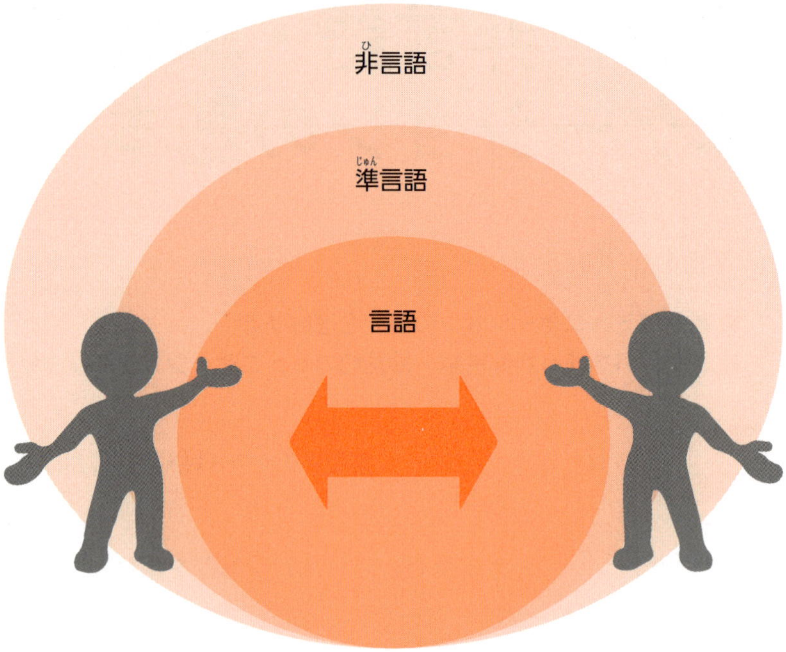

1 言語コミュニケーション

（1）言語の4つの機能

言語コミュニケーションと聞いて、多くの人は、「会話」「やりとり」「おしゃべり」など、どちらかというと『話す』ことを中心としたイメージをもつことでしょう。もちろん、言語コミュニケーションにとって『話す』ことは、重要なポイントですが、それは1つの側面でしかありません。

表2－5　言語コミュニケーションの4側面

理解する	聴覚的理解	言葉を聞いて理解する
	視覚的理解	文字を読んで理解する
伝える	発話	口に出して伝える
	書字	文字に書いて伝える

表2－5に示すように、言語コミュニケーションは、まず、大きく2つに分かれます。

1つ目は、相手の考えや気持ちを「理解する」ことです。「理解する」ためには、「相手の言葉を耳で聞いて理解する」場合と、「相手の書いた文字を目で読んで理解する」場合があります。それぞれ**聴覚的理解**、**視覚的理解**と呼ばれます。

2つ目は、自分の考えや気持ちを「伝える」ことです。「伝える」ためには、「自分の考えや気持ちを口に出してしゃべって伝える」場合と、「自分の考えや気持ちを文字に書いて伝える」場合があります。それぞれ**発話**、**書字**と呼ばれます。

人は、これら4つの機能をうまく組み合わせて、コミュニケーションをとっています。通常は、意識することなく、そのときどきに応じて、必要な能力を使い分けているのですが、脳の病気やけが、認知症などによって、これら4つの機能がうまくはたらかなくなる場合があります。しかし、よほどの重症でない限り、4つすべてが使えなくなることはありません。ですから、「できないこと」は何かを把握する一方で、**できること（残存能力）**は何かを探し、それをいかして、コミュニケーションの糸口にすることが重要です。

（2）言語の長さと複雑さ

言語は、「長い文」より「短い文」の方が理解しやすいことは明らかです。たとえばリハビリテーションに行くことをうながす場面では、次のような声かけの仕方が考えられます。①「リハビリ」、②「リハビリに、行きましょう」、③「昨日、行かなかったから、今日は、行きましょう」、④「昨日、行かなかったから、今日こそは、リハビリに、

図2－2　言語の長さ

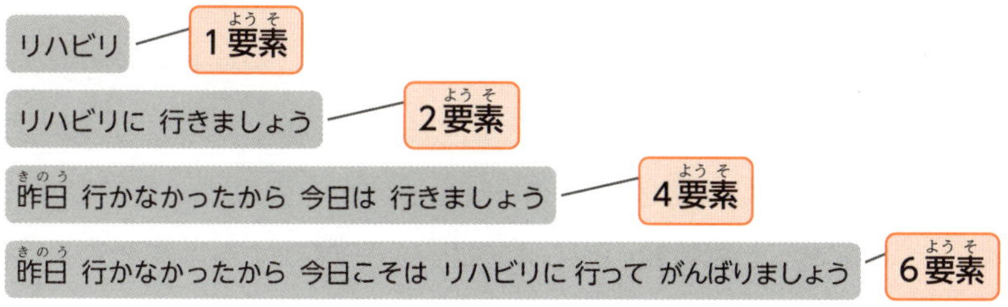
リハビリ
1要素
リハビリに 行きましょう
2要素
昨日 行かなかったから 今日は 行きましょう
4要素
昨日 行かなかったから 今日こそは リハビリに 行って がんばりましょう
6要素

行って、がんばりましょう」などです（**図２－２**）。

これらの４通りの声かけは、①から④に向かって、徐々に長くなっています。意味のまとまりである「要素」を数えると、①が１要素、②が２要素、③が４要素、④が６要素です。私たちは、通常の会話では６要素以上の文を使って話していますし、理解に困ることもありません。しかし、高齢になったり、認知機能が低下したり、失語症になったりすると、要素の多い文は理解しにくくなります。記憶の１種類である**ワーキングメモリー**[1]が低下するため、一度に多くのことを脳で処理できないのです。

たとえば、認知症のある利用者に、④の６要素「昨日、行かなかったから、今日こそは、リハビリに、行って、がんばりましょう」を一度に聞かせると、文の最初の「昨日、行かなかった」や、文の最後の「がんばりましょう」のみが頭に残るといった現象が起こります（**記憶の初頭効果と新近性効果**[2]）。したがって、利用者から「え？　昨日行かなかった？　どこに？」とか、「何をがんばれというの？」といった質問が出てくる事態になります。

言葉を使ってやりとりするためには、相手のコミュニケーション能力に合った問いかけをすることが大切です。知的機能が保たれている人とやりとりする場合は、私たちが普段話すような言葉の長さで問いかけても、相手からきちんとした答えを引き出すことができます。しかし、認知症や失語症などの疾患がある場合は、相手の「ワーキングメモリー」の能力に合わせて短い声かけをしなくてはなりません。また、この「ワーキングメモリー」は、加齢の影響を確実に受けます。年齢が上がるにつれ、問いかけは短めに、を心がけましょう。

❶ワーキングメモリー
短い時間に情報を保持しながら、同時に２つ以上の処理を行う能力のこと。会話や読み書き、計算能力などの基礎となる、私たちの日常生活や学習を支える重要な能力である。

❷記憶の初頭効果と新近性効果
初頭効果は、物事の最初が印象に残りやすい現象であり、新近性効果は、反対に物事の一番最後が印象に残りやすい現象である。

2 言葉以外を使ったコミュニケーション

（１）非言語コミュニケーション

非言語コミュニケーションとは、言語を用いずにメッセージを伝える方法で、視線や表情、ジェスチャーが代表的です。これらのうち、**ジェスチャー**は、からだの動きによって伝える内容を表現するだけでなく、会話の流れを調節して情報のやり取りをスムーズにするはたらきや、話し手と聴き手の間に一体感ともいえる感情的なつながりをつくる役割もあるとされます。

また、認知症のある人の約9割にみられるBPSD（Behavioral and Psychological Symptoms of Dementia：行動・心理的症状）❸は、患者が示す何らかの非言語メッセージであるという見方もできます。たとえば、徘徊は「自分の居場所がない」「落ち着かない」「不安である」といった心理状態を、無為は「疲れた」「少し休みたい」「そっとしておいてほしい」といった意思を、言葉ではない形で表現しているとも考えられます。

感染症予防のためにマスクを着用してコミュニケーションをとることも多いことでしょう。マスク越しだと、声が利用者に届きにくいですし、口元の笑顔も隠されてしまい表情が伝わりにくくもなります。通常のコミュニケーションよりも多少大きな声でゆっくり言う、目元を意識した笑顔をつくる、体全体で落ち着いた雰囲気をかもし出す、といった工夫が必要です。

❸**認知症の行動・心理的症状（Behavioral and Psychological Symptoms of Dementia：BPSD）**
認知症によって起こる精神症状や行動異常。幻覚、妄想、抑うつ、意欲低下、徘徊、興奮、暴力など。本人を取り巻く環境や人間関係が影響する。

（2）準言語コミュニケーション

準言語コミュニケーションとは、言語そのものではないけれども、言語に付随して、メッセージを修飾して伝える役割をもちます。発話の明瞭さ（滑舌のよさ）、声の大きさや高さ、声の質、抑揚やイントネーション、話の速度などです。たとえば、高齢者に話しかけるときの留意点として「大きな声で」「ゆっくり」「区切って」「メリハリをつけて」などがあげられますが、これらはすべて準言語コミュニケーションを意識した技法といえます。

認知症のある人に対する介護者の発話スタイルを準言語コミュニケーションの視点で分析した研究では、「敬意と親密さの両方が感じられる」発話スタイルが最も利用者の評価が高かったこと、一方で「敬意はあるが親密さを感じられない」「指示的で相手をコントロールする」「なれなれしい」「非難されている」などの発話スタイルは、利用者の評価がたいへん低かったという結果でした。この結果は、認知症の有無や重症度にかかわらず同じでした。

このことは、健常な人も認知症のある人も、相手がどのような表情・語り口・態度で話しかけるかといった非言語・準言語コミュニケーションを敏感に感じとり、それをシビアにみて評価しているという事実を示していると思われます。

表2－6　非言語・準言語コミュニケーション

非言語	ジェスチャー
	うなずき
	アイコンタクト
	表情
	ボディタッチ
準言語	声の大きさ
	声の高さ
	メリハリのある話し方
	語尾の抑揚
	滑舌
	話す速さ
	間合いの取り方

（3）非言語・準言語コミュニケーションの種類

表2－6に、非言語・準言語コミュニケーションの種類を示します。これらを、やりとりのなかで効果的に使いたいものです。人はたくさん情報があって、判断に迷うときは、目に見える一部の手がかりにもとづいて直感的に判断する傾向があることが知られています（**ヒューリスティック効果**[4]）。介護が必要な人々は、認知症による理解力の低下や、不安や心細さなどのために、たくさんの情報をうまく処理して判断することができない場合があります。目に見える手がかり＝準言語・非言語コミュニケーションを上手に利用して、コミュニケーションの力で、利用者の生活を支えていきたいものです。

④ヒューリスティック効果
何かを判断するとき、限られた情報をもとに簡略化されたプロセスで結論を得る方法である。必ず正しい結論に達するわけではない。

◆参考文献

- 飯干紀代子『基礎から学ぶ介護シリーズ 今日から実践認知症の人とのコミュニケーション――感情と行動を理解するためのアプローチ』中央法規出版、2011年
- 喜多荘太郎「人はなぜジェスチャーをするのか」斉藤洋典・喜多荘太郎著日本認知科学会編『ジェスチャー・行為・意味』共立出版、2002年
- 吉川悠貴、加藤伸司、阿部哲也他「模擬会話場面のVTRを用いた介護職員の発話スタイルの評価」『日本認知症ケア学会誌』第 4 巻第 1 号、2005年
- Denes, P.B., Pinson, E.N., *The Speech Chain : The Physics and Biology of Spoken Language, second edition*, Freeman and Company, 2007.

演習2－2 感情をあらわす言葉

感情をあらわす言葉をあげてみよう。

❶自分で思いつく「感情をあらわす言葉」を、個人欄に書く。個数を数え、ポジティブな言葉とネガティブな言葉に分ける。

❷グループ（5名程度）で発表しあう。自分にない言葉を、グループ欄に書きとめる。合計数を数え、ポジティブな言葉とネガティブな言葉に分ける。

❸全体で共有し、感想を話しあう。

個人の合計　：	個	（ポジティブ：　個	ネガティブ：　個）
グループの合計：	個	（ポジティブ：　個	ネガティブ：　個）
個人			
グループ			
感想			

第3節

目的別のコミュニケーション技術

学習のポイント

- 利用者の意欲を高めるための動機づけがどのようなものかを理解する
- 思い込みにとらわれず事実を共有するための技術を理解する
- 介護を必要とする人の意思決定を支援するための基本的な考えを理解する

関連項目
①『人間の理解』▶第2章「人間関係とコミュニケーション」
③『介護の基本』▶第4章第1節「自立支援の考え方」

1 動機づけ

(1) 動機づけとは

利用者主体の自立した生活を実現するためには、利用者本人が自分自身の意思でしたいことやしたくないことを考え、表明し、それが実行されるその過程が必要です。

たとえば、ベッドで寝ているときに尿意を感じたとします。そのとき「トイレで排尿しよう」という目標意識をもち、そのためにベッドから起き上がり、歩いてトイレまで行き、便器に腰をおろして排泄します。この間に、起き上がったり、立ち上がったり、歩行したり、衣服の上げ下げや移乗など、さまざまな一連の行動をします。これらの行動は、本人の「トイレで排泄しよう」という目標意識が動機となってはじまります。しかし、これを最後まで達成するまでには、そうしようという本人の意志や意欲が必要です。

このように、何らかの自分の目標に向かってある行動を起こして、目標が達成されるまで行動を持続させようとする心理的な過程を、心理学用語で**動機づけ**と呼びます。

「おなかがすいた」という動機が起こったとします。そこから「食堂に行こう」「今日のご飯は何か」「何を食べたいか」、そして食卓についてからも「どういう順番で食べようか」「おかわりしよう」など、<ruby>次々<rt>つぎつぎ</rt></ruby>と目標があらわれ、それを達成するために実行していきます。このとき、特別に何か目標を立てようと身構える<ruby>身構<rt>みがま</rt></ruby>わけではなく、自分のなかに湧き上がる<ruby>湧<rt>わ</rt></ruby>動機や、こうしたい、ああしたい、こうしたくないなどの<ruby>欲求<rt>よっきゅう</rt></ruby>が生まれ、その<ruby>欲求<rt>よっきゅう</rt></ruby>を満たすべく順次行動していきます。

　介護を必要とする<ruby>人々<rt>ひとびと</rt></ruby>のなかには、こうした動機づけがうまくいかず、たとえ自分の<ruby>欲求<rt>よっきゅう</rt></ruby>や動機があったとしても、それを実行に移すだけの気持ちのエネルギーがない人が多くいます。動機づけがうまくいかない理由はさまざまです。ある出来事をきっかけに自信<ruby>喪失<rt>そうしつ</rt></ruby>してしまったり、何をしても<ruby>無駄<rt>むだ</rt></ruby>だと無力感にさいなまれたり、あまりの辛さに欲求<ruby>辛<rt>つら</rt></ruby><ruby>欲求<rt>よっきゅう</rt></ruby>をあえて感じないように無感動の<ruby>状態<rt>じょうたい</rt></ruby>に自分のこころを押し殺したり<ruby>押<rt>お</rt></ruby>、いずれにしても、介護が必要になったことに関連する何らかの<ruby>要因<rt>よういん</rt></ruby>によって、利用者が自分自身の人生を生きようとする<ruby>意志<rt>いし</rt></ruby>や意欲が<ruby>発揮<rt>はっき</rt></ruby>できない<ruby>状況<rt>じょうきょう</rt></ruby>になっていることがあります。

　このような場合に利用者の意欲を取り戻す<ruby>戻<rt>もど</rt></ruby>ためには、1つひとつの行動の動機づけを高めていく必要があります。そのために知っておくべきことの1つは、動機づけは**外発的動機づけ**と**内発的動機づけ**に分けられるということです。

（2）外発的動機づけ

　外発的動機づけとは、周囲の人からのはたらきかけによって、行動を持続せざるを得ない<ruby>状況<rt>じょうきょう</rt></ruby>になって行動しようとする動機づけをいいます。たとえば、周りの人が強制的<ruby>強制<rt>きょうせい</rt></ruby>にその行動をするようにすすめたり、<ruby>賞罰<rt>しょうばつ</rt></ruby>を与えることで行動するように仕向けたり、周りの人が<ruby>評価<rt>ひょうか</rt></ruby>を与え<ruby>与<rt>あた</rt></ruby>ることでその<ruby>評価<rt>ひょうか</rt></ruby>を目的に行動したりすることをいいます。

　外発的動機づけは、本人がその行動に<ruby>興味<rt>きょうみ</rt></ruby>関心をもって自分からやろうと思っていないことでも、それをすることでほめられたり、<ruby>評価<rt>ひょうか</rt></ruby>されたりすることを目当てに、ある行動をするようになります。

　これを介護の<ruby>現場<rt>げんば</rt></ruby>でも日常のコミュニケーションに<ruby>応用<rt>おうよう</rt></ruby>して、動機づけを高めて活動につなげることができます（図2－3）。

　外発的動機づけは、本人がその行動自体には意味をそれほど感じなくても、周囲からの<ruby>評価<rt>ひょうか</rt></ruby>や<ruby>賞罰<rt>しょうばつ</rt></ruby>などを気にして行動に移します<ruby>移<rt>う</rt></ruby>。したがって、外部からの<ruby>刺激<rt>しげき</rt></ruby>に応じた<ruby>応<rt>おう</rt></ruby>一時的な動機づけに終わってしまい、<ruby>刺激<rt>しげき</rt></ruby>がなくなったり時間が<ruby>経過<rt>けいか</rt></ruby>したりすると、行動につながりにくいという

図2－3　外発的動機づけの例

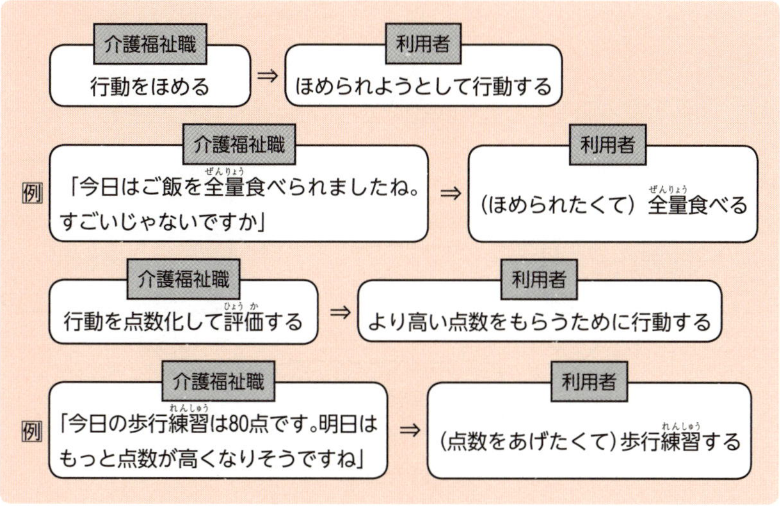

欠点があります。いつも同じようにほめられたりしているだけでは、自分の人生を主体的に生きるという意味での行動にはなかなか結びつかないことがあります。

それでも、最初は外発的動機づけで行動していたものが、そのうち本人が楽しさを覚え、自分で創意工夫するなど、次に述べる内発的動機づけに変化していくこともあります。

ただ、おだててほめるだけだったり、点数や順位づけをするだけだったりではなく、そこから利用者本人がその行動そのものに興味・関心がもてるようにするには、利用者と向き合ってじっくり話し合うなど対話を進めていくことが不可欠です。

（3）内発的動機づけ

外発的動機づけが他者から刺激を受けて行動するものである一方、内発的動機づけは、他者が見ていようがいまいが、何らの評価や賞罰がなくても、ただそうしよう、そうしたいと思って行動する動機づけです。この内発的動機づけによって行われる行動には深い満足感が伴います。したがって長続きしますし、多少行動に困難がともなっても創意工夫で乗り越えようとします。

この内発的動機づけには3つの要因が同時にはたらくことで効果が上がるといわれています（図2－4）。

図2－4　内発的動機づけを促進する要因

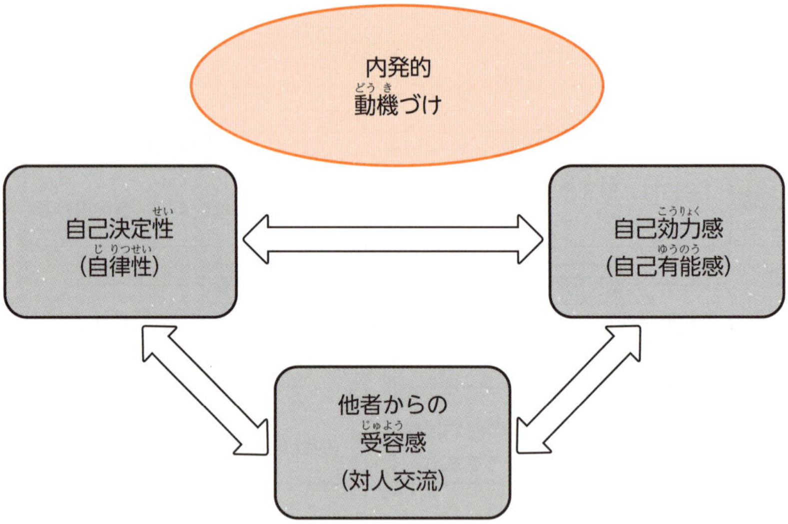

1 自己決定性（自律性）

自己決定性（自律性）とは、他者に命令されているわけではなく、自分の意志で行動しているという感覚があることです。外発的動機づけでは、どんなにほめられてその気になってした行動であっても、自分が決めたという感覚はありません。あくまでもほめている他者から操られている感覚が拭えず、動機づけは長続きしません。しかし自己決定性が保たれている行動は、飽きることがありません。

2 自己効力感（自己有能感）

自己効力感（自己有能感）とは、その行動を自分が行うことができているという、自分がもっている能力を発揮できているという感覚です。これは、外発的動機づけでも感じることはできます。ほめられることで、自分にはできるんだという感覚が生まれます。しかし、上で述べた自己決定性と同時に感じる自己効力感のほうが、はるかに質の高い感覚となります。

外発的動機づけで他者からの指示がもとになって行動できたことは、もちろんうれしさは感じますが、お膳立てされているのではないかという感覚も芽生えやすくなります。一方「自分がこうしよう」「こうしたほうがいい」などと意志をもって取り組んだ結果が成果としてみえると、さらなる内発的動機づけにつながります。

3 他者からの受容感（対人交流）

自発的な行動とはいっても、自分の内面だけで孤独に向かっているよりも、周囲の人に認められ、大切にされているという他者からの**受容感**をもつことで、自己決定が進み、自己有能感も上がっていきます。むしろ、こうした愛情に包まれた安全な環境という土台があってこそ、臆することなく自分の意志を表明できます。それに基づいて行動するときにも、うまくいっても失敗しても、見守っている人がいてくれる安心感もあります。また、うまくできたときも、みんなが優しく自分を認めてくれる言葉かけがあってはじめて、自分にもできるんだという気持ちに確証をもてるようになります。

2 ものの見方に変化を生み出す技術

（1）ものの見方の多様性と固定観念

人のものの見方は多様です。同じ現象を目にしても、それをどうとらえるかは人により異なります。生まれてこれまで経験したことや性格などさまざまなものが１人ひとりの**価値観**を形成しているので、世界の見え方は誰一人同じではありません。ものの見方はある１つに固定化され

図２－５ 人間の事実の認識過程

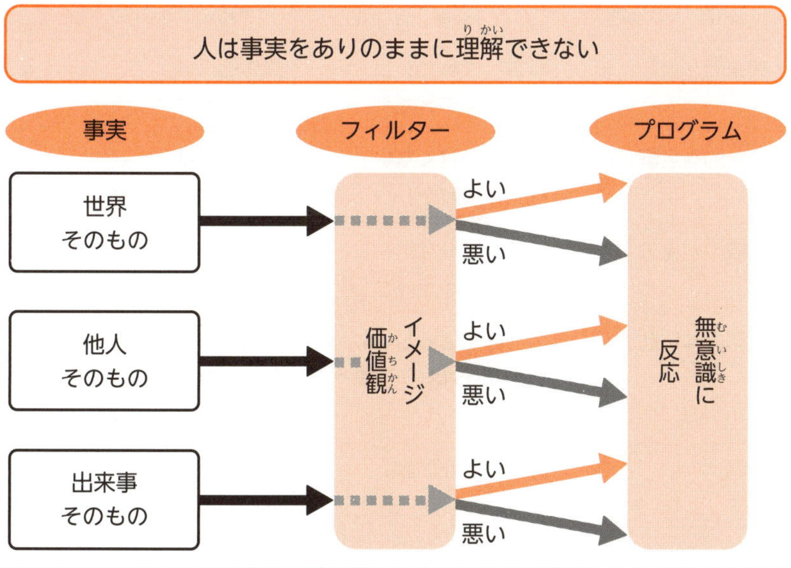

ません。見方が変わればとらえ方がまったく異なります。しかし、人は事実をありのままに理解することは困難で、だれもが自分自身の価値観をフィルターにして、起こっている出来事を**価値判断**して納得し、自分独自の世界観を形成しています（図2－5）。

この価値判断は、非常に強い**固定観念**でしばられていて、人から「違うよ」と指摘されても「そんなはずがない」とすぐに事実を容認することができません。ただ、固定観念をもつこと自体は問題なくむしろその人なりの価値判断をすることが、その人らしさの発現につながって個性として認められることになります。

しかし、介護福祉の援助場面では、利用者のよりよい生活に向けて共通の目的を利用者やその家族と共有し、チーム内でその方向性を統一してケアを行う必要性があります。そのようなときに、利用者と援助者がもっている価値観がまったく異なっていたら、あるいは職員間で価値観が対立していたら、同じ方向を向いて実効性のあるケアを提供できなくなってしまいます。

（2）思い込みが理解を妨げる

上で述べたように、価値観は、生まれてからこれまでの経験によって刻み込まれるものです。また自分が経験したことは間違いないと思いが

表2－7　事実の「省略」、「歪曲」、「一般化」の例

「省略」の種類	省略の例	見えていないこと
抽象的な動詞	「バカにされた」 「あいつはダメだ」	具体的には？ どのように？
抽象的な名詞	「世のなか甘くない」 「意見が煩雑だ」	具体的には？ だれが？何が？何に？
比較の対象欠如	「努力が足りない」 「がんばりが足りない」	何と比べて？ だれと比べて？
基準のない判断	「○○はすばらしい」 「これからは○○すべきだ」	何を基準に？ どのような理由？
名詞化	「人間関係が問題」	どのように？ 何について？ だれが？

「歪曲」の種類	歪曲の例	見えていないこと
等価の複合観念	「笑っている＝不真面目」 「無口＝つき合いが悪い」	どうして○○が△△を意味するのか？
前提	「上司は部下を下にみるものだ」 「今時の若者は○○だ」	何があなたをそう思わせたのか？ 何かそう思うきっかけがあったのか？
因果	「あの人の声を聞くと私はイライラする」 「あの人の動きにむかつく」	なぜ○○が△△の原因なのか？
憶測	「私は信頼を失ってしまった」	いったいどうしてそれがわかるのか？

「一般化」の種類	一般化の例	見えていないこと
可能性の叙法助動詞	「私にはできっこない」 「私にはこの仕事は無理」	もしできたとしたらどうか？ ふみとどめているものは何か？
必要性の叙法助動詞	「上司は○○であるべき」 「利用者の前では笑顔を絶やしてはいけない」	もし、そうしないとどうなるのか？ もし、そうしたらどうなるのか？
普遍的数量詞	「みんなから嫌われている」 「すべてがだいなしだ」 「あの人はいつもそうだ」 「絶対にYesと言わない」	例外はないのか？

ちです。しかし、経験はそのときたまたまそうだった可能性があるにもかかわらず、1回限りの経験であっても非常に強固な**思い込み**となります。さらに、自分が経験していない価値観は容易には認められません。

さらに難しいことに、思い込みはなくならないということです。人間は思い込みがあるからこそ、不条理な世界でも、自分なりの理由づけをしてかろうじて生きています。したがって、利用者や他者や自分自身の思い込みが邪魔だからといってなくすことはできません。

とくに問題になるのは、思い悩み、行き詰まってしまい、ネガティブな発想しかできなくなって前に進めない状態のときです。このようなときには、私たちは事実を**省略**したり、**歪曲**したり、**一般化**したりして、誤った認識をしがちです（**表2－7**）。

（3）思い込みの違いを超えた事実の共有

このように、思い込みが事実をゆがめていることは、言葉に表現されます。逆に言葉を換えることでその思い込みに異なった見方が追加される可能性が生じます。

人々の間に意見の対立が生じるのは、事実を正確にとらえられないときや、事実を共有できないときです。したがって、はじめに行うべきことは、事実を正確に論理的に把握することです。あいまいなことを質問によって**具体化**していきます。前記の**表2－7**にまとめているように、あいまいな言葉にはみえていない側面があります。それを質問することで、事実が具体化されて共有しやすくなります。

その次に、その事実が「あたかも目の前でおこっている」かのようにイメージできるくらいまで、相手と対話して事実を共有していくことで思い込みを克服することが可能になります。

（4）自由な発想を縛る思い込み

すべての思い込みが問題になるわけではありません。自分の**信念**は、ときに生きる原動力になります。ただし、その信念にとらわれて自分を苦しめたり、他者を傷つける言葉をかけてしまったりする場合には、その信念を少し別の角度から検討し直すことも必要です。

とくに自分を苦しめることに陥りやすいのは、合理的ではない信念です。これは、「～べきだ」「～ねばならない」といった義務や当然さを含む非合理的な信念です。「～べきだ」「～ねばならない」という信念は、それ以外の発想を容認できません。しかし、物事のとらえ方や価値観は人それぞれ、あるいは状況によって違いがあります。そこでこのような義務的な信念は「～のほうがよい」という適当さを含めた信念に置き換えたほうが、より柔軟に実態に合わせていける可能性が生じます（**図2－6**）。

図2－6　「非合理的な信念」と「合理的な信念」

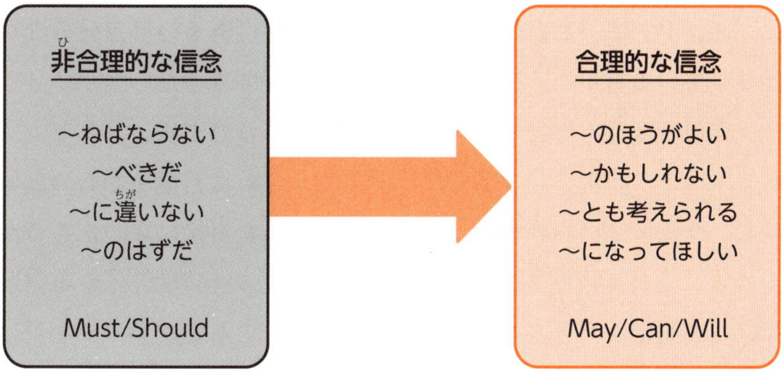

非合理的な信念
～ねばならない
～べきだ
～に違いない
～のはずだ
Must/Should
合理的な信念
～のほうがよい
～かもしれない
～とも考えられる
～になってほしい
May/Can/Will

（5）リフレーミング

事実を共有したうえで、それでもなお発想が偏っている場合には、リフレーミングという技術が有用です。リフレーミングとは、**ＮＬＰ（神経言語プログラミング）**❶や**解決志向アプローチ**❷などのさまざまなカウンセリング手法のなかに取り入れられている技術で、言葉を用いてものの見方を変換していきます。

固定観念でこり固まっているものの見方が、まったく逆の方向からみえたときに、発想の転換が起きて中立的な見方ができるようになります。中立的な見方ができるようになれば、それまで踏み出せなかったことにも、一歩前に進むことができるようになります。

たとえば、下のコップを見たとき、どのように見えるでしょうか。

①「水が<u>半分も</u>入っている」（ポジティブ）
②「水が<u>半分しか</u>入っていない」（ネガティブ）
③「水が半分入っている」（ニュートラル）

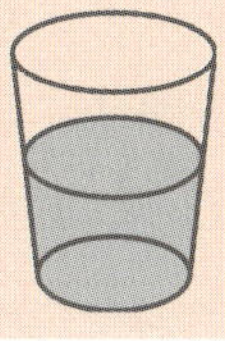

③が中立的な見方ですが、①とみている人はポジティブで②の発言を聞くと一瞬とまどうでしょう。なかにはそんなはずはないという人もいるはずです。このなかで大事な点は、「も」と「しか」という言葉が違うだけで、その受けとり方は大きく隔たるということです。このようなわずかな言いまわしのなかに、その人のものの見方や価値観があらわれてきます。そこで、狭くなった視野を広げ、物事に対する価値や意味づ

❶NLP（神経言語プログラミング）
バンドラー（Bandler,R.）とグリンダー（Grinder,J.）によって創設されたカウンセリング技法。人間は、五感を通して体験し、言語によって意味づけられ、行動がプログラム化されるという仮説のもとでモデル化されている。五感や言語を変化させることによって、効率的にクライアントの行動変容をはかる。

❷解決志向アプローチ
シェーザー（Shazer,S.d.）とバーグ（Berg,I.S.）らによって開発された心理療法。問題の原因を個人の病理に求めるのではなく、コミュニケーション（相互作用）の変化をうながして問題を解決・解消しようとする。「原因が何か」ではなく、「今ここで何が起きているのか」を重要視し、短期間での問題解決を可能とする短期療法（ブリーフセラピー）の一種。

けを変えるためにリフレーミングを行います。

リフレーミングには2つの種類があります。1つは内容（意味）のリフレーミングです。これは、相手の言った言葉、あるいは自分のなかで気になっている言葉を「ほかにどのように表現できるだろうか？」と考えて、表現を変えることで考え方に変化を生じさせます。

もう1つは、状況のリフレーミングです。これは言葉そのものというよりも、今困っている状況が、どんな場合だったら役に立つだろうかと考えます。たとえば落ち込んで何も手につかない状態は、「やる気が起きない」問題状況だととらえがちですが、落ちこんでダメージを受けたこころの「修復時間」だととらえれば、そこから受ける印象がまったく異なります。

3 意思決定を支援するためのコミュニケーション

（1）本人の意思の尊重

介護福祉職が介護を必要とする人の意思を尊重することは、利用者主体の介護を実現するための原則です。

人は、起床時間や食事の場所、食の嗜好や排泄など基本的な日常生活から、サービス利用契約や住まいの選択などの社会生活、人生の最終段階において今後どのような生活が自分にふさわしいかなどの人生のあり方まで、生きている限り自分の意思をもちながら生活を営んでいます。それを他者に強制されたり制限されたりせずに、自分のことを自分で決めて主体的に生きていく自立生活が人間らしい生活につながります。

介護福祉職は、こうしたあらゆる場面で利用者の意思を尊重した取り組みが求められます。

（2）意思決定を支援する必要性

介護を必要とする人のなかには、認知症の人や判断能力が低下する障害のある人など、自分の意思をうまく表明できなかったり、意思にもとづいた生活の実行ができなかったりする人も多くいます。

このように意思決定に困難を抱える人であってもその人らしい意思決定とそれを反映した生活を送ることができるように、意思の確認や意思の選択など意思決定を支援することが重要です。こうした意思決定を支援するプロセス全体を通して、**意思決定支援**と呼んでいます。意思決定は人間の尊厳と自立における根幹となる要素なので、この意思決定支援はきわめて倫理性を求められるプロセスとなります。

認知症や障害など、その利用者本人の状況により、意思決定支援のプロセスでは違った配慮などが求められる場合もあります。そこで、次のようなさまざまな意思決定支援の**ガイドライン（指針）**が定められています。ガイドラインには、意思決定支援を行ううえでふまえるべき原理・原則・プロセスが書かれています（**表2－8**）。

（3）意思決定支援における基本的な原則

介護福祉職が意思決定支援を行ううえで、利用者本人の意思決定を損なう支援にならないためには、次のような原則をふまえてコミュニケーションをはかっていくことが必要となります。**表2－8**にあげられたガイドラインには、その特性に応じて必要とされる原則が記載されています。

1 本人の意思の尊重・自己決定の尊重

一見すると意思決定することが困難だと思われるような場合であっても、能力がないと判断することなく、あらゆる方法で本人の意思が尊重されるように支援をしていくことが原則です。

意思決定が本人に不利益となる場合には、意思決定の結果を最大限尊重しつつ、そのリスクなどを十分に検討して本人の不利益を最小限に抑えることが必要です。ただしこの場合でも、あまりにリスク管理を徹底しすぎて、本人の自由が奪われ制約されないようにします。本人の意思決定を維持しつつ、リスクに対する配慮も同時に両立しながら支援を継続していくことも検討します。

たとえば、糖尿病があって食事制限のある利用者が、ジュースが好きで飲みたいと言ったとします。糖尿病だから飲んではいけないと頭ごなしに制限するのではなく、一日の食生活全体を見渡したうえで、どれくらいなら飲んでもいいか、飲んだ場合にほかの糖質でコントロール可能かなどあらゆる検討をして本人と対話します。

2 本人の意思決定の能力に応じた配慮

意思決定能力は、利用者のおかれた状況によって異なりますし、時と場合によっても異なります。その時々で必要となる支援を適切に行います。とくに、自己決定・自己選択が適切に行われるためには、必要な情

表2－8　意思決定支援に関する代表的なガイドライン

- 障害福祉サービスの利用等にあたっての意思決定支援ガイドライン（厚生労働省、2017（平成29）年）
- 認知症の人の日常生活・社会生活における意思決定支援ガイドライン（厚生労働省、2018（平成30）年）
- 人生の最終段階における医療・ケアの決定プロセスに関するガイドライン（厚生労働省、2018（平成30）年改訂）
- 高齢者ケアの意思決定プロセスに関するガイドライン――人工的水分・栄養補給の導入を中心として（日本老年医学会、2012（平成24）年）

報が本人に正確に伝わり、理解できていることが前提になります。したがって、介護福祉職は本人に対して、必要な情報について利用者が理解できるような工夫をしながら説明を加えて情報提供します。また、本人の意思確認においても、言語だけではなく非言語コミュニケーションも取りいれたうえで、選択肢から選んでもらったり、自由に意思表示できたりするように、あらゆる手段と工夫を凝らして支援します。

3 専門職等他者の価値観で、本人の意思を批判しないこと

利用者の自己決定や自己選択は、専門職からみると不合理に思われるものもあります。その場合でも、利用者本人の生命や他者の権利侵害にいたらないものであれば、頭ごなしに非難したり却下したりするのではなく、その選択を尊重するように努めることが求められています。

ただし、前提として2であげたような本人にとって意思決定する前提としての情報が伝えきれているのか、介護福祉職があらゆる工夫をもって本人に理解してもらえるような説明をし尽くしているかが重要です。本人が合理的でないと思われる意思決定をするときは、こうした情報不足や、誤解からくる場合も多くあります。

4 支援チームでの検討により、本人にとって最善の利益を判断

意思決定支援は、本人と担当者の間だけで行うべきことではありません。本人の介護にかかわる人たちのチームとして、本人の意思決定を尊重して支援していくことが原則です。ここでいうチームには、本人はもちろん家族も含まれますし、専門職だけではありません。

とくに、人生の最終段階にあったり、重度認知症で判断能力が低下したりなどして本人の意思確認などが困難な場合には、専門職による日常のアセスメントや支援記録などの情報、本人の生活史や家族関係、社会

生活など、その人らしさを表すようなさまざまな情報を把握して根拠を明確にしながら、本人の意思や選好を推定していきます。

（4）意思決定支援の基盤としてのコミュニケーション

介護福祉職が意思決定支援を行う際の基盤は、利用者本人と介護福祉職との信頼関係です。信頼関係を形成するために、介護福祉職が意図的なコミュニケーションをはかります。その際の基本は、受容的なかかわり、共感的理解の促進、積極的な傾聴の展開です。

信頼関係があれば、本音で話し合うことができます。自分が思っていること、考えていることを非難したり、ばかにしたりせず、本気で聞いてくれる人であれば、自分の意思決定を尊重してもらえると感じます。その信頼感が、意思決定をめぐる対話のプロセスを展開していくうえでの基盤となります。

また、意思決定支援は、利用者本人と介護福祉職との間でだけ展開されるのではなく、家族や介護福祉職チーム、多職種チームといった関係者がコミュニケーションをはかっていくことが重要です。利用者本人・家族とその支援者のコミュニケーションにより、合意形成がなされ、本人の意思決定が実現可能となります。

（5）意思決定支援のプロセス

意思決定支援のプロセスは、大きく3段階に分けて考えることができます。たとえば、認知症の人の日常生活・社会生活における意思決定支援ガイドラインでは、具体的プロセスを図示してそれぞれの留意点をあげています（図2－7）。

1 本人が意思を形成していく過程の支援

本人の意思決定にいたる最初の段階は、自分の意思を固めていくことです。そのためには、意思を形成するために必要な情報がえられるかどうか、その情報を理解できるかどうかが重要です。また、情報を正しく理解するためには、それを自由に考えたりできる環境も必要となります。

介護福祉職は、必要な情報を本人にわかりやすく提示し、説明して、本人の理解を促進します。また、その情報をじっくり落ち着いた環境で検討できるように、物理的な生活環境や、本人の感情のコントロールなど心理的環境も調整していきます。

図2－7　認知症の人の意思決定支援の具体的プロセス

日常生活・社会生活等における意思決定支援のプロセス

人的・物的環境の整備

◎意思決定支援者の態度

（本人意思の尊重、安心感ある丁寧な態度、家族関係・生活史の理解 など）

◎意思決定支援者との信頼関係、立ち会う者との関係性への配慮

（本人との信頼関係の構築、本人の心情、遠慮などへの心配り など）

◎意思決定支援と環境

（緊張・混乱の排除、時間的ゆとりの確保 など）

意思形成支援：適切な情報、認識、環境の下で意思が形成されることへの支援

［ポイント、注意点］

●本人の意思形成の基礎となる条件の確認（情報、認識、環境）

●必要に応じた都度、繰り返しの説明、比較・要点の説明、図や表を用いた説明

●本人の正しい理解、判断となっているかの確認

＋

意思表明支援：形成された意思を適切に表明・表出することへの支援

［ポイント、注意点］

●意思表明場面における環境の確認・配慮

●表明の時期、タイミングの考慮（最初の表明に縛られない適宜の確認）

●表明内容の時間差、また、複数人での確認

●本人の信条、生活歴・価値観等の周辺情報との整合性の確認

＋

意思実現支援：本人の意思を日常生活・社会生活に反映することへの支援

［ポイント、注意点］

●意思実現にあたって、本人の能力を最大限に活かすことへの配慮

●チーム（多職種協働）による支援、社会資源の利用等、様々な手段を検討・活用

●形成・表明された意思の客観的合理性に関する慎重な検討と配慮

各プロセスで困難・疑問が生じた場合は、チームでの会議も併用・活用

意思決定支援のプロセスの記録、確認、振り返り

出典：厚生労働省『認知症の人の日常生活・社会生活における意思決定支援ガイドライン』p.12、2018年

2 本人がもつ意思を表明する支援

意思をもったら、それを他者に伝えていくことが次の段階になります。このときに、他者に意思が表明できない、あるいは他者にうまく伝達できない場合などが考えられます。たとえば、発話や身体的表現など

他者への伝達に支障がある人もいます。伝達に支障がなくても、心理的に伝えにくい環境にある場合もあります。

このように、本人が意思の表明に困難な場合には、その環境を整備してコミュニケーションをはかることが重要です。また、本人がその意思を自分から他者に伝えるためには、それを受ける側の、本人の気持ちをしっかりと聴こうという態度や、じっくりと聴く時間の確保などの工夫が重要です。

また、重要な意思決定の場合には、本当にその決定でよいかどうか、時間をかけて検討したり、複数の支援者で確認したりして本人にとって不利益とならないように支援します。

3 本人が決定して表明した意思を実現する支援

意思決定支援は、本人が決定して表明した意思が、生活のなかに現実に取りいれられ、実現に向けて実行されるところまでのプロセスを含んでいます。

実行していくと、その過程で当初あらわしていた意思が変更していくこともあります。その場合にも、本人の意思を尊重するという原則により、また同様のプロセスを経て支援を展開します。

◆参考文献

- E.L.デシ、R.フラスト、桜井茂男訳『人を伸ばす力――内発と自律のすすめ』新曜社、1999年
- 橋本和幸『わかってもらえた！と思われる面接技法』ムイスリ出版、2016年
- 長谷川啓三『解決指向介護コミュニケーション』誠信書房、2010年

演習2−3 リフレーミングのトレーニング

1 ネガティブな言葉をポジティブな言葉に置き換えることで、ものの見方を転換する練習をしてみよう。ネガティブな考えが強すぎて相手や自分を嫌悪してしまうようなとき、発想を変換できるようにしよう。

例）「あの人は優柔不断だ」→「あの人は思慮深い」など

1．落ち着きがない →
2．気が利かない →
3．無神経 →
4．神経質 →
5．おせっかい →
6．怒りっぽい →
7．理屈っぽい →
8．わがまま →
9．こだわりが強い →
10．気が小さい →

2 状況のとらえ方を変換してみよう。相談者が次のようなネガティブな発言をあなたに訴えたとします。どんな言葉をかけたら、その人の発想が変換するか考えてみよう。

1．「最近スランプでやる気が出ないのです」
→

2．「自分は何をやっても長続きしなくて飽きっぽい性格で嫌になります」
→

3．「雨のせいで、楽しみにしていたイベントが延期になってしまい残念です」
→

第 4 節

集団における コミュニケーション技術

学習のポイント

- 集団の特徴、集団でのコミュニケーションの意義を理解する
- 集団運営を考え、その留意点を理解する

関連項目 ①『人間の理解』▶第２章第２節「対人関係におけるコミュニケーション」

1 集団でコミュニケーションをはかる意義

1対1でのコミュニケーションと集団（グループ）でのコミュニケーションは、いくつか異なる点があります。個人を対象としたコミュニケーションでは、個人に焦点化して相手の立場に立ってコミュニケーションを展開していくことができますが、集団の場合は、メンバーすべてを対象としているため、個人を対象とした場合とでは、異なった難しさがあります。

しかし、集団でコミュニケーションをはかると、メンバーと交流することを通して、個人を対象としている場合には得られない効果をもたらしてくれることがあります。たとえば、他者の話を聞いて自身の発言をうながしてくれる場合や、他者の発言を聞くことや他者に自分の考えを伝えることで、双方の情報量が増え、お互いの理解が深まります。そして、**新たな人間関係の形成**につながるなど、集団としてもよい方向に変化していくことが期待できます。

介護福祉の実践現場では、このような集団の力を活用したコミュニケーションを意図的に活用することで、利用者の個別性を尊重し、尊厳につながるケアへと展開していくことができます。

加えて、集団に属することで得られる安心感もあります。**マズローの欲求階層説**（図２－８）によると、最も根底にある生理的欲求が満たさ

図2－8　マズローの欲求階層説

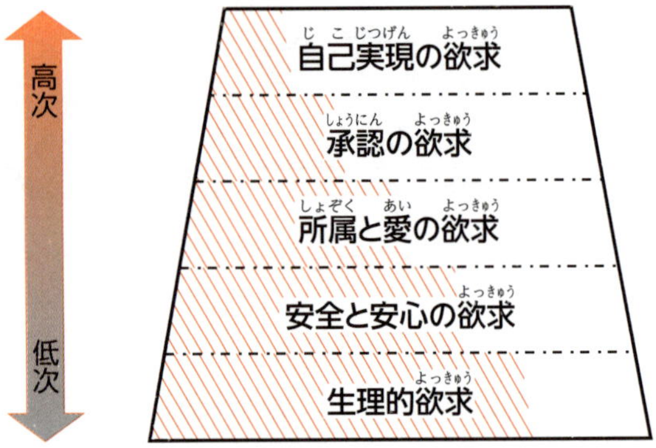

れると、安全と安心の欲求、所属と愛の欲求、承認の欲求、自己実現の欲求へと、欲求が高次のレベルになっていきます。所属と愛の欲求のなかには、人との関係性における人間関係や信頼関係があり、承認の欲求のなかには他者からの賞賛や評価などがあります。

このように、マズローの欲求階層説からみても、集団に属することで満たされる欲求を経て、集団に属することで、**自己実現**に近づいていくことがわかります。

たとえば、趣味で野菜づくりをしている場合、1人で野菜をつくり収穫した野菜を食べるだけでは、その人にとって生活のなかの楽しみにはなりにくいですが、収穫した野菜を他者に食べてもらい、ほめられたり、認められることで、その人にとって野菜づくりが生活のなかの大きな楽しみにつながる活動になります。

また、介護予防体操に参加している場合、1人で体操を行うよりも、集団で他者と交流するなかで行ったほうが、お互いに励ましあうことができ、同じメニューの体操であっても、楽しみながら長く継続して行う

ことができます。

このように、人は1人だけでは感じにくい「楽しい」という感情を、他者との交流のなかで「楽しい」と感じ、精神的な満足感を得ることができます。そして、この精神的な満足感が主体的な行動を自然に導いてくれます。集団での活動は、このような感情を引き出し、心身の活性化につながる活動になります。

また、集団に属して、メンバーがコミュニケーションをはかる関係性のなかで、自己を表現したり他者を受け入れるなど、お互いがお互いに配慮することを通して、人に本来備わっている社会性が維持・回復できるという利点もあります。

加えて、集団に属することで、自分自身の力が1人のときよりも発揮できる利点があります。たとえば、ボランティア活動に行こうと思っても、1人では不安で行くことができない場合、集団に属してメンバーで助け合いながら一緒にボランティア活動をすることで、安心してボランティア活動に行くことができます。

以上のように、人は集団に属し、メンバーとコミュニケーションをはかりながら、活動することを通して多くの意義が生まれてきます。

2 集団とは

集団とは、2人以上の人の集まりです。コミュニケーションにおいては、4～8人ぐらいの人数のグループが話しやすく、グループとして活動する場合も円滑に活動できるとされています。8人以上の人数になると、圧迫感を感じて発言しにくい人もでてきます。

グループとしての最初の集団は家族です。そして、家族が属している地域の自治会、子ども会、学校のクラスメイトや部活動の仲間、趣味活動の友人など、さまざまな集団があるでしょう。

それぞれの集団に属して活動している自分自身を思い返してみましょう。どんな感情が浮かんできますか？　これらの感情は、他者との関係性のなかから強く記憶に残っている出来事がわき出てくるもので、集団によって異なる感情があるのではないでしょうか。

これらの感情は、人が生きていくうえでは重要な意味をもちます。もちろん、楽しい感情ばかりではなく、つらい感情などもあると思いますが、マイナスの感情があるからこそ、よりプラスの感情に充実感が得られるなど、生活にメリハリがでてきます。そして、このような感情があるのは、集団に属して、他者との交流があるためです。

このように、人はさまざまな集団に属していますが、本節では、介護現場で利用者集団にしぼって話を進めます。

3 集団の種類

集団の分け方にはいくつかあります。１つ目は、メンバーの出入りの自由度によるもので、**オープングループ**と**クローズドグループ**に分けることができます。オープングループは出入りが自由な集団のことで、レクリエーション参加者の集団などがこれにあたります。一方で、クローズドグループは、いつも同じメンバーの集まりです。たとえば、クラスメイトはクローズドグループに属します。

２つ目は、集団形成のしかたによるもので、自然な集団と意識的な集団です。

（1）高齢者福祉施設・障害者支援施設における集団

施設においては、同じ施設の入居者という集団であり、同じフロアやユニットなどの集団でもあります。ほかにも施設内のクラブ活動などの集団や、食堂や休憩室などで同じテーブルを囲む集団、集団レクリエーションの際にできるオープングループの集団もあります。

（2）通所系施設・事業所における集団

通所系施設・事業所では、同じ施設・事業所を利用している集団や、同じ曜日に施設・事業所を利用している集団、同じテーブルで食事をする集団、レクリエーションに参加する集団などがあります。

（3）地域における集団

1 ボランティア活動のための集団

地域のなかでのボランティア活動を目的とした集団です。

2 セルフヘルプグループ

セルフヘルプグループとは、同じ病気や障害などのある当事者や家族の集団で、悩みを相談しあったり、励ましあったりする集団です。自助グループともいいます。

3 生涯学習のための集団

生涯学習として、地域で開催される勉強会や講座、趣味活動、体操教室などを行うことを目的にしている集団です。

4 地域活動のための集団

自治会、婦人会、老人会、青年会など、地域のなかで活動するための集団です。

4 集団運営の留意点

（1）自然な集団のグループ運営

施設の日常生活において、食堂やデイルームなど不特定多数の利用者が日中の時間を自由に過ごすことを目的にした集団があります。この集団は、強制力はなく出入り自由なオープングループです。

施設で入所生活を送っている利用者のなかには、日中の大半の時間を食堂やデイルームで過ごしている場合もあります。このような集団に対して、介護福祉職は、利用者1人ひとりの個別性を尊重しつつ、心身の活性化につながるような支援を展開することが必要です。

食堂やデイルームでともに時間を過ごす利用者が、集団の一員としてお互いを認識し、交流できることは、施設生活における楽しみや安心感につながり、食堂やデイルームが利用者にとって心地よい居場所になります。さらに、食堂やデイルームで過ごす時間をどのように過ごすかで、QOL（Quality of Life：生活の質）の維持・向上、介護の重度化防止、尊厳や自立につながるケアが実現できる可能性があります。

介護福祉職として、食堂やデイルームなどで利用者が集団で過ごしている場合、どのような話題でコミュニケーションを展開することができるのか、その際の留意点も合わせて考えてみましょう。

たとえば、高齢者に共通する話題として、1人ひとりの生活歴にもとづいた昔の思い出があります。入学式、運動会、誕生日（たんじょうび）などの行事ごとの思い出や、カレーライス、赤飯、クリスマスケーキなど食べ物に関する思い出、おはじき、お手玉、鬼（おに）ごっこなどの遊びに関する思い出、社会的なニュースや出来事（できごと）の思い出、出身地の思い出など、共通する話題が多くあります。

　これらの話題は、多少年代が異（こと）なっている場合や、認知機能（にんちきのう）が低下している場合でも、共通する話題としてコミュニケーションがはかりやすい話題です。介護福祉職が、これらの話題を集団（しゅうだん）で過（す）ごす利用者に投げかけることで、その場にいる利用者同士でコミュニケーションがはかれます。

　このときの留意点（りゅういてん）として、1人の人とだけしゃべらないことや、1人の人の話が長すぎる場合は、その場にいる利用者が全員話せるように調整することです。また、耳が遠い人や認知機能（にんちきのう）が低下している人などには、話のつなぎ役をすることが大切です。

　このように、介護福祉職はコミュニケーション技術を駆使（くし）して活用し、日中食堂やデイルームで過（す）ごす利用者に、意図的なコミュニケーションをはかっていくことが重要です。

事例2　高齢者の生活歴をいかしたコミュニケーション「回想法の活用」

　Gさん（89歳（さい）、男性（だんせい））は、10年前にアルツハイマー型認知症と診断（しんだん）を受け、8年前から自宅（じたく）での介護が困難（こんなん）となり介護老人福祉施設に入居（にゅうきょ）しました。最近、「大切にしていた財布（さいふ）がなくなった」「だれが盗（ぬす）んだ」と、大きな声で怒（おこ）る様子がみられていました。

- -

⇒　ポイント

　アルツハイマー型認知症を発症（はっしょう）してから10年経過（けいか）しており、中核症状（ちゅうかく）の進行とともに精神的に不安定なると悪化するといわれているBPSD（Behavioral and Psychological Symptoms of Dementia：認知症の行動・心理症状）として、もの盗（と）られ妄想（もうそう）がみられています。もの盗（と）られ妄想（もうそう）は、実際（じっさい）には財布（さいふ）がなくなったのではなく、Gさんからするとだれかが自分の大切な財布（さいふ）を盗（ぬす）んだと思い込んでいる状態（じょうたい）です。

↓

　Gさんは、戦後の混乱期（こんらんき）に会社を立ち上げ、仕事一筋（ひとすじ）に生きてこられお金にも困（こま）った時代が長く続いた過去（かこ）があります。28歳で結婚後（さいけっこんご）は、3人の子供にも恵まれ子煩悩で夫婦関係は良好です。Gさんは入居当時から、落ち着かない様子のときでも、仕事をしていたころの話や家族の話題でコミュニケーションをはかると、おだやかな表情に変化して笑顔がみられることが多くありました。

⇒　ポイント

記憶には短期記憶と長期記憶があり、短期記憶は作業記憶（ワーキングメモリー）ともいわれます。作業記憶は、理解や思考などの課題を遂行するために必要な記憶を一時的に保存するための記憶システムのことです。認知症の中核症状の１つとして短期記憶障害があります。

一方、長期記憶は、容量が決まっておらず意識的に思い出すことができる陳述記憶として、意味記憶（学習をくり返して習得した一時的な知識）や エピソード記憶（自分の経験した一連の出来事を覚える能力）、自伝的記憶（過去の記憶）、展望的記憶（約束事）などがあります。さらに、長期記憶には、手続き記憶（意識に上らないからだで覚えた記憶）があり、認知症を発症しても比較的保たれます。

さらに、Gさんに仕事や家族の話題でコミュニケーションをはかると笑顔がみられたのは、Gさんにとって強く刻まれた記憶で、思い入れが強い記憶のためです。その話の先はどうなっているのかと、興味をもって傾聴することで、話した人にとっては精神的な満足感につながっていきます。

⬇

そこで、もの盗られ妄想への支援として精神的に安心できる環境を整えていくことにしました。Gさんの居室には家族の協力を得て自宅から若いころの家族写真と仕事中の写真を持ってきてもらい居室に飾り、居室で過ごしているときは50年前の流行歌を流し、放室時にはGさんの思い出を引き出すようにはたらきかけました。このことにより、Gさんのもの盗られ妄想は減っていき、おだやかに過ごす時間が増えていきました。

⇒　ポイント

長期記憶は認知症のある場合でも、五感（味覚・嗅覚・聴覚・視覚・触覚）への刺激を通して一瞬で蘇ってくることがあります。音楽は五感のなかでも聴覚が活用でき、写真は視覚を活用でき、当時の思い出が自然にわきあがってきます。このように、昔の思い出に意図的にはたらきかけ、引き出した思い出を傾聴・受容・共感し、ほめる言葉や感謝の言葉を意識的に相手に伝えながら話を進めていく技法を回想法といい１人ひとりの生活歴に配慮した関わり方になります。

回想法の効果として、認知機能・身体機能が改善され生きがい感が上昇するだけでなく、BPSDが軽減し精神的におだやかになり、他者への気遣いや社会性が賦活化するなどさまざまな効果が確認されています。しかし、その効果は継続しないと効果も持続しないといわれています。日々の関わりにおいて生活歴に配慮したコミュニケーションをはかることが重要です。たとえば、日常生活場面で入浴介助をしながら、昔のお風呂焚きや火吹き棒、五右衛門風呂、まき割りの話をするなど、介護場面に合わせてテーマをしぼって話してみると、精神的な安心感が得られ、たくさんの笑顔が引き出せる可能性があります。思い出は１人ひとりの人生の物語であると同時に、大切な宝物です。普段思い出すことがない思い出をひもとき、引き出した思い出をスタッフ間で共有し、個別性を尊重した支援につなげていくことが大切です。

（２）意図的な集団のグループ運営

施設の場合、レクリエーションを企画・運営しますが、この場合の参加者はレクリエーションを行うことを目的とした意図的な集団になります。施設で行われるレクリエーションにはさまざまな種類があり、利用者の心身の活性化を主な目的として実施されていますが、「思い出話」のレクリエーションを例に、運営方法を具体的に示します。

❶ 集団の運営方法

（１）開催時間、場所、テーマ、参加者、実施目的を決めます。

（２）参加者の名札を用意します。

（３）話のテーマに沿った五感を刺激する物を準備します。

例：「小学校の思い出」というテーマで小学唱歌を歌う。
「映画の思い出」というテーマで映画を見る。
「お正月の思い出」というテーマでしめかざりや羽子板に触れる。
「おやつの思い出」というテーマでやきいもを焼いて食べる。
「遊びの思い出」というテーマで紙風船や紙飛行機でからだを動かす。

（４）進行する人と進行をサポートする人を決めます。

（5）サポートする人は、進行する人が進行しやすいように、耳が聞こえにくい人、目が見えにくい人、認知機能が低下している人、うつむいている人などのそばで橋渡し役をします。そして、参加者が個別に話しかけてきたときは、参加者に了解を得たうえで、「○○さんは、・・・・だそうです」と進行する人に伝え、集団で話ができるように進行する人をサポートします。

（6）運営の実際

> 進行する人
> 「今から小学校の思い出の話を楽しくしていきたいと思います」
> 「話したくないことは話さなくてもいいです」
> 「では、まず最初に日の丸の旗を一緒に歌いましょう」
> 日の丸の旗を歌う
> 「この歌、歌ったことがありますか？　小学校1年生のときの音楽の授業で習いましたね。私はこの歌を歌うと小学校1年生の担任だった○○先生を思い出します。○○先生はとてもやさしくて……」
> 進行する人の思い出を話す
> 「皆さんはどうですか？　どんなことを思い出しますか？」
> その後、順番に参加者の話を引き出す
> （中略）
> 「今日は小学校の思い出話をしましたが、皆さんどうでしたか？」
> 感想を聞く
> 「次回は、○月○日の○時からで、・・・をテーマに、思い出話をしたいと思います」
> 次回の予告をしておく。

2 集団運営の留意点

（1）最初に話したくないことは話さなくてもいいことを約束します。

（2）参加者の発言を、興味をもって傾聴・受容・共感し、発言内容でほめることができる点を積極的にほめ、感謝できることがあれば感謝の言葉を伝えます。

（3）進行する職員から先に自己開示をして自分の思い出を話します。その間に、参加者が話すことを考えることができます。

（4）1つのテーマを設定して、ゆっくりと話をすすめます。思い出話は、思い出すのに時間を要するため、急いですすめないことが大切です。

（5）ゆっくりとした口調で全員に聞こえるように、ジェスチャーを入れて表情豊かに進行します。

（6）参加者それぞれの個別性を把握したうえで、参加者の人間関係を調整し、集団として成長していくようにかかわります。

（7）参加者全員がこの時間、ここで話をしてよかったと思えるように進行します。

（8）参加者が固定しているクローズドグループの場合は、開始して間がない時期には積極的に強化（ほめる）し、中盤には参加者同士の相互交流を深め、終盤には参加者個別の今後につながるプログラムを考えます。開始当初はほめることを積極的に行うなど、参加するとよいことがあるという意識をもってもらえるようにかかわります。終盤には、思い出話のなかででてきた、その人がもっている能力を活かした役割につながる活動を見出したり、今後取り組んでみたいことを話し合うなど、今後の生活が豊かになるようなことを考えます。

3 集団運営の評価スケール

思い出話のレクリエーションを行うときの運営チェック項目を以下に記します。自分自身がどのぐらい集団を運営できるのかチェックしてみましょう。

なお、このチェックでできていない項目はできるように意識することで、集団運営におけるコミュニケーション力がアップしていきます。まずは、自分自身が苦手な部分を把握することが大切です。

【思い出話の集団運営サポート役のチェック項目】

全体の様子を観察し進行役と協力して進行できる
隣の参加者から個別の話をされたときに進行役に「○○さんは、～だそうです」と、その人の了解を得てグループ全体の話にできる
目が見えにくいなど、参加者の状況に合わせて共有できる時間が過ごせるような工夫ができる
耳が遠い場合は、話の内容を伝えることができる
リラックスして発言しやすい雰囲気づくりができる

【思い出話の集団運営リーダー役のチェック項目】

自分の気持ちを落ち着けて感情や考えがコントロールできる
自己開示ができる
相手に合わせた言葉や声の大きさで話せる
大きくうなずいたり身ぶり手ぶりなどが活用できる
感情の変化などの非言語メッセージを受け取れる
身体をさするなどのボディタッチが活用できる
リラックスして適切に視線をあわせることができる
ほめる言葉を伝えられる（正の強化）
感謝の言葉を伝えられる
相手が発した言葉から連想して話題が広げられる
相手の話のポイントを要約して伝えることができる
話した内容を否定せず肯定的な言葉で応答できる
話したくない思い出を話さなくてもよいように配慮できる
貴重な人生の話に興味がもてる
テーマに沿った進行ができる
次から次へと急がずゆっくりと進行できる
思い出を引き出す問いかけができる
思い出を引き出す刺激材料を工夫して活用できる
辛かった思い出を受け止める覚悟がある
輝いていた時代の思い出をあきらめずに見つけることができる
参加者全員が思い出話をしてよかったと思えるように進行できる
１人の発言から連想して他者の思い出にはたらきかけることができる
テーマの進行よりもプロセスを大切にできる
集団間の人間関係を調整できる

介護福祉職が利用者と思い出話をすることは、利用者が他者と話をする機会になるだけでなく、介護福祉職にとっても利用者の情報量が増え、利用者理解が深まり質の高い介護につなげていくことができます。そして、利用者が何もしない無為の時間を過ごさないためにも、意図的に集団でコミュニケーションをはかっていくことが大切です。

また、思い出話をした後で、認知症のある人が一時的に混乱してしまう場合がありますが、感情を表出しない無の状態よりも、感情を表出できているとプラスの視点でとらえることが大切です。そのうえで、混乱している人の思いを受けとめ、混乱が起きている原因を探し、混乱が治まり安心感が得られるようなコミュニケーションを展開することが必要です。

演習2－4 グループで思い出話をする体験

1 グループワーク

テーマを１つ決めてグループで話してみよう。その際、進行役１人、サポート役２～３人、利用者役（聴覚障害者、視覚障害者、話に入ってこない人、話が止まらない人など）４～６人を相談して決めよう。

テーマ例：「ふるさとの思い出」、「初恋の思い出」、「小学校の運動会の思い出」、「遠足の思い出」

2 グループ討議

進行役・サポート役・利用者役、それぞれを体験して感じたこと、気がついたこと、困ったことをグループで出し合おう。

3 グループで出た困ったことについて、解決策を話し合おう。

4 実際の場面（高齢者施設など）を想定した留意点を出し合おう。

第3章

対象者の特性に応じたコミュニケーション

第1節

コミュニケーション障害への対応の基本

学習のポイント

- コミュニケーションの流れとそれぞれに生じる障害を理解する
- コミュニケーションに関するアセスメントの方法を理解する
- コミュニケーション支援の基本となる留意点や考え方を理解する

1 コミュニケーション障害とは

コミュニケーションは、メッセージの送信者（話し手）と、受信者（聞き手）とのあいだで、**図3－1**に示すような情報の流れによって成立します。

まず、「①感覚」では、耳や目で情報を受け取ります。次に、「②認知」で、その情報を認識します。そして、「③言語理解」で、認識した情報の意味を理解します。続いて、「④概念形成」で、自分のなかに生まれた考え、感情、意思をまとめます。そして、「⑤言語表出」で、まとめた考えや意思を適切な単語や文法で話す準備をしたり、正確な文字を頭のなかに思い浮かべたりします。最後に、「⑥構音」で、舌や口唇などの発声発語器官を緻密に動かして発音したり、手指を動かして文字を書いたりします。

話し手と聞き手のあいだでやりとりが行われるためには、これらが正確に、かつ素早く行われることが必要で、これらのどれが損なわれても**コミュニケーション障害**が起こります。

たとえば、認知症におけるコミュニケーションの障害は、「③言語理解」「④概念形成」「⑤言語表出」の問題です。つまり、相手が言っていることがわからない、自分の考えをうまくまとめられない、うまく表現できずにまわりくどくなってしまう、という状態です。しかし、それらに加えて、加齢による難聴や視力低下、運動機能の低下など、①から⑥

図3－1　コミュニケーションの流れ

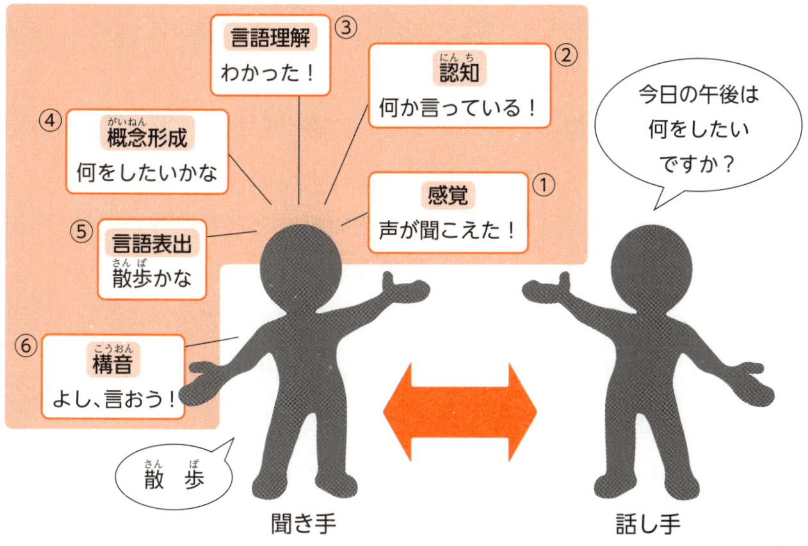
言語理解
わかった！
③
認知
何か言っている！
②
今日の午後は何をしたいですか？
④
概念形成
何をしたいかな
感覚
声が聞こえた！
①
⑤
言語表出
散歩かな
⑥
構音
よし、言おう！
散　歩
聞き手
話し手

のすべてに支障の生じる可能性があります。介護保険関連施設利用者の70～90％が、何らかのコミュニケーション障害をもつという報告もあります[1)]。

しかし一方で、意識が少しでも保たれているのであれば、コミュニケーション機能のすべてが失われることは少ないのです。ほとんどの人に何らかのコミュニケーション能力が保たれている、という視点をもつことはとても大事です。

2 コミュニケーション障害の原因

コミュニケーションに障害が生じる原因はさまざまです。また、障害の程度も軽い場合から重い場合まで幅があります。相手とやりとりを行ううえで情報の流れのどこに不具合があるか、その不具合はどの程度かを明らかにすることによって、支援の方法がみえてきます。

たとえば難聴の人は、感覚に障害があるので、支援の第1は、感覚を補強する方法です。補聴器を使って音を大きくして耳に届ける、聞こえのよい方の耳から話しかける、などがあります。第2は、保たれているほかの機能を使う方法です。難聴の人は感覚は障害を受けていますが、言語理解や言語発話は十分に保たれており、こちらが伝えたいことを文字で書いて示せば理解できます。このように、障害された機能と保たれている機能を組み合わせてうまく使うことで、コミュニケーションをとりやすくすることができるのです。

表3－1は、主なコミュニケーション障害と症状の一覧を示しています。感覚では、加齢性難聴や白内障などによって、聞くこと、見ることに障害が起こります。認知では、半側空間無視などで自分の周りの空間を認識できないことがあります。言語理解では、失語症や認知症などにより、相手の言ったことや書いてある文字の理解に支障が生じます。概念形成では、認知症などにより、自分の考えがまとまらないこともあります。言語表出では、失語症や認知症などにより、言いたいことをうまく言葉に置き換えられない、文字が思い浮かばないことが起こります。構音では、構音障害などにより、声が小さくなったりろれつがまわらなかったりします。これらの障害は単独で起こることもありますが、重複して起こることも多いものです。

このように、コミュニケーション障害が、どの機能の、どのような原因によって起こっているかに着目し、それに対応した支援を行うことが

表3－1　コミュニケーション障害の種類

		主な障害名	症状
感覚	聴覚	加齢性難聴	耳の聞こえが低下する
	視覚	白内障・緑内障	視力が低下する・視野がせばまる
認知	視覚的認識	半側空間無視	左右どちらかの空間にある物に気づかない
言語理解	内言語	失語症・認知症	聞いた言葉が理解できない 書いてある文字が理解できない
概念形成	概念形成	認知症・知的機能低下	考えをまとめられない・理解できない
言語表出	内言語	失語症・認知症	考えたことを的確な言葉に置き換えられない・文字で書けない
構音	発声・構音	構音障害	声が出せない・小さい ろれつがまわらない

重要です。適切なアセスメントとそれにもとづいた**エビデンス**[1]のある支援、と言い換えることもできます。次に、どのようにコミュニケーションをアセスメントしたらよいかをみていきましょう。

❶エビデンス
良心的かつ効果的な最善の介入を行うための証拠、根拠。

3 アセスメント

コミュニケーションに関する**アセスメント**は、カルテなどから間接的に情報を得る方法と、本人を観察したり、やりとりを行ったりして直接的にコミュニケーション状態をつかむ方法の２つがあります。

（1）情報収集

まず、本人のコミュニケーションに関する情報を集めましょう。①本人がこれまでかかった病気やけが（**既往歴**[2]や**現病歴**[3]）、②リハビリテーション記録、③紹介状、申し送り書、情報提供書には、コミュニケーション障害の原因となる疾患や、これまでの訓練歴、有効なコミュニケーション方法、ケアする際に留意することなどが書かれているはずです。これらを参考にして、本人の現在のコミュニケーション状態について大まかに知識を得ましょう。

❷既往歴
これまでにかかったことのある病気で、現在は治癒しているもの。

❸現病歴
現在、かかっている病気やけがの実際の症状などについて、いつから、どのようにして、どのような経過とともに現在にいたっているか、という履歴。

情報収集としてもう１つ大切なのが、本人の生活歴です。日々のコミュニケーションは、その人のこれまでの生活の積み重ねのうえに成り立っています。どこで生まれ、どこで育ち、どのような仕事に就いて、家族が何人いて、どんな趣味をもち、何に生きがいを感じていたのか、といった細かな生活歴の情報が、コミュニケーションをとるときの、基本的な土台になります。生活歴をふまえたコミュニケーションは、本人のこれまでの歴史を尊重することであり、尊厳を大切にしたかかわりといえます。

加えて、本人の性格を把握することも重要です。外向的でおしゃべり好きなのか、寡黙で静かな時間を好むのか、せっかちなのか、おおらかなのか、どんなことが嫌なのか、などを知っておくことで、その人に合ったコミュニケーションの雰囲気がつかめるでしょう。

（2）コミュニケーションのアセスメント

カルテなどからの情報収集をふまえたら、観察や本人との直接のやりとりを通して、本人のコミュニケーションの状態をアセスメントしていきます。アセスメントの視点は数々ありますが、ここでは、情報処理の６つの機能に分けたポイントを紹介します（**表３－２**）。

まず、感覚です。聴覚については、音や人の声が聞こえるかどうかを判断します。具体的なアセスメントポイントとしては、名前を呼んだら声の方を向くか、こちらが話しかけたことに対して聞き返すことがあるか、があげられます。難聴のある人は、聞こえないことで孤立感を深め、人とかかわる意欲が低下する、わかったふりをしてその場をしのごうとするといった行動特性があることが知られています。そのようなふるまいの奥に隠された、本当に聞こえているのかどうかという事実を確かめましょう。

視覚については、文字が見えているかを確かめます。文字を見せて声に出して読めるかどうかで判断できます。認知症の人でもひらがなを読む能力は晩期まで保たれることが多いものです。大きい文字から小さい

表３－２　コミュニケーションアセスメント

		アセスメントのポイント
感覚	聴覚	名前を呼んだら、声の方を向くか 話しかけに対して、聞き返すことがあるか
	視覚	文字を見せたら、声に出して読めるか
認知	視覚的認識	片側にぶつかるか 食事の片側を食べ残すか ひげを片側だけそり残すか
言語理解	内言語	こちらの言っていることが理解できるか 文字で書いてある内容を理解できるか
概念形成	概念形成	自分の考えをまとめられるか 自分の望むものを、はい・いいえで意思表示できるか
言語表出	内言語	言いたいことを言葉に出して言えるか 言いたいことを文字で書けるか
構音	発声・構音	声の大きさはどうか こちらが聞き取れるように明瞭に発音できているか よだれが口から垂れていないか

文字まで見せると、その人が判読できる文字のサイズを知ることができます。高齢者であっても小さい文字が読める人がいますので、確かめてみることは大切です。

認知については、特に、半側空間無視に着目しましょう（本章第2節10参照）。アセスメントのポイントは、歩いているとき、あるいは車いすを自力でこいでいるときに片側にぶつかりやすい、食事のときに片側を食べ残す、ひげを片側だけそり残すなどです。

言語理解については、こちらの言っていることが理解できているか、文字で書いてある内容を理解できるか、日常生活のなかで観察します。日常会話は大丈夫か、日常会話でも意思疎通が難しいのか、あるいは新聞のコラムが理解できているのか、といった視点です。

概念形成については、自分の考えをまとめることができているか、自分の望むものを「はい」「いいえ」で意思表示できているかに着目しましょう。

言語表出については、自分が言いたいことを言葉に出して言えるか、文字で書けるかをみます。その際に言いたいことを、「水」「テレビ」などの単語で表現するのか、「テレビを観たいけど、その前に水を1杯ちょうだい」などと長い文章で表現できるのかに着目します。

構音については、発声や構音の異常をみます。声の大きさはどうか、こちらが聞きとれるように明瞭に発音できているか、よだれが口から垂れていないかがポイントです。発声発語器官の筋力が低下していたり、飲み込む力がおとろえたりしている証拠になります。

これらのアセスメントにもとづいて、どの機能だったらコミュニケーションが可能なのかを推測します。そして推測したら、それを試してみます。「難聴がありそうだから文字で書いてみよう」→「書いて示してみたけれど紙に顔をくっつけて読んでいたから、もう少し大きい字がよいだろうか」→「大きい字だと上手くいったけど、話すときによだれが出ている」→「ろれつがまわらない感じだな、食事の飲み込みも悪いかもしれない」など、推測と試行をくり返しながら、その人に合ったコミュニケーション方法を探っていきます。これを「**仮説検証**[4]」と言いますが、その基盤となるのがアセスメントなのです。

④仮説検証
現在の状況から、「こうではないか？」と予測を立て、その予測が正しいかどうかを実際にやってみて確かめることによって、より妥当な方法を導き出していくこと。

4 コミュニケーション支援の基本

コミュニケーション障害の種類に応じた支援方法については、第２節で、個々に詳しく述べます。ここでは、その基本となる留意点や考え方について紹介します。

（1）環境調整の大切さ

コミュニケーション支援で第１に気をつけたいことは、環境調整です。コミュニケーションのための環境には、聴覚的環境、視覚的環境、嗅覚・触覚的環境、空間的環境、歴史的環境があります（**表３－３**）。

「聴覚的環境を整える」とは、周りの雑音をなるべく小さくして、静かに話せる状態をつくることです。介護場面の聴覚的環境を振り返ってみましょう。だれも見ていないのに食堂のテレビがつけっぱなしになっている、レクリエーションをしているのに大きめのバックグラウンドミュージックが流れていて司会者の声が聞きとりにくい、利用者同士が話している隣で職員が音をたてていすを移動させている、といった光景は見かけませんか？　また、職員同士のおしゃべりが利用者の静かな時間を邪魔していることはないでしょうか？

私たちは意外と、聴覚的環境について配慮していないものです。もち

表３－３　コミュニケーションの環境

聴覚的環境
- 騒音の有無と遮断の可否、スピーカーの音質と音量
- 静かに話せる空間

視覚的環境
- 相手の顔が見える程度の明るさ、家具・床・壁の色調

嗅覚・触覚的環境
- 適切な香りと多様な手触り

空間的環境
- コミュニケーションに参加できる動線確保
- 活動場所とトイレの距離

歴史的環境（過去とのつながり）
- なじんだ空間、愛着のある品物
- 顔見知りの人物

ろん適度な生活音や語らう声は、人がそばにいる安心感を生みますし、心地よい音楽が心を和ますことも事実です。しかし、今このテレビの音は本当に必要か、音楽の音量は適切か、おしゃべりの声が大きすぎないか、これらが利用者のコミュニケーションの邪魔になっていないかということに、もう少し注意を向ける必要がありそうです。

「視覚的環境を整える」とは、場所の明るさ、床・壁・家具などの色調を調整することです。明るさについては、相手の顔が見える程度の明るさが必要です。コミュニケーションは言葉だけでなく身振りや表情でも行うものです。暗い場所でコミュニケーションをとっても、せっかくの笑顔の効果が半減します。一方で明るすぎても高齢者の目には負担です。晴れた日に窓のレースのカーテン越しに入る日差しが、高齢者にとっての適度な明るさといわれています。

「嗅覚・触覚的環境を整える」とは、不快な香りがないことです。不快なにおいが漂っている場所では、落ち着いて話をすることはできません。触覚的環境とは、できるだけ、肌ざわりのよいものを用いたり、手入れや掃除したりすることです。たとえば、ゴワゴワしたタオルより、ふっくらしたタオル、水などでぬれていたり、砂ぼこりでザラザラしたりするテーブルをきれいに拭いておくなどです。

「空間的環境を整える」とは、なじんだ空間や懐かしい品物に囲まれた落ち着いた場所であるかということです。居心地のよい場所では、人は自然にリラックスしたコミュニケーションがとれるものです。加えて高齢者の場合、トイレとの距離も大切です。近くにトイレがあると、多くの高齢者は安心して活動に参加できるといわれています。

(2) 言語的コミュニケーションで気をつけること

こちらから話しかけるときは、声の大きさ・高さ、発音の明瞭さを意識しましょう。つまり、ある程度大きな声で、口をはっきり開けて、滑舌よく話すことが重要です。

話す速さも大事で、早口にならないよう心がけましょう。ただし、ゆっくり話す場合に、一音一音をゆっくり話すと、かえって相手に伝わりにくくなります。たとえば、「明日は地区のお祭りがありますよ」と言う場合、「あーしーたーはー、ちーくーのー、おーまーつーりーがーあーりーまーすーよー」と話すのではありません。「明日は」「地区の」「お祭りが」「ありますよ」、というように、意味のある単語で区切って一呼吸おきましょう。単語ごとにゆっくり話すという感じです。相手が理解しているか単語ごとに確認すれば、どこまでを理解できて、どこからが理解できないのかがはっきりわかります。わからないところをもう一度説明すればよいのです。意味の単位でゆっくり区切って話すことは、一見時間がかかってしまう印象があるのですが、実はとても効率的な話し方なのです。

(3) 非言語コミュニケーションで気をつけること

介護福祉職にとって、**非言語コミュニケーション**はとても重要なスキルといえます。

まずは、アイコンタクトです。相手と目を合わせることは、「あなたとコミュニケーションをとりたい」という意思や好意を伝えることであり、それ自体がコミュニケーションなのです。相手が高齢者や認知症の人、また視力が低下している人の場合、こちらのアイコンタクトに気づくのに時間がかかる場合があります。通常だと、ちょっと長すぎるかな、見つめすぎかな、と思うくらいがちょうどよい時間の目安です。

次は、ジェスチャーです。ジェスチャーを使うことで、言葉だけでは伝わらなかったことが伝わる場合があります。ただ、ジェスチャーには地域差、文化の差がありますので、相手がわかるジェスチャーを使うことが大切です。

また、言葉でわからないときには、実物を見せて説明することも有効です。このとき、物を顔の近くに持ってきて、顔と物を同時に見せることがたいへん重要です。視線が1か所に集められることで、注意が拡散せず、相手の理解度が高まります。

◆引用文献

1）飯干紀代子・倉内紀子「介護老人保健施設における言語および構音スクリーニング検査に関する検討」『音声言語医学』第48巻第3号、pp.201-209、2007年

◆参考文献

- Denes, P.B., Pinsons, E.N. : *The Speech Chain : The Physics and Biology of Spoken Language, 2nd ed*, Freeman and Company, 2007.
- 飯干紀代子「コミュニケーション支援におけるエビデンスの可能性——言語聴覚士の立場から自験例を通して」『高次脳機能研究』第32巻第3号、2012年
- Richard, F., Fiona, K., Gillian, S. : *I want to feel at home: establishing what aspects of environmental design are important to people with dementia nearing the end of life*. BMC Palliat Care, 2015.

演習3－1　私のコミュニケーションスタイル

自分のコミュニケーションスタイルを確認してみよう。

・3人組になり、1人がもう1人にインタビューをする。もう1人が観察／評定者
・インタビューの内容は、これまでで一番楽しかった思い出・辛かった思い出、これからやりたいことなど
・観察／評定者が、下記記録用紙に○をつけ、フィードバックする

（　　　　　　　　　　）さんへ　　　　（　　　　　　　　　　）より

インタビューをするときのコミュニケーションの様子

	改善したほうがよい	適度である	すばらしい
1．声の大きさ			
2．発音の明瞭さ			
3．表情			
4．視線			
5．雰囲気			
6．質問のわかりやすさ			
7．あいづち			
8．話のまとめ方			

※ とくによかったところは・・・

（　　　　　　　　　　）さんへ　　　　（　　　　　　　　　　）より

インタビューに答えるときのコミュニケーションの様子

	改善したほうがよい	適度である	すばらしい
1．声の大きさ			
2．発音の明瞭さ			
3．表情			
4．視線			
5．雰囲気			
6．答えのわかりやすさ			
7．質問にあっていたか			
8．ユーモアはあったか			

※ とくによかったところは・・・

第2節

さまざまなコミュニケーション障害のある人への支援

学習のポイント

- さまざまな障害がもたらす、コミュニケーション障害を理解する
- 基本的対応や事例などから、障害のある人を支援するコミュニケーション技術を理解する

関連項目

⑧「生活支援技術Ⅲ」▶第2章「障害に応じた生活支援技術Ⅰ」
⑧「生活支援技術Ⅲ」▶第3章「障害に応じた生活支援技術Ⅱ」
⑬「認知症の理解」▶第4章第3節「認知症の人とのコミュニケーション」
⑭「障害の理解」▶第2章「障害別の基礎的理解と特性に応じた支援Ⅰ」
⑭「障害の理解」▶第3章「障害別の基礎的理解と特性に応じた支援Ⅱ」

1 視覚障害のある人への支援

1 視覚障害の特徴と生活への支障

（1）視覚障害の特徴

視覚障害とは「目が見えない」または「目が見えにくい」障害です。身体障害者福祉法では、①両眼の視力がそれぞれ0.1以下、②一眼の視力が0.02以下で他眼の視力が0.6以下、③両眼の視野がそれぞれ10度以内、④両眼による視野の2分の1以上が欠けている、という状態が永続するものを視覚障害と定めています。つまり視覚障害には、視力が低下している場合と視野が狭窄している場合の2通りがあります。

まず、視力の低下については、その程度によって「盲」と「弱視」に分けられます。「盲」は、視覚を用いて日常生活を送ることが困難な状態です。光を感じることができない「全盲」から、目の前の手の動きや指の本数がわかる場合まで、幅があります。印刷された文字（**墨字**[1]）

[1] **墨字**
普通に書かれた文字や印刷された文字。

表3－4　高齢者の視覚機能低下

遠視化	近くのものが見えにくく、遠くのものは見える
視力低下	視力が全体的に下がる
コントラスト感度低下	淡い色同士のものを識別しにくい
動体視力低下	動いているものを、素早く目で追えない
暗順応低下	薄暗いところや暗いところで、より見えにくい
紫～青色識別低下	紫・青・緑が識別しにくい
視野狭窄	全体的に（左右上下）、視野がせまくなる。注意が向きにくい

は見えないため、読み書きには**点字**❷を使うことになります。外出する際は、白杖や盲導犬が必要です。

一方、「弱視」は、不自由さはあるものの視覚を用いて日常生活を送ることが可能です。眼鏡では対応できませんが、拡大鏡を用いるなどして視力低下をおぎない、墨字を読むことができます。

次に、視野狭窄とは、視野の一部が欠けたり、せまく見えたり、ゆがんで見えたりすることです。**緑内障**❸や**網膜剥離**❹などが代表的な疾患です。脳出血、脳梗塞などの後遺症として、視野の半分ないし4分の1が見えない同名半盲という症状もあります。

これらの障害とは別に、加齢によって、視力・視野には変化が起こるものであり、**表3－4**に高齢者によくみられる機能低下を示しました。明確な障害と判定されていないとしても、多くの高齢者には、「若いころとは異なる見えにくさ」があり、それをおぎなう手立てがいることを理解しておく必要があります。

また近年、視覚機能低下が認知機能の低下をもたらすという報告もあり[1)]、日常生活において、少しでも見えるように工夫すること、見えない場合はほかの手段を使って情報や刺激を与えていくことの重要性が示されています。

❷点字
紙面に突起した点を一定の方式で組み合わせて表した、視覚障害者用の一種の表音文字。2行3段計6個の点によって示し、指先で突起に触れて読む。

❸緑内障
目から入ってきた情報を脳に伝達する視神経という器官に障害が起こり、視野（見える範囲）がせまくなる病気のこと。治療が遅れると失明にいたることもある。

❹網膜剥離
眼球の内側にある網膜という膜が剥がれて、視力が低下する病気。痛みを伴わないため気づきにくい。網膜の中心部である黄斑部分まで剥がれた場合、急激に視力が低下し、失明にいたるおそれもある。

（2）視力・視野障害がもたらす日常生活コミュニケーションへの支障

人間は80%以上の情報を視覚からえているといわれています。視力・

視野障害があると受け取る情報がかなり少なくなるため、日常生活に多大な影響を与えます。たとえばコミュニケーションをとるとき、顔と名前で相手を確認することができません。また、表情やしぐさを見ながら会話ができません。

したがって、相手がだれであるのかわからないままコミュニケーションをとらざるをえなかったり、相手の気持ちやその場の雰囲気などの微妙なニュアンスをとらえることができなかったりします。私たちはそのような雰囲気によって会話の自然なやりとりの間を形成していますから、話と話の間合いもとりにくくなります。絵や文字で書かれた掲示板などの情報も受け取れませんから、1人で目的の場所まで移動することができませんし、「段差あり」などの危険を察知したりすることもできません。

なお、視野障害の場合は、部分的ですが見える空間があるので、視力障害に比べていくぶん日常生活上の支障は減ります。ただし、一部分しか見えないため、まわりで起こっていることの全体像をつかめなかったり、肝心なところが見えていなかったり、掲示板や文字を見るときにかなり時間がかかったりします。

2 視覚障害のある人に対するコミュニケーション技術

(1) 基本的なコミュニケーション支援

視覚障害のある人とコミュニケーションをとるとき、次の8つのポイントをおさえましょう。

1 決められた場所に物を置く

必要な物は決められた場所に置きましょう。置き場所を変える際は、そのことを本人に話す必要があります。

2 よく使う場所への行き方を覚える

トイレなど、位置関係を覚えれば1人で行けます。何回か一緒に歩いて、いつもいる場所との位置関係を覚えると、屋内での単独歩行が可能になります。

3 物の位置の説明

場所や物の位置を示す場合は、「あっち」「こっち」「むこうの」などの言葉を使って説明すると、方向がわかりません。説明するときは

図3－2　クロックポジション

「(あなたの) 隣に～」「右側に～」のように具体的な表現で伝えましょう。

たとえば、部屋などの位置を説明するときは「ドアを出て右へ10mほど行くと、左側に洗面所があります」となります。また、時計の文字盤をイメージした方向の伝え方も有効です（クロックポジション）（**図3－2**）。たとえば、テーブル上での説明では、「4時の位置にみそ汁を置きます」となります。

4 使用する文字

点字を使う人には、点訳された文字を用意しましょう。ただ、点字の使用率は低いという報告もあります。利用者によっては、普通の文字を拡大鏡や拡大読書器などを使って読める場合もあります。そのような人にメモなどを渡す場合は、鉛筆ではなく、サインペンなどで書いた濃い文字で渡しましょう。

5 代読・代筆

代わりに読むこと（代読）や書くこと（代筆）も、視覚障害のある人への重要な支援です。代読は、内容が正しく伝わるように意識して読むことが大切です。代筆は、必要かどうかを相手に確認し、必ず依頼を受けてから実施します。

6 声かけは名前から

声をかけるときは、いきなり声をかけるのではなく、まずその人の名前を呼んでから自分の名前を言い、用件を話すようにします。また、言葉をかける前に、いきなり身体にふれることは避けましょう。肩を軽く

表3－5　視覚機能の低下した高齢者とのコミュニケーション

視覚環境整備	直射日光を避ける
	明るすぎず、暗すぎず（晴れた日のレースのカーテン越しの光）
	天井の照明を自分の頭でさえぎらないようにする
	見たいものに直接ライトを当てる
コミュニケーションの工夫	キーワードを話す
	1人が話す
	重要な部分をくり返す
	文字を示すときは、本人が見える大きさにする

たたくなどの行為であっても、視覚障害のある人を驚かせることになります。

7 会話をやめるとき

会話の途中で別の用件が入ってきたり、席をはずさなくてはならなかったり、会話をやめるときは、そのことを伝えましょう。黙ってその場から離れないことです。戻ってきたときも必ずひと声かけるようにします。

8 食事の説明

食事をするときは献立を伝えるとともに、料理の位置も、3の「物の位置の説明」を用いて伝えましょう。「今日はハンバーグですよ」「ハンバーグはお皿の左端に、ハンバーグのすぐ右にポテトとにんじんがあります。ハンバーグから白い湯気がたっていて熱そうですから、気をつけて食べてください」などと説明すると、食事がさらに楽しくなるでしょう。

なお、加齢による視覚機能低下を考慮したコミュニケーションについては、**表3－5**に示す通りです。環境整備、情報の伝え方を工夫することで、視覚機能低下によるコミュニケーションの不具合をある程度おぎなうことができます。

事例1

Aさん（80歳、女性）は、軽度の認知機能低下があります。もともと緑内障で、両目とも視力が低下していたのですが、ある夜、自宅にて転倒し、右目を打撲しました。眼科を受診し、右目がさらに視力低下していることがわかり、治療のために入院しました。退院後しばらくは、夫と暮らしていましたが、介護老人福祉施設に入所することになりました。Aさんは新しいホームでの生活に不安そうな表情ですし、迎える介護福祉職も視力が低下して日常生活に不自由のある人をどう支えるかとまどっています。

⇒ポイント

まず、気をつけたいことが、「声かけ」です。声をかけるときは、いきなり声をかけるのではなく、まずその人の名前を呼んでから自分の名前を言い、用件を話すようにします。また、言葉をかける前に、身体にふれることは避けましょう。肩を軽くたたくなどの行為であっても、視覚障害のある人を驚かせることになります。

会話の途中で別の用件が入ったり、席をはずさなくてはならなかったりするときは、会話をやめることとその理由を、きちんと伝えましょう。黙ってその場から離れないことです。戻ってきたときも必ずひと声かけるようにします。

視力低下のある人には、言葉での説明が欠かせませんが、認知機能にも低下がみられる場合は、特にキーワードを短くを心がけましょう。

生活環境を一定にすることも大事です。物の置き場所を決めたら、それを一緒に確認し、なるべくそこから動かさないようにしましょう。食事をトレーにならべる位置も、一度決めたら変えないようにしましょう。

（2）視覚障害のある人に役立つコミュニケーション支援ツール

視覚障害のある人に役立つコミュニケーション支援ツールには、次のようなものがあります。

1 活字文書読みあげ装置

紙に印刷されている音声コードを読みとり、記憶されている情報を音声化します（図3－3）。

2 拡大読書器

文字などをカメラで拡大し、見える大きさにして画面に映し出します。最適な文字サイズを調節することができます（図3－4）。

図3－3　活字文書読み上げ装置

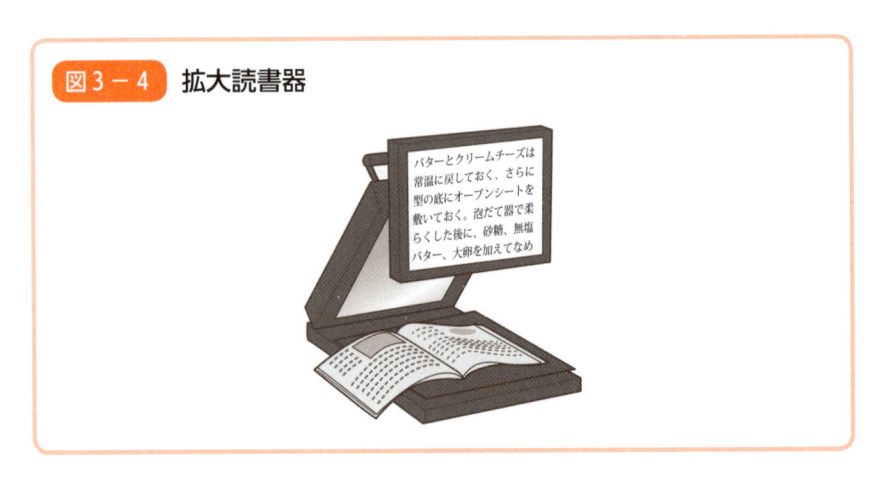

図3－4　拡大読書器

バターとクリームチーズは
常温に戻しておく、さらに
型の底にオーブンシートを
敷いておく。泡だて器で柔
らくした後に、砂糖、無塩
バター、大卵を加えてなめ

❸ 視覚障害者用ポータブルレコーダー

自宅や外出先で録音図書ＣＤや音楽ＣＤを聴くことができます。テレビやラジオの音声も録音できますので、個人で楽しむことができます。

❹ 視覚障害者用パソコン

パソコン自体は通常市販されているものです。画面上に表示されているデータを音声化するソフトや拡大表示するソフトをインストールして使用します。点字プリンターもあり、点字と墨字を同時に印刷することが可能です。

❺ 点字ディスプレイ

小型で携帯できます。パソコンにつなぎ、画面に表示されている内容を指で読むことができます。電子メールやインターネットへのアクセスが可能なものもあります（図３－５）。

図3－5　点字ディスプレイ

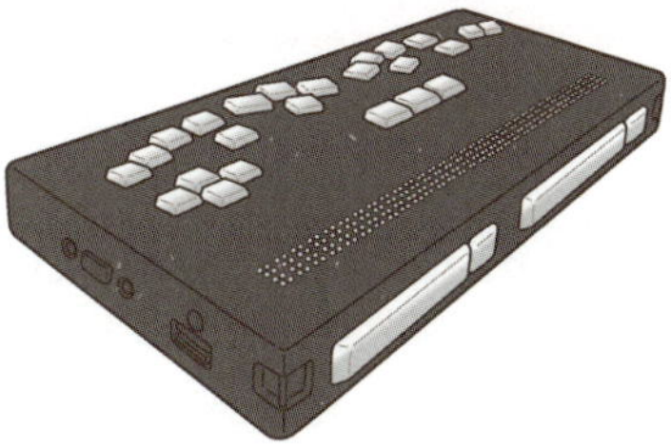

6 スマートフォン用機能

読みにくい文字を「明るく」「大きく」「くっきりと」表示することができます。色彩処理により、元の色をなるべく保ったまま「明るく」「くっきりと」することができます。白内障の人でも読みやすい「明度反転」モードを備えています。

7 スマートフォンの拡大文字アプリ

スマートフォンの拡大文字アプリを使えば、文字の上にスマートフォンをかざすだけで、ちょうど拡大鏡を使用するように、小さくて読みづらい文字がスマートフォンのカメラレンズを通して大きく見ることができます。

2 聴覚障害のある人への支援

1 聴覚障害の特徴と生活への支障

（1）聴覚障害の特徴

聴覚障害（難聴）は、耳や神経のどの部位が損傷されているかによって、**伝音性難聴**⑤、**感音性難聴**⑥、**混合性難聴**⑦に分かれます。また、いつ障害を負ったかによって、**先天性難聴**⑧と**後天性難聴**⑨に分かれます。高齢者に最も多い聴覚障害は加齢性難聴と呼ばれるもので、先に述べた区分にしたがうと、「後天性」の「感音性難聴」となります。聴覚障害は、その種類によって支援の方法が異なりますので、障害の区分をおさえておくことは大切です。

感音性難聴は内耳や聴神経の障害なので、単に小さい音が聞こえにくいだけでなく、音がゆがんだり反響したり混ざったりして聞こえるという特徴があります。したがって、大きな声で話したり、補聴器で音を大きく増幅したりしても、十分な効果がえられにくいということになります。

加えて、加齢性難聴には4つの特徴があります。第1は高い音が聞こえにくくなる現象です。第2は両方の耳が同じ程度に悪くなります（両側性）。第3は方向感弁別困難で、どちらの方向から音や人の声が聞こえてくるのかわからなくなります。第4は、補充現象です。これは、ある一定の大きさを超えると、音が非常に激しく響き、苦痛を感じる現象です。

⑤伝音性難聴
音が内耳に到達するまでの経路が妨害されるために起こる難聴。ちょうど耳をふさいだときのように音が聞こえる。原因は、中耳の感染症（中耳炎）、良性腫瘍（真珠腫）、鼓膜の損傷（鼓膜穿孔）、外傷など。補聴器が効果的な場合が多い。

⑥感音性難聴
音を感じる内耳とそれよりも内部の神経の障害によって起こる難聴。内耳の蝸牛という部分にある有毛細胞の数が減り、音を感じとりにくくなっている状態。補聴器を使用しても限界がある。

⑦混合性難聴
伝音性難聴と感音性難聴の両方の機能障害が合わさった難聴。

⑧先天性難聴
出生時から存在する難聴。遺伝、風疹やサイトメガロウイルスなどの感染症、早産などが原因で、1000人に1人の割合で発生するとされる。新生児の段階で聴覚に問題がないかどうか調べるためのスクリーニング検査が行われている。

（2）聴覚障害がもたらす日常生活コミュニケーションへの支障

聴覚障害がもたらす日常生活コミュニケーションへの支障について、聴覚障害の症状別に整理しましょう。

❶ 音が聞こえないことによる支障

聴覚障害には重症度があり、軽度・中度・高度難聴・聾という区分で示されます。この重症度によって日常生活への支障度が変わります（**表3－6**）。

表３－６　聴覚障害の程度と日常生活での聞こえの状態

聴力レベル（dB）	生活場面での聞こえの状態	難聴の程度
0	健聴の人が聞き取れる最も小さな音	健聴
20	普通の声の会話	健聴
30	普通の声の会話	軽度難聴
40	普通の声の会話	軽度難聴
50	大きな声での会話	中度難聴
60	大きな声での会話	中度難聴
70	怒鳴り声・電車が近づく音	高度難聴
80	怒鳴り声・電車が近づく音	高度難聴
90	怒鳴り声・電車が近づく音	高度難聴
100	耳元での叫び声	聾
120	接近したサイレン・飛行機の爆音	聾

❾後天性難聴
出生後に発症する難聴。外傷、加齢、過度の騒音、メニエール病、髄膜炎など、さまざまな原因がある。外耳での原因は耳あか、耳管の感染、中耳での原因は炎症、鼓膜に水が入る、鼓膜に穴が開くなど、内耳での原因は老化、大音響、何らかの種類の薬物、頭蓋骨骨折などがある。

また、音が聞こえないということは、人の声が聞こえなくなるだけではありません。歩く音、ドアが開く音、笑い声、風の音、風鈴の音、虫の声など、生活のあらゆるものが聞こえないのです。その孤独感や喪失感は相当なものです。自分が動く音や食べ物をかむ音も聞こえないため、自己存在の感覚も不安定になります。聴覚障害は認知機能の低下をもたらすと同時に、抑うつ状態を引き起こすという研究報告もあります[2)]。

２　高い音が聞こえないことによる支障

高い音とは、物理的には高い**周波数**❿成分を多く含む音という意味であり、生活音では電子レンジや携帯のアラーム音などです。これらの音は加齢性難聴の人には届きにくいです。

人の声では、女性や子どもの声です。つまり、介護者が「高い声」で話しかけると、利用者は聞こえなかったり聞き間違ったりすることが多くなるということです。介護者が利用者に話しかけるときの特徴として、女性介護者の多くは「どちらかというと高い声で話しかける」傾向があるそうです[3)]。高い声には「明るい」「元気」「優しい」イメージがありますから、一概にそれが悪いとはいえないのですが、難聴のある高

❿周波数
音が空気を伝わる振動波長。Hz（ヘルツ：１秒間の波長の回数）で表される。人間が話す音声帯域は350Hz～７KHz、話が明瞭に聞きとれる範囲は300Hz～3.4KHzとされる。

表3－7　高齢者が聞き間違いやすい言葉

サ行、ザ行、マ行、バ行、ワ行、ラ行

7時（しちじ）	→	1時（いちじ）
前（まえ）	→	苗（なえ）
水（みず）	→	ミス
弁当（べんとう）	→	電灯（でんとう）
帽子（ぼうし）	→	同時（どうじ）

齢者にとっては、実は聞きとりにくい側面があります。

日本語の50音のうち「サ行」などは、高い周波数成分をもつ音であり、これらが含まれる単語は、高齢者が聞き誤りやすくなります（**表3－7**）。

3 方向感弁別困難による支障

私たちは自分の後ろから名前を呼ばれると、たとえ小さな声であっても、ハッと反射的に後ろを向くものです。右斜め後ろから呼ばれれば、迷うことなく右側に首を振り向けるでしょう。また、周囲にたくさんの人がいるなかで特定の人と話をするときも、ほかの人々の話し声や笑い声、またエアコンや電話のベルの音などの雑音があるにもかかわらず、相手の声だけに注意を向けて、その人の話を聞きとることができます。

このように、さまざまな音のなかから特定の音を選んで聞きとることを「カクテルパーティー現象」といいます。加齢性難聴では、この「カクテルパーティー現象」が苦手です。声をかけられてキョロキョロしてしまう、話に集中できないといった様子がみられます。

2　聴覚障害のある人に対するコミュニケーション技術

（1）基本的対応

1 手話や口話

聴覚障害のある人に対するコミュニケーションは、先天性か後天性かで対応に違いがあります。先天性の場合、多くは**手話**[11]や口話を幼少期に学んでいますから、本人にとってはそれらを使ったコミュニケーションが自然ということになります。

手話は、介護者側が必ずしも習得しているとは限りませんが、簡単なものを覚えて使うことは大事です。なぜなら、手話使用者にとって、手話は単に情報交換の手段というより、心理的安定のもととなる母国語的な意味合いがあるからです。

口話は、お互いの唇の動きを読みとって理解する方法ですが、発音する口の動きは似たものが多く判別が難しいときもあります。また、相手の口元に長時間集中していなければならないので、長い会話には向きません。

2 筆談

筆談は、紙などに話の内容を書き合う、もっとも基本的なコミュニケーション方法であり、すべての聴覚障害に対応できます。話の内容を全部書こうとすると、書くほうも読むほうも時間がかかり、非効率であるばかりか、会話のリズムが崩れてしまいます。

ポイントは「キーワードを書く」ことです。紙だけでなく、くり返し消して書ける簡易筆談器などもあります。また、近年では、磁気で書くボードや感圧式の電子メモパッドなども活用できるでしょう（図3－6）。

図3－6　筆談に用いる機器

磁気ボード　　電子メモパッド

⑪手話
手の位置、手の形、手の動きなどを組み合わせて意味を伝える表意記号で、おもに聾者（聾唖者）が用いるコミュニケーション手段の1つ。単なる身ぶり記号の組み合わせではなく、いくつかの言語的な特徴を備えた意思伝達のシステムである。

3 補聴器

補聴器は、箱型、耳かけ型、耳穴型などがあり、どのタイプもマイクで音を集めて、音を増幅して、耳に届けるというしくみです。個人の聞きとりに合わせて専門家が調整する必要があり、購入時はもちろん、その後も定期的な調整が必要です。

加齢性難聴の場合、補聴器を着ければクリアな音で聞きとれるようになるわけではないですし、補聴器から聞こえてくる音に慣れるのにも時間が必要です。個人差はありますが、だいたい3か月から半年くらいはかかるでしょう。また、補聴器は1対1での静かな場所で、もっとも効果を発揮する機器であり、騒がしいところや、大人数での会話（食事やレクリエーションなど）には不向きです。

4 コミュニケーション環境

聴覚障害のある人とコミュニケーションをとるときに、まず、第一に大切なのは環境です。私たちのまわりには、実に多くの音があふれています。足音、車の音、エアコンの音、スピーカーから流れる館内放送、テレビの音、食器のあたる音、これらは周囲雑音と呼ばれ、聴力に問題のない人には気になりませんが、聴覚障害のある人にとっては、さらに聞きとりを低下させます。

図3－7に示すように、窓を閉める、テレビを消すなどといった環境を整備することは、コミュニケーションをとるうえでの大切な前提条件です。

5 伝え方のポイント

相手の前方にまわり、表情・視線・口の動きをみせて話しましょう。とくに口の形をはっきり示すことは、認知症の軽さ重さにかかわらず効果があることが確かめられています[4)]。もし、左耳と右耳で聞こえに差がある場合は、少しでもよい方の耳から話しかけましょう。ただし、必要以上に大きな声を出してはいけません。騒音暴露といって、耳の状態をさらに悪化させてしまいます。

手でジェスチャーをしたり、物を見せたりするときは、手や物を顔の位置に近づけて動かしましょう。口の動き、表情、手や物を同時に見ることができるので、話の内容が理解されやすくなります。

どちらの方向から音や人の声が聞こえてくるかわからないので、話すときは、相手のからだに触れるなどして注意をうながし、相手が自分に注目しているか確認した後に話しかけましょう。言葉は、「大きく」

図３－７　聴覚障害者のための環境調整

表３－８　聴覚障害者への伝え方のポイント

- 聞こえのよい耳があれば、そちらの方から
- 立ち止まって、前方にまわり
- 表情・視線・口の動きを見せて
- 手や物を顔の位置に近づけて
- 大きく・ゆっくり・はっきり
- まず、話のテーマを明らかにして
- 筆記具とメモを用意
- できるだけ１対１で

「ゆっくり」「はっきり」発音しましょう（**表３－８**）。

（２）事例を通してコミュニケーション支援を考える

事例２

Ｂさん（85歳、女性）は、75歳のときに耳の聞こえが悪くなり、中度の加齢性難聴と診断され箱型補聴器を使いはじめました。５年ほど経って、認知機能が低下していることに家族が気づき、かかりつけ医でアルツハイマー型認知症と診断されました。その後、補聴器は使わなくなりました。しばらく娘の家で暮らしていましたが、娘家族が転勤となり、近隣の介護老人保健施設に入所しました。

⇒ポイント

聴覚障害のある人が入所してきたときは、補聴器を持っているかを確認しましょう。持っている場合は必ず持参してもらいましょう。ただし、使う前に、耳鼻科医、補聴器専門員、言語聴覚士などの専門家に、必ず調整してもらいましょう。合わない補聴器では効果はありませんし、場合によっては、かえって耳を痛めてしまうことがあります。

⬇

補聴器専門員に調整してもらった補聴器を見せると、Ｂさんは「それは何ですか？」と言いました。Ｂさんの補聴器であることを伝えてもピンとこない様子でした。１日２時間、朝の整容と食事、昼の１対１のリハビリテーションのときに、補聴器をつけてもらうようにしました。

⇒ポイント

長く補聴器を使わないでいると、自分のものと認識できなかったり、使い方がわからなくなっていったりします。たとえ昔使っていたとしても、補聴器は慣れるまで時間がかかりますから、最初は短時間から着けはじめ、「音が聞こえることはよいことだ」という成功体験をしてもらいましょう。補聴器は１対１での比較的静かな場所で最も効果を発揮します。そのような場面から使いはじめましょう。

⬇

２週間ほど過ぎると、Ｂさんは職員が補聴器を持ってくると、自分から手に取り、耳に着けるようになりました。職員の話をじっと聞き入る様子が多くなり、じっくり考えて答えを返すことが増えました。また、隣の患者さんの様子にも関心を向けるようになりました。

⇒ポイント

かつて補聴器を使った経験がある場合は、しばらく経つと再び使えるようになることが多いです。耳に音や声という刺激が入ることにより、覚醒度が上がります。また、相手の話すことを真剣に聞く態度、考える態度、周りの人に関心を寄せるなどの効果が期待できます。このような変化は、本人を取り巻く人々との日々のコミュニケーションの質を大きく変える力になります。

3 構音障害のある人への支援

1 構音障害の特徴と生活への支障

（1）構音障害の特徴

構音障害とは、唇、舌、顎、軟口蓋など、私たちが声を出したり言葉を発音したりするときに使う器官（発声発語器官）に、何らかの異常があり、うまく発音できない状態をいいます。聞きとりにくく不自然な発音、ろれつがまわらないしゃべり方といってもよいでしょう。

構音障害の種類は大きく分けて3つあります。発声発語器官の形状に異常がある場合、発声発語器官の運動に障害がある場合、誤った発音を学習してしまった場合です。

1 発声発語器官の形状の異常

病気やけがによる発声発語器官の欠損や形状の異常のために起こります。先天的なものとしては、**口蓋裂**⑫や**舌小帯短縮症**⑬などがあり、これらは器質的構音障害と呼ばれます。後天的なものとしては、がんなどの切除手術によるものが代表的です。舌がん術後では舌の一部がなくなって動きが悪くなる、上顎が一部なくなり言葉が鼻に抜けてしまうなどの問題が出てきます。

2 発声発語器官の運動の障害

脳卒中や**パーキンソン病**⑭など、発声発語器官の動きをコントロールする神経の病気が原因で起こります。思いどおりに舌や口を動かせず、発音に支障をきたし、運動障害性構音障害、麻痺性構音障害などと呼ばれます。発声の調整も難しくなるため、息漏れのある声（気息性）、がらがら声（粗ぞう性）、弱々しい声（無力性）、力の入った声（努力性）、鼻にかかった声（開鼻性）といった声になることもあります。

3 誤った発音の学習

上記のような明らかな原因はないのですが、発音に誤りがあるタイプを「機能性構音障害」といいます。子どものころに身につけた発音の誤り（くせ）が大人になっても治らない、たとえば「カ行音」が「タ行音」に置き換わる、「キ」が「シ・チ」に近い音にひずんで聞こえるなどです。

⑫口蓋裂
生まれながらにして、口の中の上顎だけが割れている状態のこと。口と鼻の間を隔てている部分（口蓋＝上顎）がなく、口と鼻がつながっている。

⑬舌小帯短縮症
舌の裏側についているヒダ（舌小帯）が、生まれつき短いこと、あるいは、舌の先端に近いところについていること。舌を十分に動かすことができない。

⑭パーキンソン病
運動の調節を指令している神経伝達物質「ドパミン」が減少するために、運動の調節がうまくいかなくなる。「手足のふるえ（振戦）」、「筋肉のこわばり（固縮）」、「動きが乏しくなる（無動）」、「バランスが悪くなる」という4つの症状が特徴である。

なお、声を出すための筋肉（きんにく）と、食べものや飲みものを飲み込む（こ）ために使われる筋肉（きんにく）はほぼ同じです。ですから、前記 **3** を除（のぞ）いて、構音障害（こうおん）のある人は、食べものや飲みものを飲み込（こ）むことが難（むずか）しくなる嚥下障害（えんげ）を合併（がっぺい）することも多いです。

（2）構音障害がもたらす日常生活コミュニケーションへの支障

　構音障害（こうおん）の種類によって、話し方がぎこちなくなる、ブツブツ途切（とぎ）れる、息の音が混（ま）じる、声が小さくて不明瞭（ふめいりょう）になる、話し方が単調になるなど、症状は多彩（たさい）です。構音障害（こうおん）があると、日常生活で言葉を発するあらゆる場面で何らかの支障（ししょう）が生じます。自分の言いたいことを、迅速（じんそく）に、正確（せいかく）に、相手に伝えることができません。

　たとえば、前記（1）**2** にある運動障害性構音障害（せいこうおん）では、発声発語器官の動きに制限（せいげん）があるため、ラ行、サ行、ザ行などの音が、ゆがんだり別の音になってしまったりします。「レモン」が「エモン」となったり、「十時（じゅうじ）」が「ううい」となったり、聞き手には何のことかさっぱりわからないということが生じます。

　構音障害（こうおん）の重症度（じゅうしょう）を表す尺度（しゃくど）の1つに、「発話明瞭度（めいりょうど）」があります。これは、会話において、相手がどれくらい聞きとれたかによって、構音障害（こうおん）の重症度（じゅうしょう）の目安にするものです。**表3－9** のうち1・2のレベルではコミュニケーションは比較的（ひかく）とりやすいですが、3〜5のレベルになると、何らかのコミュニケーション技術が必要です。

　構音障害（こうおん）は「構音（こうおん）」に異常（いじょう）があるだけであり、ほかの機能（きのう）、たとえば

表3－9	構音障害の明瞭度評価	
明瞭度（めいりょうど）	内容	
1	すべてわかる	
2	ときどきわからない言葉がある	
3	聞き手が話題を知っていればどうにかわかる	
4	ときどきわかる言葉がある	
5	まったくわからない	

表３－10　失語症と運動障害性構音障害の違い

失語症	運動障害性構音障害
・言葉がわからない国に放り出されたよう ・相手の言う言葉が理解できない ・相手に伝えたいことがあるのに話せない ・文字が読めない ・書けない ・計算ができない	・ろれつがまわらない ・声が思ったように出ない ・相手の言う言葉は理解できる ・相手に伝えたいことがあるのに、うまく口が動かない、声が出せない ・文字が読める ・書ける ・計算ができる

相手の話を理解することや認知機能には問題はありません。したがって、本人には「言いたいことがうまく伝わらない」という「もどかしさ」「ふがいなさ」「いらいら感」を感じることがよくあります。それが怒りとして現れたり、逆に意欲の低下や引きこもりにつながったりします。

構音障害と区別がつきにくい障害には、失語症があります。構音障害と失語症の違いについては**表３－10**に示しました。

2　構音障害のある人に対するコミュニケーション技術

（１）基本的対応

構音障害のある人に対するコミュニケーションで重要なポイントは２つです。１つは、構音障害の種類によって症状は多彩であるものの、いずれの場合も自分が言いたいことに近い音を発音することができるということです。したがって、相手の話をよく聞くことで、言いたいことの推測ができます。もう１つは、通常は言語を理解して使用する能力には異常がないため、ほとんどの人は正常に読み書きができます。したがって、言いたいことがどうしてもわからない場合は、最終的には文字で書いてもらうという方法をとることができます。

構音障害のある人は、自分の話がどれだけ相手に伝わっているのか、あるいは伝わっていないのかが、自分ではわかっていないことが多いも

表3−11	構音障害の人とのコミュニケーション

- 短く、ゆっくり話してもらう
- 姿勢（しせい）を安定させて話してもらう
- 静かな環境（かんきょう）のもとで話を聞く
- 「閉じられた質問（クローズドクエスチョン）」を使（つか）う
- もう1回言ってくださいとうながす
- 聞きとれた部分をこちらがくり返して言う

のです。また、話しながら焦（あせ）ったりイライラしたりして、よけいに収拾（しゅうしゅう）がつかなくなることもあります。**表3−11**に示（しめ）すような工夫やうながしをすることで、会話がうまくいくことがあります。

1 短く、ゆっくり話してもらうようにうながす

　短い言葉に区切り、ゆっくり言ってもらうことで、こちらの理解が進みます。話のキーワードがつかめるので、質問（しつもん）もしやすくなります。

2 姿勢を安定させて話してもらう

　お腹（なか）から空気をゆっくり出すような姿勢（しせい）で声を出すと、本人が思っている以上に、声は大きくなります。「大きい声になった」と本人にも告げて、気づいてもらいましょう。

3 静かな環境のもとで話を聞く

　テレビの音量を下げる、扉（とびら）を閉（し）めるなど、ゆっくりと話せる雰囲気（ふんいき）をつくることで、気持ちも落ち着きます。

4 「閉じられた質問（クローズドクエスチョン）」を使う

　「はい」「いいえ」だけで答えてもらう閉じられた質問を使うことで、話題をしぼっていきます。

5 もう1回言ってもらうよううながす、聞きとれた部分をこちらがくり返して言う

　聞きとれなかったときは、「もう1回言ってください」とうながします。それでもわからないときは、聞きとれた部分をこちらがくり返して言ってみましょう。相手は、わからなかったところだけを言い足してくれるようになるので、お互（たが）いの理解が進みます。

　構音（こうおん）障害は嚥下（えんげ）障害を伴（ともな）いやすいので、嚥下体操（えんげたいそう）を兼（か）ねた発声発語器官の体操（たいそう）を定期的に行うことは非常（ひじょう）に効果（こうか）的です（**図3−8**）。

　なお、高齢者の場合は、義歯（ぎし）（入れ歯）がない、あるいは義歯（ぎし）が合わ

図3－8　口の体操

1　目をしっかり閉じて、唇を横にひき、頬を上げる
2　目をぱっちり開けて、口を思い切り開く
3　口をしっかり閉じて、左右交互に頬を膨らませる

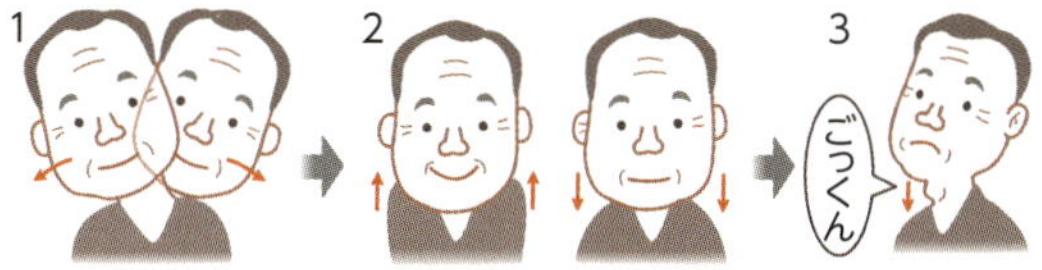

1　頭を大きく左右に傾け、首を伸ばす
2　両肩を上げたり、下げたりする
3　呼吸を整え、唾液をごっくんと飲み込む

「パ・パ・パ・パ」「タ・タ・タ・タ」「カ・カ・カ・カ」「ラ・ラ・ラ・ラ」を大きく、はっきり発音する

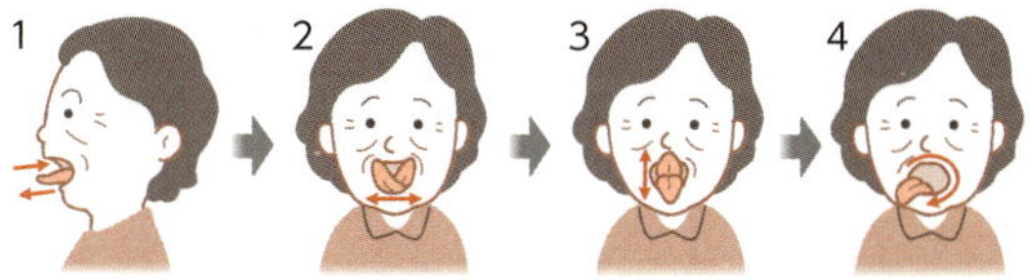

1　舌を、前後に出したり引っ込めたりする
2　舌を前に出し、左右に動かす
3　舌を前に出し、上下に動かす
4　舌で回りを嘗めるようにぐるっと回す

ないために、ろれつがまわらなくなってしまうこともあります。そのようなときは、義歯を入れたり、調整したりすることで、聞きとりやすくなる場合があります。

　また、構音障害が重度の場合は、文字や絵を書いたボード、50音表などの文字盤を使った指さし（**図3－9**）、キーボードと画面を備えたコミュニケーション機器（**図3－10**）などの使用も検討しましょう。いずれもその人が使えるかどうかを確かめながら導入すること、定着するまでの一定期間は練習することが重要です。

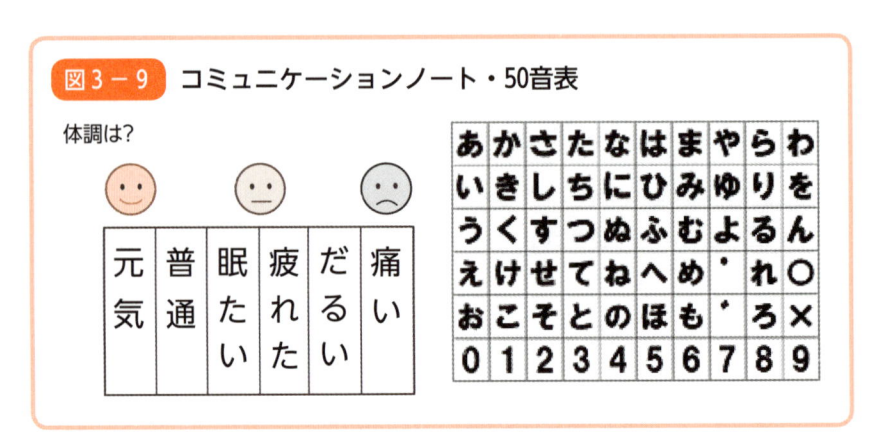

図3－9　コミュニケーションノート・50音表

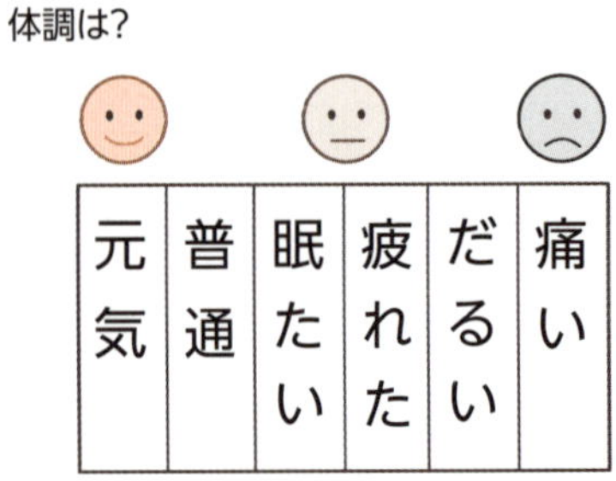

あ	か	さ	た	な	は	ま	や	ら	わ
い	き	し	ち	に	ひ	み	ゆ	り	を
う	く	す	つ	ぬ	ふ	む	よ	る	ん
え	け	せ	て	ね	へ	め	゛	れ	○
お	こ	そ	と	の	ほ	も	゜	ろ	×
0	1	2	3	4	5	6	7	8	9

図3－10　コミュニケーション機器

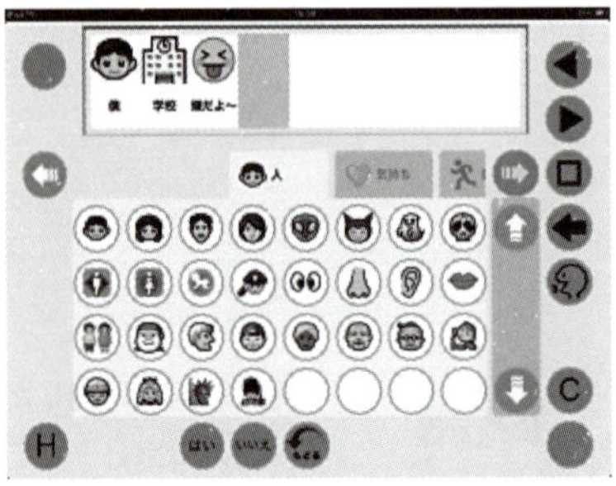

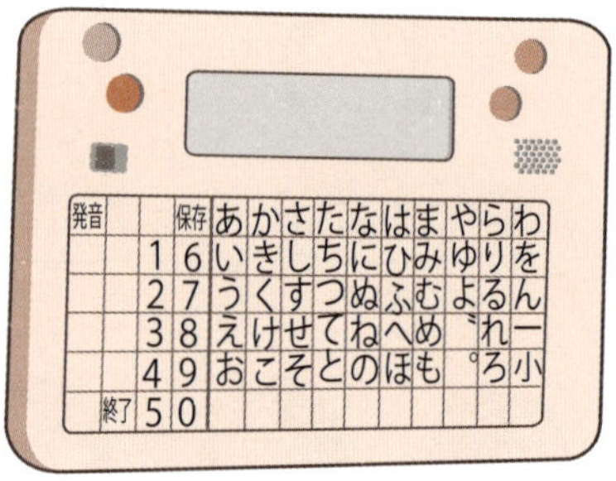

（2）事例を通してコミュニケーション支援を考える

事例3

Cさん（80歳、男性）は、２年前に脳梗塞を発症し、回復期病院で治療とリハビリテーションを受け、介護老人保健施設に入所となりました。後遺症として、左片麻痺と運動障害性構音障害、軽度の嚥下障害があります。職員やほかの利用者に対する礼節は保たれ、こちらの言うことはよく理解しているようですが、自分からは話そうとしないようです。

⇒ポイント

構音障害の場合、ほかの機能は基本的に保たれていますので、礼節は良好ですし、こちらの言うことはほぼ理解できます。ただ、これまで人に話しても伝わらないことを数多く経験しているため、自分から積極的に会話しない習慣がついてしまっている場合があります。このようなときは、無理に発話を求めず、あるいは逆に発話をあきらめて筆談で書くようにうながすのでもなく、笑顔、うなずき、温かい態度などの非言語コミュニケーションを使って、人とかかわることのよさを、まずは感じてもらいましょう。

⬇

翌日、介護福祉職が、Cさんに「よく眠れましたか？」とたずねると、Cさんは「よ・・く、えうれあ」と答えました。介護福祉職は「よく眠れたのですね」と返すと、Cさんは、にっこり笑いました。

⇒ポイント

Cさんが介護福祉職の問いかけに答えたということは、「この人は自分の言いたいことをわかってくれそうだ」と思ったからであり、信頼関係ができている証といえます。構音障害の人は、何とか自分の言いたいことに近い発音で話そうと努力します。聞く側は、そのときの状況や相手の態度などから、その人の言いたいことを推測します。推測したら、この場面のように、相手に確認することが大切です。Cさんがにっこり笑ったのは、介護福祉職の推測が正しかったことだけでなく、自分の言ったことが相手に伝わったうれしさによるものです。

⬇

ある日、Cさんが1枚の写真を見せながら話しかけてきました。「おねんのおうがつに、じんじゃにいった、まおは、おみういであいきちで・・・・・」と一生懸命、話し続けます。介護福祉職は「素敵な写真ですね。神社に行ったんですね」と言い、一呼吸おいてから「Cさん、神社の話の続きを聞かせてください。短く区切って話してみましょうか」とうながしました。

⇒ポイント

構音障害のある人が長い文章で話し、その内容が聞きとれないときは、まず、聞きとれた単語があれば、それを復唱して確認しましょう。そうすることによって、「自分の言いたいことをわかってくれた」という安堵感が生まれますし、「神社」は聞きとれたが、そのほかが聞きとれなかったという事実を伝えることにもなります。そのうえで、ゆっくり区切って話してもらうようにすると、1つひとつの単語に集中できるので、お互い、理解しやすくなります。

4 失語症の人への支援

1 失語症の特徴と生活への支障

（1）失語症の特徴

失語症とは、大脳の言語にかかわる部位（言語野）が、脳梗塞や脳出血などによって損傷を受けることで起こる言葉の障害です。失語症というと、多くの人は「話せなくなる障害」をイメージするかもしれませんが、単に「話すこと（発話）」ができなくなるだけではありません。第２章で述べたように、言語には「人の言うことを聞いて理解する（聴覚的理解）」「書かれたものを読んで理解する（視覚的理解）」「話す（発話）」「字を書く（書字）」といった４つの機能があります（第２章第２節参照）。失語症は、そのすべてに何らかの低下がみられます[5]。

（2）失語症がもたらす日常生活コミュニケーションへの支障

失語症は、言葉の４つの機能が多かれ少なかれ低下しますから、日常生活でのコミュニケーションに大きな影響を及ぼします。また、これまで当たり前のように使えていた言葉が、ある日を境に急に使えなくなるのですから、ご本人のとまどいと落胆は相当なものです。

失語症はいくつかのタイプに分類されます。タイプごとに特徴的な症状がありますので、タイプ分類を知っていると、日常生活にどのような支障が起こるか、どう支援したらよいかのヒントが得られます。ただし、同じ失語タイプであっても、重症度が違うとあらわれる症状も異なることを理解しておく必要もあります。

代表的な失語タイプである「**ブローカ失語（運動性失語）**」「**ウェルニッケ失語（感覚性失語）**」「**全失語**」「**失名詞失語**」を取り上げ、タイプ別に日常生活への支障をみていきましょう。

1 ブローカ失語（運動性失語）

相手の言っていることや書いてあることはある程度理解できますが、自分の言いたいことを言葉で伝えることが難しいタイプです。話しはじめがぎこちなく、たどたどしい短い言葉を途切れ途切れに話す「非流暢な自発話」が特徴です。言いたいことが喉まで出かかっているのに出てこない（喚語困難）、あるいは別の言葉が出てしまう（**錯語**[15]）といった症状もみられ、歯がゆく、もどかしい思いを抱えます。また、書字も障害されますので、言えないことを文字で書くということも難しいです。

軽度の場合は、「明日は午後から外出です」などの文が理解でき、日常的に交わす会話であれば、おおむね理解可能です。ただし、それらの文を続けて話されると話についていけません。また「昼におそばを食べたい」などの文を話すことができますが、たどたどしく、ときに詰まったり、別の言葉が出てきたりすることもあります。

中度の場合は、「明日は午後から外出です」のうち、「明日」「午後」「外出」のどれかが抜け落ちて、一部分しか理解できないことがあります。また伝えたいことを文で話すことが難しく、「昼飯」「おそば」といった、単語を並べたような話し方になります。

重度の場合は、「外出です」などの単語が理解できないこともあります。ただし、「庭」「散歩」などよく使う言葉（高頻度語）に言い換えると、理解しやすいです。伝えたいことを単語で話すことも難しい場合が多いです。ただし「おそば？」「うどん？」と選択肢を示せば、「はい」「いいえ」あるいはうなずきや首振りで意思を示すことができます。

2 ウェルニッケ失語（感覚性失語）

相手の言っていることを理解するのが難しいタイプです。ブローカ失語と違って、話し始めに努力やぎこちなさがなく、流暢で、どちらかというと多弁です。ただしその内容は、助詞・助動詞・代名詞（「です」「ます」「ここ」「そこ」など）が多くて、意味のある言葉が少ないため、たくさん話すわりに内容が乏しく、結局何を言っているのかわからないという状態になります。錯語が連続して、外国語を話しているかのような発話（ジャルゴン）になってしまう場合もあります。

自分が話す言葉を自分の耳で聞いても理解できなかったり、逆に自分では正しく話していると思い込んでいたり、本人も状況がつかめず困惑してしまうこともあります。

軽度の場合でも、「明日は午後から外出です」などの文を理解できません。また錯語が多くみられ、たとえば「昼におそばを食べたい」が「ハラニハ、ソバニタベマス」といった、こちらが推測するのが難しいような発語になることもあります。

[15] 錯語

自分が言おうとした言葉と違う言葉が出てくること。意味が類似している場合（意味性錯語：「りんご」→「みかん」）、音が類似している場合（音韻性錯語：「とけい」→「とたい」）などがある。

重度になると、こちらの言っていることがまったく理解できないことが多いです。指さしやジェスチャーなどが表す意味もわからないため、直接手渡したり、手をとってつれていったりなどの他動的なかかわりが必要となります。

3 全失語

脳の損傷が広範囲に及んでいるため、言語のすべての機能が重度の障害を受けています。聴覚的理解では簡単な単語もわからないほど低下し、発話は意味不明で不明瞭な音の羅列となることが多いです。たとえば「そうそう」「はい」などの限られた発話で、何かを伝えようとする場合もあります。イントネーションや表情で、ある程度はこちらが意図を汲むことができます。

4 失名詞失語

失名詞[16]が主症状です。発話は流暢で長い文章を話せますが、言いたいことが出てこなくて「あれ」「それ」などの代名詞で置き換えたり、違う言い方で補ったりするため、まわりくどい話になる傾向があります（迂言）。聴覚的理解、視覚的理解、書字は軽度に障害されます。

⑯失名詞
言いたい語が言えない症状の1つで、主に名詞が障害されること。

2 失語症の人に対するコミュニケーション技術

（1）基本的対応

失語症の人は、相手の言っていることを理解するのに相当の努力が必要ですから、こちらが思っている以上に疲れやすく、雑音などがあると注意が散漫になります。静かな場所で、できれば1対1で接するのが基本です（**表3－12**）。

短い文で、ゆっくりと、明瞭に話しかけます。質問に答えが返ってこないときは、「はい」「いいえ」で答えられる形で質問することも有効です。言葉以外のコミュニケーション手段、たとえば絵や写真、ジェスチャー、表情を活用するのはいい方法です。また話題を急に変えない、伝わらなければくり返す、伝わったかどうかを確認しながら話を進めることが重要です。

こちらが話したことが伝わっていないようであれば、文字を使うことも試してみましょう。仮名文字より漢字がわかりやすいことが多いので、漢字を書いて示し、理解がうながされるか確認します。その際、文章で書くのでなく、キーワードとなる漢字の単語を選んで書きましょ

表3－12　失語症者への対応の基本（環境面・言語面）

- 静かな場所で
- ゆっくり
- 短く話す
- わかりやすい言葉で
- 具体的な内容を
- 絵、写真を使って
- ジェスチャー、表情も使って
- 話題を急に変えない
- 伝わらなければくり返す
- 伝わったかどうかを確認する
- 漢字単語がわかりやすい（仮名、50音表は難しい）
- 会話を訓練調にしない

う。失語症では、「あいうえお」「かきくけこ」といった日本語の50音体系がうまく機能しないことが多いので、仮名文字を並べた50音表は有効ではなく、かえって失語症の人を混乱させます。

受容的な態度で、信頼関係を築くことがコミュニケーションの基本です。能力を試すかのようなかかわり、たとえば食事のときにスプーンを渡しながら「これは何と言いますか？」と質問し、相手が答えてから渡すといったことはやめましょう。生活の場は安心の場であり、生活自体を訓練にするのは好ましくありません。失語症の人は、自分が試されていると感じ、不安になります。生活の場での失語症支援は、その人が安心してコミュニケーションできるよう、不足をおぎなうことです。

失語症の人は言葉の機能が失われているだけですから、ほかの知的機能や記憶能力は正常です。不必要な子ども扱いや、子どもに話しかけるような言葉づかいをすると、人としての尊厳が大きく傷つきます。言葉が話せない不安や焦燥などの気持ちを察して、できることをみつけてほめる態度を心がけましょう。

（2）事例を通してコミュニケーション支援を考える

事例4

Dさん（80歳、男性）は、市役所を定年退職した後、趣味の旅行やボランティア活動などで楽しい日々を送っていました。75歳のときに脳梗塞を発症し、右片麻痺とブローカタイプの失語症が後遺症として残りました。リハビリテーション病院での理学療法や言語訓練を経て、自宅で妻と暮らしていましたが、妻の持病のリウマチが悪化して自宅での2人暮らしが難しくなり、特別養護老人ホームに1人で入所することとなりました。

⇒ポイント

失語症を発症し、一定期間リハビリテーションを受けた場合は、基本的なコミュニケーションの方法を、ある程度習得していることが多いです。現在、本人や家族が使っているコミュニケーション方法を、まずは観察しましょう。病院によっては退院サマリーなどの申し送り用紙を作成している場合もあり、それを確認することも大切です。

⬇

Dさんは、介護福祉職が「おはようございます」とあいさつすると、「おはよう」と頭を下げながらあいさつを返します。「今日は気分はどうですか？」と問うと、「あああ」と言って右手をさすります。「右手が痛いのですか？」と聞くと、「あああ」と言って、うなずきます。

⇒ポイント

「おはよう」「おはよう」といったあいさつは、**復唱**[17]という言語機能を使った活動であり、多くのブローカ失語の人には保たれている能力なので、率先して使いましょう。またブローカ失語では、簡単な日常会話の理解は保たれていることが多いです。Dさんは、「気分はどうですか？」という問いの意味はわかっていますが、答えがうまく口から出ないという状態です。そのようなときは、Dさんのようにジェスチャーで表現しようとする場合もあります。ただ、ジェスチャーではよくわからないこともありますので、「右手が痛いのですか？」というように、「はい」「いいえ」で答えられる質問をすることは、よいコミュニケーションといえます。

⑰復唱
相手の言ったことを、そのままくり返して言うこと。

⬇

ある日、Dさんの妻が面会に来ました。Dさんはうれしそうな表情です。おやつのとき、Dさんは妻に、「あれ、あれ」と言って、何かを食べたいような仕草を見せました。妻が、「ぶどう？」「柿？」「せんべい？」と聞きますが、Dさんは首を横に振り続けます。妻は何が食べたいのか見当がつかず、Dさんもだんだんイライラしてきました。それに気づいた介護福祉職が、食べもののイラストが載ったカードを見せると、Dさんは、そのなかから「焼きいも」の絵を指さし、にっこり笑いました。

⇒ポイント

相手の言いたいことがわからないときは、Dさんの妻のように、「ぶどう？」「柿？」などと選択肢を出して、「はい」「いいえ」で答えてもらうのはよい方法です。ただし、ときには選択肢が思いつかないときもあります。生活でよく使うものについて、絵やイラストを載せたコミュニケーションノートをつくっておくと便利です（図 3 －11、3 －12）。また、Dさんに紙と鉛筆を渡して、絵を描いてもらうことも有効な方法です。発話にこだわらず、ジェスチャーや描画など、柔軟に使いましょう。「伝わった！」というよろこびを互いにわかち合うことが大切です。

（3）失語症がもたらす心理的問題への配慮

言葉は、人間が人間であることの基盤の 1 つです。その言葉がある日を境に突然失われるのですから、その不自由さと喪失感はたいへん大きく、抑うつや意欲低下など心理的な問題を抱えることも少なくありません。コミュニケーションがうまくとれないことで、人とかかわろうとする気持ちが弱くなり、それが生活全般への意欲のなさにもつながってし

図 3 －11　コミュニケーションノート（市販されているもの）

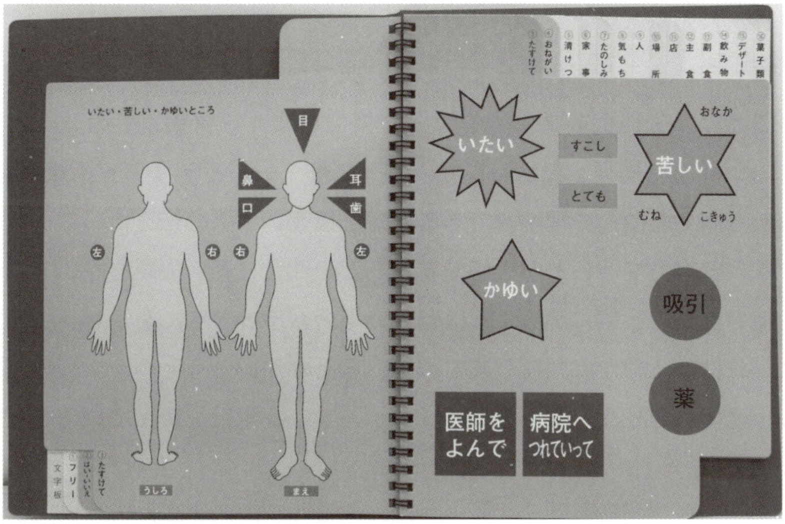

出典：西尾正輝『コミュニケーション・ノート』インテルナ出版、1995年

図 3−12 コミュニケーションノート（手づくり）

1. 飲み物
2. 会いたい人
3. 便所
4. テレビ
5. 痛（いた）い

1

1. お茶
2. コーヒー
3. 牛乳
4. ジュース

1. ニュース
2. 野球
3. 歌
4. 時代劇（じ だいげき）

2

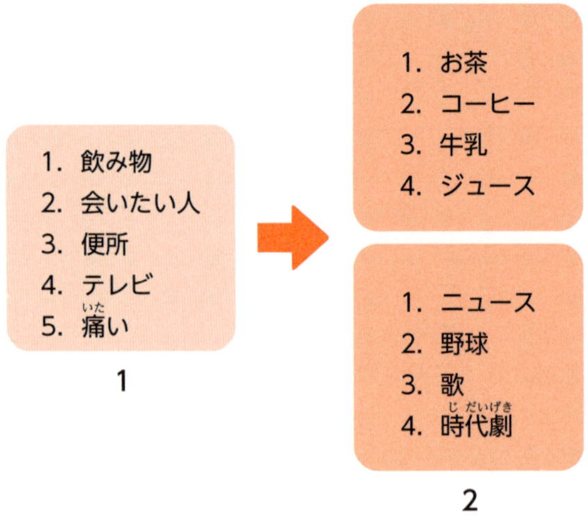

表 3−13 失語症者への対応の基本（心理面）

・ゆっくり待つ
・子ども扱（あつか）いしない
・人格・人生の尊重
・不安・抑鬱（よくうつ）・焦燥（しょうそう）などの気持ちを察して、言葉で表現して伝える
・できることを見つけ、ほめる
・地域・社会との接点を探す

まうことがあります（**表 3−13**）。

　言っていることがわからないのに、あたかもわかったようなふりをすることは、失語症のある人を大きく傷（きず）つけます。言葉以外のコミュニケーション、描画（びょうが）、表情（ひょうじょう）や視線（しせん）、ジェスチャーやボディタッチなどを、こちら側も駆使（くし）して理解者（りかいしゃ）であることを伝え、本人の伝えたいことをわかろうと努力することが大切です。一部の非常に軽い失語を除（のぞ）いて、発（はっ）症前（しょうまえ）の言葉の状態（じょうたい）に戻（もど）ることは難（むずか）しい場合が多いです。しかし、長期的にみればゆるやかに回復（かいふく）しますので、人とかかわろうという本人の気持ちを途切（とぎ）れさせないよう、コミュニケーション意欲を育んでいくことが大切です。

5 認知症の人への支援

1 認知症の特徴と生活への支障

（1）認知症の特徴

認知症とは、認知機能が後天的な脳の障害によって持続的に低下し、日常生活や社会生活に支障をきたした状態のことをいいます。認知症は1つの病気ではなく、認知症を引き起こすいくつかの病気があり、その病気が原因で物忘れや認知機能の低下を起こす状態になっています。

代表的なものが、**アルツハイマー型認知症**、**血管性認知症**、**レビー小体型認知症**、**前頭側頭型認知症**の4つです。それぞれに特徴的な症状があり、日常生活でのコミュニケーションに及ぼす影響もある程度区別することができます。

なお、65歳未満で発症する認知症を、**若年性認知症**と呼びます。若年性認知症は、高齢期発症の認知症とは症状や経過が異なることが多く、なかには非常に早く進行する場合もあります。

これらの認知症の症状には、①記憶障害や見当識障害といった**認知機能障害**[18]と、②暴言や妄想といった**BPSD（行動・心理的障害）**[19]の2つに大きく分けられます。認知症の原因疾患別にそれぞれの症状の特徴をふまえたうえで、コミュニケーション方法を考えていくことが大切です。

認知症の原因は病気ですから、基本的には病気の治療を行う必要があります。医師の診察のもと適切な薬物投与を実施するとともに、薬を使わないリハビリテーションやケア（非薬物療法）によって、認知症の症状を改善させたり進行を食い止めたりします。

（2）認知症がもたらす日常生活コミュニケーションへの支障

1 アルツハイマー型認知症

認知症の原因となる病気のなかでもっとも多く、認知症全体の約50～60%を占めます。認知機能障害では、日付や時間がわからない（見当識障害）、もの忘れ（記憶障害）、道に迷う（視空間性障害）といった症状が起こります。

⑱認知機能障害
認知機能とは、記憶力、言語能力、判断力、計算力、遂行力などの知的機能のこと。脳の何らかの損傷によってそれが障害された場合、認知機能障害と呼ぶ。

⑲BPSD（行動・心理的障害）
暴言や暴力、興奮、抑うつ、不眠、昼夜逆転、幻覚、妄想、徘徊など、認知症によって起こる心理的障害や行動の障害のこと。その人の置かれている環境や、人間関係、性格などが絡み合って起こる。

表3－14　アルツハイマー型認知症の症状

- 記憶障害
- 見当識障害
- 取りつくろい
- もの盗られ妄想
- 意欲低下（抑うつ）

見当識障害のために、自分が施設に入所していることが認識できず、いつまでも不安が続く、「帰してください」と言い続けるなどということが起こります。記憶障害のために、ご飯を食べたことを忘れて何回も催促する、家族が見舞いに来たことを忘れて「だれも来ない」と怒るなどということもあるでしょう。このように、見当識障害や記憶障害により、日常生活でのコミュニケーションがうまくかみ合わない、こちらが何度も同じことを言わなければならないといったことが起こります。

BPSDで特徴的なのは、被害妄想です。被害妄想のなかでも、財布、通帳、印鑑などをだれかが盗んだという「もの盗られ妄想」がとくに多くみられます。妄想とは、こちらが論理的にていねいに説明を尽くしても修正することができない強い思い込みで、コミュニケーションが成立しない状態ともいえるでしょう。

もの盗られ妄想のある人は、目で見たことを覚えておくために必要な脳の部位の血流が低いといわれています。見たことを覚えようと思っても覚えられない、つまり自分の財布をどこに置いたかイメージとして残っていないので思い出せず、結局身近な人を犯人と思い込んでしまうのです。本人の性格、家族との折り合いの悪さなどが原因でないことを理解しましょう。

2 血管性認知症

血管性認知症は、認知症全体の約20％を占めます。脳梗塞や脳出血が起こった部位により、認知症の症状が随分違うのが特徴です。たとえば、右利きの人の場合、左脳に起これば、失語症（本節4参照）や**失行**[20]等の障害が起こります。失語症があれば日常生活での基本的なコ

⑳失行
手や足など、運動を行うからだの器官に異常がないのに、これまでできていたはずの一連の生活動作を行うことができないこと。たとえば、いつもしめていたネクタイがしめられない、歯をみがきうがいをして水を吐き出すなどができなくなってしまうことなどがあげられる。

表3－15　血管性認知症の症状

- まだら状の認知障害
- 階段を降りていくように進行する
- すり足歩行
- 早期から失禁

ミュニケーションにもかなり支障が出ます。また失行があれば、こちらが言葉で伝えたことは理解できても、行動に移そうとする段階で思ったとおりの動きができない状態になります。

一方、梗塞や出血が右脳に起これば、言葉の障害はほとんどなく、無関心や意欲の低下、だらしなさといった症状や、半側空間無視（本節10参照）が出現します。

3 レビー小体型認知症

レビー小体型認知症は、認知症全体の約10～15％を占めます。手足のふるえ、小刻み歩行、動作緩慢、行動の開始に時間がかかるといった**パーキンソン症状**[21]がみられます。特徴として、認知機能が低下したり急によくなったり、またBPSDがあらわれたり消えたりと、スイッチをオン･オフするかのように、目まぐるしく変動することがあげられます。その変動は、１週間単位、あるいは１か月単位という場合が多いですが、なかには数時間ごとに変わることもあります。

たとえば、さっきまで家族と楽しく語って笑っていたのに、急に家族のことがわからなくなり「だれ？」とたずねたり、知らない人がいると怒り出したりします。また、赤と黒の縞模様の蛇、見知らぬ子どもたちがすぐそばで大声ではしゃぎながら追いかけっこしているといった、鮮やかで音や動きを伴う幻視や、病院や施設の職員を自分にかつて関係のあった別の人であると誤って認識する誤認妄想がみられます。これらが現実に見え、聞こえ、動くのですから、かなりの恐怖を感じる場合もあるようです。幻視・誤認妄想も、こちらが言葉で説明を尽くしても納得することはあまり期待できません。

[21] パーキンソン症状
運動の調節を指令している神経伝達物質「ドパミン」が減少するために、運動の調節がうまくいかなくなり、からだの動きに障害があらわれる。「手足のふるえ（振戦）」、「筋肉のこわばり（固縮）」、「動きが乏しくなる（無動）」、「バランスが悪くなる」という４つの症状が特徴である。

表3－16　レビー小体型認知症の症状

・パーキンソン症状
・幻視
・症状の変動
・レム睡眠行動障害

気分が沈む、意欲がわかないといった抑うつ気分も、レビー小体型認知症によくみられる症状で、話しかけても返事が返ってこない、悲観的なことを話し続けるといったこともよくみられます。

4 前頭側頭型認知症

前頭側頭型認知症は、認知症全体の約10～15％を占め、症状が異なる3つのタイプに分かれます。第1のタイプは反社会的行動や対人行動の障害といったBPSDがあらわれるもので、**ピック病**[22]がその代表です。第2のタイプは言語症状と反社会的行動が同時にあらわれるもので、意味性認知症といわれます。第3のタイプは言語症状のみがあらわれ、進行性非流暢性失語症と呼ばれます。前頭側頭型認知症は、ほかの認知症と比べて若い年代で発症する場合が多いのも特徴です。

第1のタイプは、ある特定の行動に固執してくり返す常同行動がみられます。たとえば1日に何キロも同じ道をくり返し歩く（常同的周遊）、毎日3食おはぎしか食べない（常同的食行動）、起床・食事・テレビ・散歩・入浴など完全に同じ時刻に行い、散歩に行くと決めたら台風でも熱があっても出かける（時刻表的生活）などです。これらの行動を、言葉での説明や説得で修正することは難しいです。

第2、第3のタイプは、失語の症状が前面に出ます。失語症状のなかでも、理解力の極端な低下が特徴的で、言葉やものの意味がわからなくなります。たとえば、「金槌」という言葉を聞いても、「それって何ですか？」と意味を理解しませんし、目の前に金槌を置いたとしても、金槌を包丁のように使おうとしたり、柄の部分で字を書こうとしたりします。このような症状がかなり初期からみられ、日々の生活のコミュニ

㉒ピック病
前頭側頭型認知症の1つ。情緒障害（気分の不安定）、人格障害（病前とは明らかに異なる性格）、自制力低下（一方的、短絡的）、反社会的行動（万引き、他人の家に勝手にあがる）、対人的態度の変化（人を無視・馬鹿にしたような態度）、滞続症状（同じ内容の言葉や行動をくり返す）などが特徴。

表3－17　前頭側頭型認知症の症状

・我が道を行く行動
・無関心
・食行動異常
・身だしなみの乱れ
・常同行動

ケーションに支障をきたします。

5 若年性認知症

若年性認知症の原因疾患は、血管性認知症の割合が高いです。その次に、アルツハイマー型認知症、頭部外傷と続きます。なお、全国の若年性認知症の発症年齢の平均は約51歳です（厚生労働省「若年性認知症の実態と対応の基盤整備に関する研究」2009年）。現役世代での発症が多いため、子どもが就学中であったり、場合によっては親を扶養していたりと、経済的負担や社会的負担が大きいことが特徴です。

若年性認知症の症状は、基本的には、上記で述べた原因疾患別の症状とほぼ同じです。記憶障害や見当識障害、同時に複数のことが考えられない、計算ができなくなるなど、高齢期発症の認知症の初期と同じような症状がみられます。コミュニケーション能力はよく保たれ、礼節もよく、流暢にそつなく受け答えします。一見認知機能の低下がないようにみえるときもありますが、しばらく話を続けると、記憶障害のために同じ話を何度もくり返して語ったり、適切な言葉がみつからず「ええと」「あれ」「それ」を連発したり、まわりくどい話になったりします。

介護は長期にわたることが予想され、介護にあたる家族を支援することが非常に重要です。また、若年性認知症と診断されたときには、本人に告知するかどうかも、とても難しい問題です。精神的な打撃はとても大きく、うつ状態になってしまう場合もあります。

2 認知症の人に対するコミュニケーション技術

（1）基本的対応

認知症ケアにおいて基本となるのが、本人の視点に着目して、その人らしさを大切にしたケア（**パーソン・センタード・ケア**[23]）です。この視点はコミュニケーション支援においても同じです。認知症の人がみている世界を尊重し、人間関係を重視したコミュニケーションや誠実なふれ合いが基本となります。記憶障害や妄想などにより、認知症の人が話す内容が明らかに誤っていたとしても、それを訂正したり説得したりしても効果は期待できません。むしろ妄想の世界を受け止めたり、言葉の奥にある感情を推測して共感したりするほうが、うまくコミュニケーションを成立させることができます。

多くの認知症は進行性ですから、時間の経過とともに症状が進み、できないことが増えていきます。しかし、認知症になったからといってすべてのことができなくなるわけでは決してありません。認知症の人とコミュニケーションをとるために活用できる何かしらの糸口が必ずあります。たとえば言葉でうまく表現できない人も、表情や仕草で何かを伝えているかもしれません。記憶障害のためにメガネを始終探している人に「メガネは引き出しの中」と書いた紙を貼っておくと、それを読んで納得するかもしれません。まずは認知症の人に保たれているコミュニケーション能力、それを何とか探そうという気持ちをもつことが、大切です。

ときにはできないことを指摘したり修正したりすることも必要ですが、それをずっと続けるのは避けましょう。たとえよかれと思ってやったとしても、毎日の生活で細かいことを指摘され続けることは、人とし

[23] パーソン・センタード・ケア
イギリス人のキットウッド（Kitwood,T.）によって提唱された、認知症の人を１人の"人"として尊重し、その人の視点や立場に立って理解し、ケアを行おうとする考え方である。１人ひとり異なる認知機能や健康の状態、性格、人生歴、周囲の人間関係など、その人の個別性をふまえ、かかわりを通して、その人が今どのような体験をし、どう感じているか、周囲の人が理解し、支えようとすることである。

表３－18　認知症に対するコミュニケーションの基本

・本人の視点と人間関係の重視（パーソン・センタード・ケア）
・できることとできないことを整理し、できることをいかす
・わかりやすい言葉を使う
・文字や絵を使う
・指摘や修正をし続けない
・そっと先回りして助ける

ての尊厳を大きく傷つけます。これは認知症の人に限らず、相手が誰であれやるべきではないでしょう。できることとできないことを見極め、できないことに対してそっと先まわりして助ける、これが基本です。足が悪い人に杖を渡すように、コミュニケーションがうまくとれない人にも、コミュニケーションの杖を渡したいものです。

（2）原因疾患別のコミュニケーション技術

1 アルツハイマー型認知症

見当識障害に対しては、カレンダーや大きな時計を用意しましょう。カレンダーは日めくり、時計はアナログが適しています。本人が自発的にそれらを見ることはあまり期待できませんが、うながし、見当識を確認することに意味があります。

記憶障害に対しては、覚えていないことを責めるのは厳禁です。覚えられなくて困り、情けなく思っているのは本人なのですから、追いうちをかけることは避けましょう。「○○はだれ？」「さっき食べたのは何？」と質問攻めにするのもやめましょう。それを思い出して記憶力が飛躍的に伸びることはありませんし、むしろ簡単なことを始終聞かれて答えられないと自尊心の低下につながります。

一方で、体で覚えた記憶、たとえばぞうきん縫いや洗濯物たたみ、草むしりなどは、かなり正確に再現できます。これらの記憶を「手続き記憶」といいますが、言葉の記憶とは異なり、忘れることが少ないのです。私たちが長年自転車に乗らなくても、すぐに勘を取り戻して乗れるのと同じです。本人がこれまで獲得し蓄積してきた手続き記憶を探し出し、積極的に活用しましょう。

言葉の障害では、聞いて理解する力が落ちているので、一度に２つ以上のことを言うのは避けましょう。場合によっては簡単な文字を見せて理解してもらうことも有効です。また、重度になっても復唱能力は保たれますから、「おはようございます」「あら、おはよう」といったあいさつのやりとりを心がけましょう。

2 血管性認知症

血管性認知症の失語症状に対しては、言語の「聴覚的理解」「視覚的理解」「発話」「書字」のうち、少しでも保たれている機能をみつけて、有効活用しましょう。

失行に対しては、言葉で指示するよりも、目の前で見せて真似してもらったほうが、上手にできるものです。くしや歯ブラシなど、これまで習慣として使っていたものがうまく使えなくなるため、日常生活の介護量が増えますが、手助けをすることによって上手に使うことができる場合があります。非言語コミュニケーションを活用した支援といえるでしょう。

無関心や意欲のなさに対する対応方法は、なかなか一筋縄ではいかないものです。忙しい現場では、ときどき傾眠しながら、おとなしく、じっと座っている血管性認知症の利用者は、ついつい対応が後回しになり、はたらきかけの量が少なくなってしまいがちです。本人が少しでも興味関心をもつものを探し、刺激を与えましょう。刺激を与えない状態が長く続くと、**廃用症候群**[24]といって、知的機能や身体機能が加速度的に衰退してしまいます。意欲のない人にアプローチし続けるのはたやすいことではありませんし、すぐに目に見える効果があらわれるものでもありませんが、廃用症候群の予防の観点からも非常に重要です。

24 廃用症候群
過度に安静にすることや、活動性が低下したことによる心身に生じたさまざまな状態のことである。筋肉がやせおとろえる、関節の動きが悪くなる、唾液や食べ物が誤って肺に入り肺炎が起こる、うつ状態になるなどがあげられる。

3 レビー小体型認知症

レビー小体型認知症の認知機能障害やBPSDの変動に対しては、「症状が変わる」ということを念頭に置いて接することが大切です。テキパキと動いて調子がよさそうなときは積極的にリハビリテーションを試みたり、会話の時間をもったりしましょう。一方でボーッとして動かなかったり、険しい表情で暴言を吐いたりするときは、ちょっと離れたところから様子を観察しましょう。無理に暴言をいさめようとすると、かえってエスカレートすることが多いものです。症状が変動するということは、言い換えると、悪い状態もしばらく待てば自然によい状態に戻るということです。

幻視・妄想については、本人にとっては現実に起こっていることなので、あからさまに否定することは避けましょう。「それは怖かったですねえ」「大丈夫、今はいませんよ」などと、気持ちに寄り添うような言葉かけをしましょう。

4 前頭側頭型認知症

前頭側頭型認知症の常同行動に対しては、その特性を有効活用して、あいさつされたら必ずあいさつを返す、夕方になったら必ず入浴する、食事が終わったら食器を台所に持っていくなどのように、認知症が軽度の時期に、本人にとって望ましい行動を獲得させます。認知症が進行してもパターン化した行動は残りますから、先を見越して行動を定着させましょう。

前頭側頭型認知症の失語症状に対する一般的な対応としては、日常生活でのコミュニケーションを観察し、できることをみつけて、それを伸ばす工夫をすることです。たとえば文字を読むことができるのであれば、興味を示す雑誌や本を音読してもらう、字が書けるようであれば簡単な日誌をつけてもらいます。いずれにしても症状は進行していきますから、ある時期までは課題をだんだん難しくしていけますが、途中からはだんだん簡単にしていかなければなりません。

5 若年性認知症

若年性認知症の人へのコミュニケーション支援は、基本的には上記で述べた原因疾患別の対応、あるいは次に述べる進行度合いに応じた症状への対応と同様です。

年齢が若いと、保たれている能力が高齢期発症の人よりも多い場合もあります。初期であれば、聞く、読む、話す、書く、いずれもある程度可能です。しかし、発症前と比べて能力が低下していることを敏感に感じる場合が多いですから、強引にトレーニングするというやり方は避けましょう。また、高齢期発症の認知症よりも、病期の進行がかなり速い場合もあり、変化に応じて対応を変えていく柔軟性も求められます。

「なぜ、こんな病気に」「夫や子どもたちに申しわけない」「これからやりたいことがたくさんあったのに」といった、病気への苦悩を語る人も多くみられます。コミュニケーション能力は保たれていますから、傾聴・受容・共感といった言葉によるコミュニケーション支援を駆使して支えることも大切です。

（3）進行度合いに応じたコミュニケーション技術

介護の現場では、必ずしも認知症の原因疾患が確定診断されているとは限りません。アルツハイマー型認知症に加えて血管性認知症を発症したというように、いくつかの認知症が合併していることもあります。ここでは、認知症の進行度合いという観点から、それぞれの重症度に応じたコミュニケーション技術を考えていきましょう。

1 軽度認知症

軽度認知症は、**HDS-R**[25]**（改訂長谷川式簡易知能評価スケール）**や**MMSE**[26]**（ミニメンタルステートテスト）**で、おおむね20点以上が目安です。日付の見当識は曖昧ですが、自分が今いる場所は何となくわか

[25] **HDS-R（改訂長谷川式簡易知能評価スケール）**
見当識、記憶など9項目からなり、30点満点で20点以下は認知症の疑いがあるとされる。

[26] **MMSE（ミニメンタルステートテスト）**
見当識、記憶、図形的能力など11項目からなり、30点満点で23点以下は認知症の疑いがあるとされる。

る、まわりの状況も一応把握しているといった状態です。

軽度認知症は、認知機能やコミュニケーション能力に、ある程度の改善が見込める場合があります。したがって、できる可能性のある課題を提示したり、言葉のやりとりだけでコミュニケーションが成立する場合は、長い文、複雑な文をあえて使って、刺激を与えましょう。また、季節の行事などを通して見当識を保つようにします。

また昔の思い出話だけでなく、現在の社会の出来事や地域のニュースなど、現在と未来につながるはたらきかけも重要です。ただし、ドリルのようにノルマを課すのではなく、利用者の生活史や教育歴を考慮して、興味関心がわく題材を選ばなくてはいけません。強制されていやいやながら承知する、あるいはせっかく問題を出してくれるのだからと利用者がこちらに気をつかって課題に取り組むのは、効果がありません。

2 中度の認知症

中度の認知症は、HDS-RやMMSEで、おおむね11～20点の人と考えます。日付の見当識が曖昧なことに加え、自分が今いる場所がわからない、施設を自分の職場と思っていたり介護福祉職を近所の人と思っていたり、まわりの状況が把握できない状態です。わかりやすく説明すると、その場で理解しますが、すぐに忘れてしまいます。

中度の認知症の人に対するコミュニケーションは、能力を改善する、能力を身につけるといったことを目的とするのではなく、今もっている能力を維持することが重要です。基本的なコミュニケーションは言葉のやりとりで可能です。しかし、質問に対して見当外れなことが返ってきたり、話の内容がテーマからそれて、何を話しているのかわからなくなるといった状態がよくみられます。

話しかけるときは、長い文や複雑な文を避け、短く単純な言葉を使いましょう。「今日は何をしますか？」「今日の気分はどうですか？」といった開かれた質問（オープン・クエスチョン）も有効ですが、考えがまとまらず答えが返ってこなかったり、現実離れして実現困難な答えが返ってきたりすることも多いものです。「今日は、歌にしますか？ 体操にしますか？」「咳は出ますか？ 出ませんか？」といった閉じられた質問（クローズド・クエスチョン）を多く使ったほうが、コミュニケーションをとりやすいでしょう。また、ジェスチャーや表情を十分活用して、楽しい雰囲気を保ちましょう。

「聞く」「読む」「話す」「書く」という言語の４つの機能のうち、どれが保たれているかは、個人差が非常に大きいので一概にいえません。しかし、文字を読む力や書く力は、ある程度保たれていることが多いものです。本人が興味を示す内容の文章を声に出して読んでもらう、本人がいやがらなければ字を書いてもらうといったはたらきかけが有効でしょう。漢字と仮名では、徐々に仮名しか読めなかったり書けなかったりといった状態になるので、本人の能力に合わせましょう。目的はあくまでも能力の向上ではなく維持です。できないところを指摘するのではなく、できるところに目を向けましょう。

3 重度認知症

重度認知症は、HDS-RやMMSEで、おおむね10点以下の人と考えます。日付はもちろん、季節の移り変わりなど、現在の状況に関する認識がほぼ失われている状態です。自分のまわりに起こっていることへの興味関心も極めて薄く、自発的な行動がない場合が多いので、こちらからのうながしが欠かせません。

重度認知症の人のコミュニケーションの目的は、今残っている能力を維持すること、あるいは、低下を可能な限り防止することです。言語の４つの機能のうち、書く能力はほぼ失われ、漢字を読むこともできなくなっている場合があります。しかし、自分の名前を書いたり、仮名で書かれた単語を読んだりすることはできる場合もあります。

重度認知症では、話す能力のうち、相手の言ったことをそのままくり返す復唱能力は、多くの人に保たれています。復唱能力を活用したコミュニケーションとして、あいさつがあります。「おはようございます」→「おはようございます」、「こんにちは」→「あら、こんにちは」など、正面から相手の目を見て、しっかりとあいさつすることは、重度認知症の人との大切なコミュニケーションになります。そのほかにも、ことわざ、歌など、保たれている言葉の能力を探して活用しましょう（**表3－19**）。

私たちが話しかけるときの表情や雰囲気についての判断、つまり「この人は好ましい」「この人は嫌い」といった感情は、認知症の重症度にかかわらず、健常な高齢者と同じくらい十分残っているという研究があります。笑顔や声の調子、明るくやわらかい雰囲気などに気を配ることが大切です。一方でジェスチャーを認識する能力は低下していますので、軽くからだにふれるボディタッチを使って、安心感や心地よさを伝えましょう。

表3－19　重度認知症の人に保たれている言葉の能力の例

カテゴリー	例
あいさつ	おはよう こんにちは いただきます ごちそうさま おかえりなさい おやすみなさい
系列語	1、2、3、4、5・・・ 月火水木金土日 1月2月3月・・・
ことわざ	犬も歩けば棒に当たる 嘘つきは泥棒のはじまり 急がばまわれ
歌	童謡 唱歌

6 うつ病・抑うつ状態の人への支援

1 うつ病・抑うつ状態の特徴と生活への支障

（1）うつ病・抑うつ状態の特徴

1 うつ病と抑うつ状態

私たちは日常生活のなかで、時折気分が落ち込んだり、憂うつな気持ちになったり、食欲がわかないことがあります。このような症状がいくつかある場合を**抑うつ状態**と呼びます。多くの場合、私たちは自分自身がもっている心身の自然治癒力や抵抗力、あるいは気分転換をしたり人に相談したりして、不具合を回復させ、時間の経過とともに徐々に元気になることができます。

しかし、時間が経っても改善しない、あるいは逆にどんどん悪化して、仕事、家事、人との交際といった日常生活や社会生活全般に支障をきたすようになる場合もあります。そのような状態は**うつ病**として位置づけられます。

2 うつ病の診断基準

うつ病の診断にはDSM-5[27]等が用いられます。食欲の障害、睡眠の障害、強いうつ気分、自殺念慮等がみられ、その症状が2週間以上継続する場合、うつ病が疑われます。日内変動のために、1日のうちで調子がよくなったり悪くなったりするといった変動はあっても、症状そのものが時間の経過で自然に緩和されることはありません。

3 高齢期のうつ病・抑うつ状態の特徴

高齢者のうつ病は、通常の診断では見落とされてしまう可能性があります。高齢者では、典型的なうつ病の症状を示す人は3分の1から4分の1といわれています。

高齢者のうつ病の特徴としては、「悲哀の訴えが少ない」「気分低下やうつ思考が目立たない」「意欲や集中力が低下する」「反応が遅くなる」「**心気的**[28]な訴えや記憶力のおとろえに関する訴えが多い」などがあげられます。

また、脳血管の病変に関連する**血管性うつ病**[29]もあり、脳血管障害を発症した人は注意が必要です。

高齢期は、重要な人の喪失や死別（ペットも含む）、自分や身近な人の病気やけが、家族や友人とのいさかい、身体疾患や身体機能の低下、住み慣れた家を離れること（施設入所や子との同居に伴う転居など）、経済的問題など、不安やストレスを生じるライフイベントが起こる場合があります[6)]。高齢者はうつ病や抑うつ状態におちいりやすい状況にあることを理解しておきましょう。

27 DSM-5
DSM-5とは、米国精神医学会によって作成された精神障害の分類や基準が示されたものである。DSM-Iは1952年に出版され、以降数回にわたって改訂版が発行され、DSM-5は2013年に公開された。

28 心気的
比較的小さな身体的な不調（頭痛や腹痛など）を、「重い病気じゃないか」などと思い込んでしまい、その思考を修正することが困難な状態をいう。

29 血管性うつ病
脳血管障害のあとにうつ病を発症した場合と、もともとうつ病であった人が脳血管障害を起こした場合、どちらも含んだ疾患群。抑うつ的気分に加え、認知機能の低下も多くみられる。

（2）うつ病・抑うつ状態がもたらす日常生活コミュニケーションへの支障

うつ病と抑うつ状態では、日常生活におけるコミュニケーションの状況にかなり違いがあります。

1 抑うつ状態の人に対する日常生活コミュニケーションへの支障

抑うつ状態のときは、日常生活では次のような様子がみられます。ただ、何とか人のなかに出てきて、人とやりとりすることはできる状態です。

①楽しみや喜びを感じない

これまでなら楽しかったことでも、楽しみや喜びを感じなくなります。何をしていても憂うつな気分を感じてしまいます。笑顔もみられなくなります。

②よいことが起きても気分が晴れない

きっかけとなった出来事や原因が解決したり、自分にとってよいことが起こったりしても、気分が晴れない状態が続きます。

③趣味や好きなことが楽しめない

気分転換として、これまで好きだったことをしたとしても、楽しめないどころか、疲労感ばかりが増します。

④ネガティブな発言が多い

会話の端々に、「どうせ私なんか」「長生きしても迷惑をかけるだけ」「むなしい」「疲れた」など、心身の疲労を表す後ろ向きな発言が多く聞かれます。

2 うつ病の人に対する日常生活コミュニケーションの支障

うつ病になると、そもそも人の集まる場所を避け、接触をもちません。こちらが話しかけても、無反応だったり、すべての質問に首を振ったり、人とかかわること自体を拒絶しがちです。また、妄想や死んでしまいたいという気持ち（自殺念慮）がみられることもあります。

2 うつ病・抑うつ状態の人に対するコミュニケーション技術

（1）基本的対応

うつ病と抑うつ状態では、コミュニケーションのとり方も異なります。それぞれに合わせたコミュニケーションをとる必要があります。

1 抑うつ状態の人に対する基本的対応

抑うつ状態は、一過性の場合も多く、さまざまなことがきっかけとなり、気分が回復できる段階です。たとえば、悪い出来事がきっかけで気分が沈んでいたとしても、辛さや悲しさを打ち消すほどよい出来事があれば、抑うつ状態も回復する可能性があります。また、原因を解決したり原因から遠ざかるように心がけたりすることで、抑うつ状態が緩和され、時間の経過とともに自然と回復することもあります。

一時的に誤解や勘違いをしていたことで、気持ちがふさいでいたとしても、第三者からの指摘や誤りであるという証拠があれば、それを受け入れる判断力があります。**リフレーミング**[30]の技法も有効といえるで

30 リフレーミング
事実は1つでも、それぞれの価値観という枠組み（フレーム）で判断するため、ある人にとってはよい出来事でも、別の人にとっては最悪の出来事となる。フレームを取りかえて別の視点からみるようにする。

しょう。

また、少しからだを動かす程度の運動を行うことも有効です。様子をみながら、調子がよさそうであればレクリエーションなどに誘ってみましょう。友達と会って話したり、趣味や手を使った何かしらの作業に没頭したりすることも有効です。

ただ、やり過ぎは禁物です。過剰刺激にならない程度に、様子をみながらはたらきかけましょう。ときには沈黙を大事にすること、静かにあたたかく見守ることも重要です。

2 うつ病の人に対する基本的対応

うつ病は、活力の欠乏により、脳機能が低下している状態で、医療での対応が基本です。うつ病の治療は、①休養、②薬物療法、③精神療法・カウンセリングが 3 本柱になります。薬を服薬してから効果があらわれるまでおおむね 2 週間くらいかかり、その後の治癒過程にもある程度の期間が必要です。よくなったり悪くなったりしながら、階段をゆっくり 1 段ずつ上るように改善していきますので、あせらず見守りましょう。

考えたり判断したりする力が低下していますから、日常生活において、「何が食べたいですか？」「どこに行きたいですか？」というような開かれた質問（オープン・クエスチョン）はなるべく避けましょう。「リンゴとバナナ、どちらにしますか？」といった閉じられた質問（クローズド・クエスチョン）を使って、相手が考える場面を減らしてあげましょう。

うつ病の人への話しかけで極めて重要なのは、安易にはげまさないことです。どんなに親しい人からのはげましであっても、本人には精神的に重い負担になります。本人から「辛い」「生きていてもしょうがない」などの発言があったら、まずは耳を傾け、受け止めましょう。もしこれらの訴えがいつもより多いあるいは激しい、また、まったく食べなくなったなどの症状がみられたら、速やかに医師に連絡しましょう。

7 統合失調症の人への支援

1 統合失調症の特徴と生活への支障

（1）統合失調症の特徴

統合失調症は、かつて精神分裂病と呼ばれていました。主に思春期から青年期に発病し、思考、感情、意欲、**自我機能**[31]などが障害され、ものごとの認識や人づきあいに困難をかかえることが多い精神疾患です。

主な症状は、妄想、幻聴、無為、自閉、感情鈍麻、思路障害、易刺激性、興奮、不眠など多様です（**表3－20**）。

発病年齢や、病前性格、発症後の経過年数など、状況や環境の違いも影響して症状のあらわれ方は変わります。知的障害とは異なりますが、長年の闘病により年齢に見合わない幼さや、知的能力の低下がみられることもあります。病識（病気であるという自覚）がとぼしいことも特徴の1つです。

総合失調症を発症する要因は1つに特定されておらず、根本的な治療法は未確立ですが、薬物療法を中心として社会復帰のための支援や**社会**

[31] **自我機能**
精神分析の用語で、社会の習慣など現実を考慮し、衝動的な本能や欲求を抑え、自分を防衛しようとするはたらきのこと。

表3－20 統合失調症の主な症状

妄想	訂正不能の思い込み、事実とは異なる考え
幻聴	実在しない声や音が聴こえること
無為	何もしない、したくない状態
自閉	自分の世界にこもった状態
感情鈍麻	感情反応がとぼしくなること
思路障害	思考のまとまりが悪い状態
易刺激性	ちょっとしたことに大きく反応すること、変化に弱い状態
興奮	気持ちや感情がたかぶった状態
不眠	眠れないこと、何度も目が覚める状態や寝つきが悪いことなど

生活技能訓練[32]等も併用し、再発を防止しながら生活力を再獲得するためにさまざまな支援が行われています。

（2）統合失調症による日常生活コミュニケーションの支障

上記のように、統合失調症は思考や感情、自我機能に関する障害があるため、周囲に違和感を与える言動や不可解な発言をすることがあります。ここでは、統合失調症の症状や精神障害によって、支援者が感じやすいコミュニケーションのしづらさを例示します。

1 同じ話を何度もくり返す

会うたびに、また毎日のように電話をしてきて、同じことを確認したり依頼したりします。もの忘れというよりも、不安感やあせりなどによる言動で、本人はわかっていてもやめられないこともあります。話題がとぼしく、コミュニケーションのきっかけとしていつも同じ話になってしまっていることも考えられます。

2 一方的に話し続ける

こちらが話すことに耳を貸さず、自分の言いたいことを間断なく話し続けたり、対話の脈絡にそっていないにもかかわらず一方的に主張することがあります。気持ちが高揚しているときや興奮状態でもみられますが、相手にわかってほしいあまりの行動であり、人との接し方の機微を習得できていない場合にも生じる傾向です。

3 話に集中できない

対話していても話に集中できなくなり、問いかけに応答せず目線も合いにくくなることがあります。本人にとって話の内容が難しい、刺激が強いといった理由で、疲れたり思考が追いつかなくなるためと考えられます。また精神科治療薬の副作用の場合もあります。そのほか、周囲の雑音が気になったり、幻聴が聴こえている場合も話に集中しづらくなります。

4 現実的ではない突飛な話をする

精神症状の1つである妄想による場合が考えられますが、本人は現実だと思い込んでおり、真剣であればあるほど周囲からは奇異に聞こえるかもしれません。また、長期入院等による体験のとぼしさや社会から孤絶した閉鎖的な環境に長年暮らしていたために、思考が現実離れしてしまっていることもあります。

[32] **社会生活技能訓練**
Social Skills Training（SST）ともいう。社会生活を送るうえで必要な技能、とくにコミュニケーションの力を獲得するために、ロールプレイや練習をすること。グループによる構造化された取り組みが一般的である。

5 ろれつが回らない

発語が明瞭でなく、口の中でぼそぼそと話したり、うつむいて小さな声で話したりするため、言葉が聞きとりにくいことがあります。社会経験のとぼしさなども原因となっています。自信のなさや人との距離感がつかめない、人との交流に慣れていないと、そのような話し方になることがあります。また薬の副作用の場合もあります。

6 以前と異なる主張や、これまでと意見が変わる

人の気持ちや考えは、状況や環境、また本人の成長に応じて変化しますが、そうしたことを考慮しても理解しがたいほどの大きな変更や、意見の急激な転換を表明することがあります。多くの場合、とくに人の意見に推されて熟考なく決断したり、あとから不安が高じたことなどが理由となっています。体験のとぼしさや想像力をはたらかせることの困難さ、また融通をきかせることが苦手な傾向なども影響します。

2 統合失調症の人に対するコミュニケーション技術

（1）基本的対応

統合失調症の人への支援は、医療や介護、福祉的な支援および訓練を提供する多様な施設・機関で行われており、近年は支援を受けながら在宅生活をする人が増加しています。症状や障害の程度によって支援内容は異なりますが、多くは**対話**によるコミュニケーションを必要とします。さらに、どこでどのように支援するかによっても、その技術の用い方は異なります。

たとえば、生活上の障害に対する金銭管理や家事（調理や清掃、ごみ捨て等）、買い物や外出時の支援などであれば、本人が自分でできる範囲と求められる支援内容について、本人の意向を聞き出したりくみとる技術や、支援の過程で本人と協働する技術などが必要です。一方、不眠や被害妄想、興奮、無為、自閉など症状に応じた支援を提供するには、本人の困惑や不快を理解し、感情を受けとめたことを表現する技術と適切に対処するために本人にわかるように説明（情報提供や助言）する技術を要します。また、期日に合わせた支払いや書類手続き、定期的な通院や服薬など、日常生活や療養生活の状況を本人に確認する際は、支援者が知りたい答えを引き出せるようなたずね方の技術が必要です。

これらは面接技術であり、とくに言語的な技術を多様に用いることになります。以下には、とくによく使う面接技術のポイントを示します。

1 わかりやすく話す

「私は」「○○さんは」「先生が」と、主語をはっきりさせましょう。そして一度にいくつものことを伝えようとせず、文章を短く区切りましょう。

2 的をしぼる

抽象的な表現を控え、具体的に話しましょう。「○○について聞きます」と、話の的をしぼりましょう。閉じられた質問（クローズド・クエスチョン）でたずねると効果的です。

3 聞きとりやすさの工夫をする

語尾をはっきりさせて、ハキハキと明快に話しましょう。周囲の雑音が会話の邪魔にならないような環境調整の配慮も大切です。

4 くり返し確認する

一度の説明や応答でわかったと思わず、何度かくり返して本人の理解を確かめましょう。メモを用いたり復唱してもらう方法もあります。

5 言葉と態度を一致させる

怒っているのに笑顔をみせるなど、言葉と態度の矛盾があると混乱を招き正しくメッセージが伝わりません。両者を一致させましょう。

なお、コミュニケーションは双方向性のあるものですから、上記のような支援者からの能動的なはたらきかけだけでなく、本人の表情や態度、話し方や声の調子などを観察して非言語メッセージを受けとめる技術や、本人に特有の言語表現を理解する力も必要です。

（2）事例を通してコミュニケーション支援を考える

事例5

精神科病院に長期入院していたEさん（75歳、男性）は、身寄りがなく生活保護を受給しており、3か月前に**養護老人ホーム**㉝に入所しました。主治医は「根強い妄想は残存しているが日常生活には支障ない。服薬継続にて施設での生活は十分可能」と言っています。普段はおとなしい人ですが、時折「“遣いの者”が玄関に迎えに来ている」「宮内庁からの返事はまだか」「多額の財産があるからあなたに差し上げよう」など、事実とは思

㉝養護老人ホーム
65歳以上の高齢者で、経済的に困窮しており、身体上、精神上、または環境上の理由から居宅において養護を受けることが困難な者を入所させ、養護することを目的とした公的な施設。

えないことを言います。
入居当初は、Eさんの話を真に受けて「そんな人は来ていませんよ」「受けとれません」と返事をしていました。しかし、おとなしいEさんが興奮して怒って以来、職員はEさんを怒らせないことを第一に考え「そうですか」と聞き流してその場を離れがちです。

⇒ポイント
妄想に対しては、一般に「否定も肯定もしない」対応が望ましいと解説されます。一方で、日常会話においてそのような対応をすると、あいまいな相槌をうつことになりがちです。事例のようにEさんと向き合えなくなってしまっては、コミュニケーションが深まりません。
多くの妄想には、その人の思いが含まれていると考えられます。Eさんは、施設に入所したもののだれかに迎えに来てほしいと思っていたり、「宮内庁と関係がある」と述べることで自らを権威づけようとしているのかもしれません。「財産をあげる」との言動は、お世話になっていることへの感謝や見返りの期待のあらわれ、または生活保護受給者であることの反動とも考えられます。
「妄想」ととらえれば病気の症状ですから、具合が悪いとか治療の対象とされがちですが、主治医の意見からすると、症状をすべて治さなくとも生活はできる状態であることがわかります。妄想もその人の一部ととらえて日常的な支援ができるとよいでしょう。
Eさんに「一緒に玄関まで行ってみましょうか」と確認したり、「まだのようですね」「来られたらお知らせしますよ」「お気持ちだけいただきますね」と、その気持ちを受けとめたことを表現し、安心感を提供する応答ができるとEさんも日常の暮らしに戻ることができます。

事例６

Fさん（62歳、男性）は長期入院の末、最近退院してアパートに１人で暮らしています。若いころ調理師免許を取得し、レストランでコックをしていたことが自慢ですが、長年の入院生活により、自炊をはじめ家事全般に自信がもてず、病院の精神保健福祉士のすすめで居宅介護（ホームヘルプサービス）を利用することになりました。現在、症状は消失していますが、毎月１回通院し服薬治療を継続しています。
ある日ヘルパーがFさんにメニューの希望をたずねると、「むかしコックをしていましてね、オードブルとかステーキやカキフライなんかをいつもつくっていたんですよ。あなたはオードブルのつくり方、知っていますか？」と言いました。ヘルパーは「私はコックじゃないのでつくれません。Fさんもお１人でそんなもの召し上がらないでしょう」と答えると、「もういいです」と部屋に引っ込んでしまい、その後は問いかけてもかすかにうなずくだけでした。

その後、「あのヘルパーは、もうよこさないでほしい」と、Fさんから事業所に電話がありました。

⇒ポイント

介護福祉職側としては、メニューの希望を端的に答えてもらいたいところでしょう。しかし、そのとき空腹でなければ思いつかないかもしれません。また、長期入院していた人のなかには、メニューを選ぶ機会もなく病院給食を食べていた人が多く、知っているメニューの種類がとぼしかったり、食べたいメニューを思い浮かべること自体が難しい場合もあります。そういう人に対しては、メニュー表や料理の写真が載った本を提示すると、具体的に考える助けになります。また、Fさんの回顧談に合わせて会話するうちにイメージが広がり、希望が述べられるかもしれません。

人とのかかわりを求めるのは人間の普通の感覚です。Fさんは過去の職業にプライドをもっていることがわかります。これは円滑なコミュニケーションのための重要な手がかりになります。積極的に活用し、「どんなお店だったんですか？」「Fさんがお好きなメニューは何でしたか？」「得意料理は？」など会話を広げることで信頼関係が深められます。

事例7

グループホームで生活しているGさん（56歳、女性）は、社会福祉協議会の日常生活自立支援事業を利用し、日常的な金銭管理の支援を受けています。生活保護と障害年金で生活していますが、無駄遣いを気にし、すりきれた服を着てたばこも一番安いものを吸っています。

金銭管理は、生活支援員と2週間に1回外出して銀行でお金をおろし、グループホームの職員とともに用途別の封筒に仕分け、必要時はそこから使うしくみです。Gさんは毎日のように電話をかけてきて「今度いつ銀行に行ってくれる？」「貯金は、今いくら残ってる？」とたずねます。そのつど「次は○日ですよ」「この前の払い出し票を見てくださいね」「先週は○○円ありましたよね」と返事をしますが、忙しいときは、いい加減にしてほしいと思うこともあります。留守中も電話が入り、ほかの職員も応答に苦心しています。

⇒ポイント

Gさんが同じことを何度も言ったりたずねたりする理由は何かを考えることが、支援の手がかりとなり重要です。忘れてしまう、記憶できないなどであれば、メモに書き留めてもらうなど確実に覚えておける方法をとりましょう。部屋のなかのよく見える場所にメモを貼り出したり、大きなカレンダーに記載する方法もあります。

一方、わかっているけど聞きたい、言わずにはいられないということがあります。この背後には、支援者への依存感情やかかわりを求める気持ちも考えられます。その気持ちを上手に表現できず会話のきっかけとして毎回同じ話題をもちだすことはよくあります。そこで、支援者側から積極的に別の話を投げかけて関心を寄せていることを表現したり、会話の広げ方を少しずつ習得してもらうことにも意味があります。また、「10分くらいなら話せますよ」「今日は時間がとれません」など、業務都合を伝えて理解を求める対応もあり得ます。

8 知的障害のある人への支援

1 知的障害の特徴と生活への支障

（1）知的障害の特徴

知的障害者の特徴、なかでも心理・行動の特徴は、以下の３つの要素で整理できます。すなわち、①知的機能に制約があり平均よりも低い状態にあること、②**適応行動**[34]において知的機能の低さと関連する制約を伴う状態であること、そして、それらが③発達期に生じる障害であることです。なお発達期とは、一般的には18歳以前とされています。知的障害者とは、この３つの要素が特徴的です。

㉞適応行動
人が日常生活において機能していくために学習した認知、コミュニケーション、学業スキルなどの概念的なスキルや社会的能力にかかわる社会的スキル、自立生活スキルなどによる行動。

❶ 知的機能に制約があり低い状態にある

知的障害者は、視覚や聴覚などの感覚器官には特に大きな問題はないにもかかわらず、それらを通して脳に入力された情報を分析したり総合したりすることに制限がある状態を指します。そのために、認知、記憶、言語、思考などの機能にも制限を受け、その年齢で期待されるレベルよりも低いレベルでしか機能しないことから、活動全般に遅れが生じることとなります。

一般的には**IQ（Intelligence Quotient：知能指数）**がおおむね70以下と考えられています。しかし、目的によってIQによる診断のほか、いくつかの診断基準が存在します。たとえば教育や福祉の現場では、知的能力のみではなく日常生活をはじめとする適応行動の円滑さや支援の必要性を重視して評価していくことが多いです（図３－13）。

MA（Mental Age：精神年齢）が知能の発達水準を示すのに対し、IQは、知能の高低や遅速を示す尺度として考えられた方法です。たと

図3－13 知的障害者（精神遅滞者）とは（AAMD.1973）

適応行動

知的機能　知能＼適応	高	低
高	A	B
低	C	D

知的障害者とは、一般的知的機能が明らかに平均より低く、同時に適応行動における障害をともなう状態で、それが発達期にあらわれるものを指す。したがって、図では、Dのみが知的障害者となる。

えば、MAが５歳であっても、CA（Career AgeまたはChronological Age：生活年齢）が５歳の子どもと、10歳の子どもとでは明らかに知能の高低や遅速は異なります。CAが５歳の子どものIQは100であり、10歳の子どものIQは50となります。このように、精神年齢を生活年齢と比較することで知能の高低や遅速を知る尺度として開発されたものがIQです。

知的障害者の一般的な心理・行動の特徴としては、受動性、依存性、自己評価、欲求不満に対する耐性の低さ、攻撃性、衝動制御力のとぼしさ、常同的な自己刺激的行動、自傷行為などがあります。これらは中枢神経系の未成熟や機能障害と関連し、注意欠如・多動性障害の基本症状とも共通しています。知的障害と近縁にある障害との関係を**図３－14**に示します。

2 適応行動における制限がある

適応行動における制限とは、日常的には食事、排泄、衣服の着脱などのセルフケア、コミュニケーション、炊事、掃除、洗濯などの家庭生活、人との社会的なやりとりに関連した社会的スキル、買い物、交通機関の利用などのコミュニティ資源の利用、選択したりスケジュールにしたがって自己主張をするといった自己志向性、健康と安全、読み、書き、計算といった実用的な学業、余暇活動、そして労働などの適応行動

図3－14 知的障害と近縁にある障害との関係

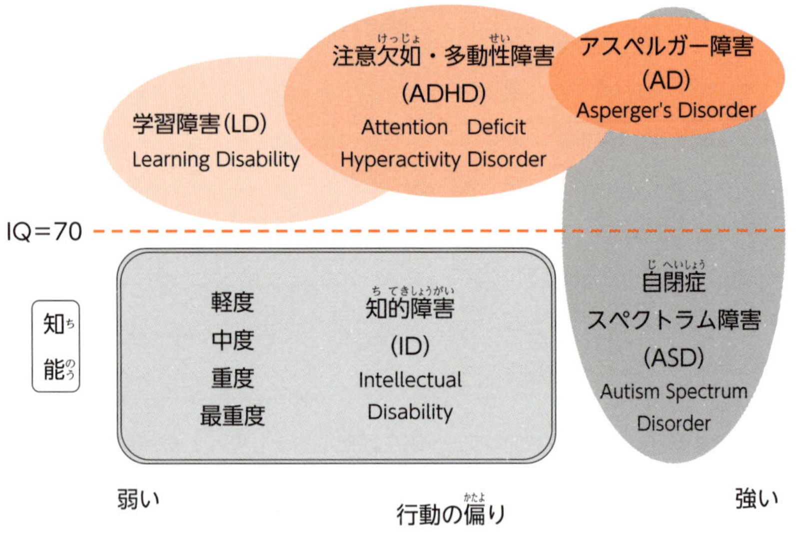

注意欠如（けつじょ）・多動性障害（せい）
（ADHD）
Attention Deficit
Hyperactivity Disorder

アスペルガー障害
（AD）
Asperger's Disorder

学習障害（LD）
Learning Disability

IQ=70

知能（ち）（のう）

軽度
中度
重度
最重度

知的障害（ち てきしょうがい）
（ID）
Intellectual
Disability

自閉症（じ へいしょう）
スペクトラム障害
（ASD）
Autism Spectrum
Disorder

弱い　　　　　　　　　行動の偏り（かたよ）　　　　　　　強い

にあらわれた遅（おく）れなどをさします。遅（おく）れの具体的なあらわれとしては、判断力（はんだんりょく）や自発性（せい）の弱さ、習得や学習に時間がかかる、反復（はんぷく）や固執性（こしつせい）をもつ、感覚に特性があるなどを特徴（とくちょう）とします。

３ 発達期にあらわれる

　ここでの発達期（さい）とは、18歳以前の通常（つうじょう）、発達における上昇期（じょうしょうき）をさします。したがって、発達の上昇期（じょうしょうき）ではない成人期や老年期に生じる知的機能（のう）の低下は、「認知症（しょう）」などと称し、「知的障害」とは異なるものとして区別して考えることが一般的（いっぱん）です。

　また、この障害による特徴（とくちょう）は、生物学的要因（よういん）だけで規定（きてい）されるものではなく、環境からの刺激（しげき）の豊（ゆた）かさ、適切（てきせつ）なしつけや育児、教育の機会など環境要因（よういん）との相互作用（そうご）によってもその症状の強さが形成されています。このような環境要因（よういん）との相互作用（そうご）に基（もと）づく障害の特徴（とくちょう）は、二次的障害としてくくられるものです。

　さらに、知能（ち のう）の水準（すいじゅん）によっても障害による支障（ししょう）のあらわれには違い（ちが）がみられます。

（２）知能（ち のう）の水準（すいじゅん）による生活や行動の支障のあらわれ

　知的障害は、知能（ち のう）の水準（すいじゅん）により軽度知的障害、中度知的障害、重度知的障害、最重度知的障害の４水準（すいじゅん）に分かれ、生活や行動の支障（ししょう）のあらわ

れ方が異なります。

❶ 軽度知的障害

IQがおおむね50～70の範囲にあります。幼児期は運動発達に軽度の遅れがあり、言語の理解や表出も遅いですが、小学校６年生程度の学力を身につけることができます。行動障害が少ない場合は集団参加も可能です。しかし、言語を用いた抽象的な概念の操作をともなう思考、推理等の学習課題場面では遅れが目立ち、本人も苦手意識をもつことが多いです。成人後は、独立して生活したり、共同住宅でうまく適応している人が多いです。

❷ 中度知的障害

IQがおおむね35～49の範囲にあります。乳幼児期には精神発達だけでなく身体的成長にも遅れがみられます。多くの事例で就学までには簡単な応答が可能になり、小学校２～３年生程度の学力をもつことができます。しかし、集団のルールや社会的・対人的な技能の習得に困難を示し、同年齢の仲間関係は発達しにくいといえます。成人期には、比較的単純な労働や軽度の熟練労働に従事することができるようになり、生計の一部を得ることができます。

❸ 重度知的障害

IQがおおむね20～34の範囲にあります。乳幼児期から運動発達や言語発達の遅滞が顕著です。発語はあっても１語～２語文のレベルで、発音も不明瞭な場合が多いです。限られた事柄の修得は可能ですが、環境の変化に適応する能力はとぼしいといえます。多くの場合、身辺の事柄を処理するにも他人の助けを必要とします。成人期は家族との在宅生活も可能ですが、支援者つきの共同生活や施設での生活の場合も多いです。

❹ 最重度知的障害

IQがおおむね20未満にあります。さまざまな合併症により生後間もなく気づかれます。運動発達の遅れがとくに著しく、発話もほとんどなく周囲にも無関心で、人や玩具に自ら興味・関心を示すこともほとんどありません。幼児期、学齢期になっても意志の交換や環境への適応にかなりの困難があり、常に援助と保護を必要とします。

ただし、このような知的水準による障害のあらわれの違いは、あくまで平均的なとらえ方です。前にも述べていますが、知的障害の特徴は、知的水準だけでなく環境要因との相互作用により個々によって異なったあらわれ方をします。

2 知的障害のある人に対するコミュニケーション技術

（1）コミュニケーション障害をもたらす知的障害者の学習の特徴と支援

知的障害者の学習には固有ないくつかの特徴があります。代表的なものとして、ここでは①意欲の低さ、②学習速度の遅さ、③応用や**般化**[35]の弱さをみてみます。

㉟般化
ある特定の刺激と結びついた反応が、類似した別の刺激に対しても生ずる現象。また、同一の刺激に対して、類似した種々の反応が生じる場合のこともいう。

1 意欲の低さ

知的障害者のなかには、食事、排泄、衣服の着脱などのADL（Activities of Daily Living：日常生活基本動作）になかなか意欲を示さない人もいます。たとえば、食事指導において、空腹であるにもかかわらず目の前にある食物に自ら手を伸ばしたり、食物をとろうとしない子どもがいます。

そのような子どもに対しては、まず、食卓でスプーンを握らせることからはじめ、食べ物をすくうこと、それを口まで運ぶこと、噛むこと、飲み込むことといった1つひとつの動作に分けてはたらきかける必要があります。これらのはたらきかけによって、食べておいしかったという気持ちや上手に食べることができたという達成感を経験し、その積み重ねが、次に食べ物を見たときの食べたいという意欲に結びつくのです。

この意欲の問題は、その後に続くさまざまな生活での活動や作業、仕事への取り組みにおいても同様に起こることが多いです。ADLに比べ、より複雑でまとまりのある生活での活動や作業、仕事においてはとくに、「今、何をするのか」「それは、どのようにするのか」「それは、いつまで（どこまで）するのか」「それは、どこでするのか」の4つの条件をわかりやすく伝えることが重要です。わかりやすく伝えるポイントとしては、言葉だけに頼ることなく文字カードや絵カードを使ったり、身振りやジェスチャーでやってみせたり、時には直接身体に触れて誘導するなど、理解力に応じて使い分ける必要があります。

2 学習速度の遅さ

知的障害者は、前述の食事指導のように、ある行動を身につけるために、その行動をより小さな動作に分解し、それら1つひとつを生活に即して毎日くり返し教え続けても、それを身につけるまでにはかなりの時間がかかるという特徴があります。すなわち、学習速度の遅さの問題です。

この問題のために支援者は、自分のはたらきかけが有効であるのかどうかなかなか知ることができません。そこで指導に際し支援者は、この知的障害者の学習速度の遅さを理解して指導に取り組むことと、知的障害者内面に生じているわずかな変化をいかに察知するかが問われることになります。

3 応用や般化の弱さ

知的障害者において学習に時間がかかるという問題は、獲得した行動の応用や般化にも関連することになります。たとえば前述の食事行動においても、知的障害者にとって1つひとつの動作は獲得されていても、それらを連続して行えるようになるためには、かなりの時間を要します。つまり、個々の動作を結びつけ、もう1つの新たな行動を実現することになかなか発展しません。さらに、家庭で食事することができるようになったからといって学校や食堂など、ほかの場所ですぐに食事ができるかというと、必ずしもできるわけではありません。これが、応用・般化の弱さです。

支援者は、知的障害者に対するはたらきかけをいかにわかりやすく、効率的に行うかという点とともに、たとえば、ADLにおいては、般化や応用の最も高いレベルにある他人に不快感や迷惑をかけない、食事のマナーといった自立に向けて、個々の行動をいかに機能化していくかという視点で指導に取り組まなければなりません。そのためにも知的障害者の学習にはこれらの特徴があることを前もって理解して指導することが重要です。

（2）知的障害者のコミュニケーションの特徴と支援技術

知的障害者の言語・コミュニケーションの特徴としては、知的な障害があるため、自分の思いや考えを言葉で表現することが難しく、相手からのはたらきかけをきちんと理解したうえでの受け答えができないことがあります。また、それまでの学校生活や社会生活においてさまざまな失敗経験をくり返していることが多いため、受け答えにおいても自分の答えに確信がもてず相手への依存傾向が強くなりがちで、相手が示した例や発した言葉にこだわって答えたり、相手から答えの手がかりを求めたりする傾向もあります。さらに、肯定的な答えが望ましく、否定的な答えは望ましくないと思いがちで、あらゆる質問に対して「はい」と答えてしまうなどかたよった答え方をする傾向にあります。同様に、相手を喜ばせたい、相手から認められたいという願望が強く、相手の望むような答えをする可能性もあります。

したがって、知的障害者と話をするときは、普段の行動などから理解力などの能力を多面的に把握し、話された言葉の内容を理解する必要があります。また、特に注意しなくてはいけないこととして、話されたことや受け答えが幼く感じても、決して子ども扱いしないことです。さらに、「うん、うん」「なるほど」など、うなずきや相槌を打つような言葉を積極的に発し、「私はあなたの話を聴いていますよ」というメッセージを伝え続けることも重要です。また、その知的障害者が言ったことを別の語句に言い換える＝**言い換え**や、言ったこと全体を要約して返す＝**要約**などをしながら話を進めていくことで話の流れをスムーズにし、話の内容がそれないようにしていくことも重要なことです。

理解力の低さに対しては、言葉だけに頼らず文字や絵、写真などの視覚的な補助手段や身振りやジェスチャーでやってみせることなどを通して、知的障害者の理解を助ける必要もあります。ただ、理解を進めるためには一方的にはたらきかけるだけでなく、知的障害者自身にも身振りやジェスチャーをしてもらい、理解の程度を確認することも重要です。あくまでもコミュニケーションなので長々と一方的に話しかけるのではなく、所々で知的障害者の反応を見ながらやりとりをし、理解の度合いを確認しながら話を進めていくことです。

話を聞く姿勢も、軽く前傾しながらもリラックスした姿勢で話し手のほうに向き、話し手の目を適度に見ながら、話の内容とマッチした自然な表情をとり、話の合間に相槌をうって適度にうなずき、相手に対してもリラックスした気持ちになってもらうことを心がけることが重要です。

9 発達障害のある人への支援

1 発達障害の特徴と生活への支障

（1）発達障害の特徴

生まれつきの脳機能の偏りによって、学習や行動において日常生活に支障を生じるほどの困難を呈する障害を、発達障害といいます。その症状は低年齢であらわれ、LD（Learning Disabilities：学習障害）、ADHD（Attention-Deficit／Hyperactivity Disorder：注意欠如・多動症）、**ASD（Autism Spectrum Disorder：自閉スペクトラム症）**㊱などが含まれます。発達の全般的な遅れではなく、能力のアンバランスに特徴があります。たとえば、知能は高いのに字の読み書きが苦手ということなどです。

LDは、聞く、話す、読む、書く、計算するまたは推論する能力のうち特定のものの習得と使用に著しい困難を示すさまざまな状態とされています[7]。なかでも読み書き障害が代表的なもので「ディスレクシア」とも呼ばれます。ADHDは、発達水準に不相応な程度の「不注意」と「多動性および衝動性」を特徴とします。ASDは「社会的コミュニケーションおよび対人相互反応の問題」と「行動、興味、または活動の限定された反復的な様式」を特徴とします。簡単にいうと、社会性とコミュニケーションの障害、そして強いこだわりです。

㊱ASD（Autism Spectrum Disorder：自閉スペクトラム症）
自閉症の特徴をもつ発達障害は連続体であるという考え方に基づく。診断において自閉症とアスペルガー症候群を区別せず、１つの障害の多様なあらわれ方ととらえる。

（2）発達障害がもたらす日常生活コミュニケーションへの支障

発達障害が日常生活コミュニケーションにもたらす影響は障害のタイプによって異なります。それはコミュニケーションのどの側面をみるかによっても異なります。音声言語（話し言葉）、書字言語（書き言葉）、身ぶりなどはコミュニケーションの手段です。また、相手の話に耳を傾ける、やりとりするなどは人とのかかわりあいの側面です。

文部科学省（2012）の調査[8]で使われたチェックリストの項目から、発達障害のタイプごとによくみられる問題を、**表３－21**、**表３－22**、**表３－23**にまとめました。

表3－21　LDにおける問題

＜聞くこと・話すこと＞
- 聞き間違いがある
- 聞き漏らしがある
- 指示の理解が難しい
- 言葉につまったりする
- 単語を羅列したり、短い文で内容的にとぼしい話をする

＜読むこと・書くこと＞
- 普段あまり使わない語などを読み間違える
- 音読が遅い
- 文章の要点を正しく読みとることが難しい
- 読みにくい字を書く
- 漢字の細かい部分を書き間違える

表3－22　ADHDにおける問題

＜不注意＞
- 細かいところまで注意を払わなかったり、不注意な間違いをしたりする
- 注意を集中し続けることが難しい
- 面と向かって話しかけられているのに、聞いていないようにみえる
- 必要な物をなくしてしまう
- 忘れっぽい

＜多動性・衝動性＞
- じっとしていない
- 過度にしゃべる
- 気が散りやすい
- 質問が終わらない内に出し抜けに答えてしまう
- 順番を待つのが難しい

表3－23　ASDにおける問題

＜社会性とコミュニケーションの障害＞
- 含みのある言葉や嫌みを言われてもわからず、言葉通りに受けとめてしまうことがある
- 会話の仕方が形式的であり、抑揚なく話したり、間合いが取れなかったりすることがある
- いろいろな事を話すが、その時の場面や相手の感情や立場を理解しない
- 周りの人が困惑するようなことも、配慮しないで言ってしまう

＜こだわり＞
- ある行動や考えに強くこだわることによって、簡単な日常の活動ができなくなることがある
- 自分なりの独特な日課や手順があり、変更や変化を嫌がる
- 特定のものに執着がある

2　発達障害のある人に対するコミュニケーション技術

（1）基本的対応

1 LD（学習障害）

言葉を聞いて理解することに困難のある人に対しては、できる限り簡単で具体的な語を使った短い文でゆっくりと話しかける、答えられる間を十分おきながら話しかけるなどの配慮が有効です。話すことに困難のある人に対しては、「はい」「いいえ」で答えられるような質問をする、答えの選択肢を文字や絵・写真などで示して選んでもらうなどの配慮ができます。

読むことに困難のある人には、文を読みあげる支援が有効です。タブレット端末やパソコンなどで利用できるテキスト読みあげアプリやソフトの利用が役立ちます。また、書くことが難しい人でもキーボードによる文字入力ならできることがあります。このように、読み書きに障害のある人に対してはICT（情報通信技術）の活用がとくに効果的です。

2 ADHD（注意欠如・多動症）

言葉を聞いて意味を理解することには問題はありませんが、人の話を最後まで聞いていないことがよくあります。話が続いている途中でわかったつもりになってしまうのです。

長い話になると、最後のほうはしっかり聞いていないことが多いので、話しかけるときにはあまり長くならないよう心がけ、大切なことは話の最初のほうで伝えることが重要です。また不注意さもありますので、急に話しかけると聞き漏らしてしまうこともよくみられます。まず注意を引いてから話しかけることも必要です。

3 ASD（自閉スペクトラム症）

知的障害をともなう場合とともなわない場合で、対応が少し変わります。知的障害をともなわず話し言葉でコミュニケーションができる場合は、言葉の表面的な意味はわかっても意図が伝わらないことがよくあります。

たとえば電話に出た子どもに「お母さんいる？」と言うと「うん、いるよ」だけで終わってしまうといったことです。母親がいたら電話を代わってほしいと伝えたかったわけですが、その意図が伝わっていません。このような場面では「お母さんがいたら、電話を代わってください」と、省略せずに具体的に伝える必要があります。相手が行間を読み、察してくれることにまかせないことが大切です。

また、人の話を聞いていないことがよくあります。ASDの人は相手に合わせることが難しいので、相手が話をするタイミングで相手に注意を向けにくいのです。そのような場合、大切な情報は話して伝えるだけでなく文字で示すと受けとめてもらえる可能性が高まります。たとえばメモを手渡すなどです。

知的障害をともない、話し言葉での意思伝達が困難な場合は、言葉以外の手段を活用します。絵や写真などを使うと意思の伝達がしやすくなります。絵・写真カードをセットしたコミュニケーション・ボード（**図3－15**）や、ブック形式にしたコミュニケーション・ブックなどを利用できます（**図3－16**）。最近では、タブレット端末などでさまざまな意思伝達用アプリが使えるようになっています。

図 3 −15　コミュニケーション・ボード

出典：公益財団法人明治安田こころの健康財団「コミュニケーション支援ボード」
https://www.my-kokoro.jp/communication-board/pdf/communication_board_original.pdf

図 3 −16　コミュニケーション・ブック

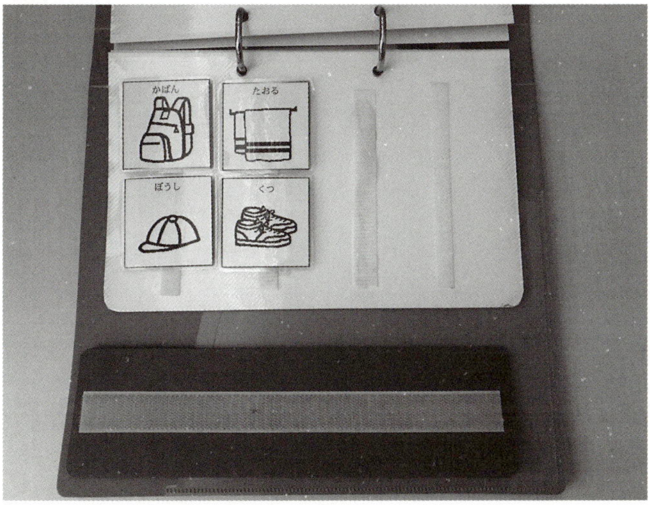

（2）事例を通してコミュニケーション支援を考える

事例 8

Hさん（24歳、女性）はADHDがあります。不注意で早とちりが多く、また一方的に話しすぎる傾向があります。整理整頓が不得意で、片づけができないことを自分でも気にしています。人に何かをしてあげたいという優しさがあるのですが、気持ちが空回りし、おしつけがましい印象を与えてしまいます。

⇒ポイント

ADHDの人は自分の行動の抑制が困難です。度を越してやりすぎてしまい批難されることが多く、自信を失いがちです。それを障害の特性として理解し、自尊心に配慮することが大切です。話を聞いていないことや忘れてしまうことを責めず、重要なことはメモなどを渡して伝えるようにするとよいでしょう。

事例 9

Jさん（35歳、男性）はASDがあります。だれに対しても言葉遣いがていねいですが、話の行間を読むことが難しく、言葉を文字どおりに受けとってしまいます。また状況や相手の気持ちを考えずに思ったことをそのまま言ってしまうので、周囲の人と摩擦を起こすこともよくあり、職場で浮いています。

⇒ポイント

ASDの人は遠回しに言わないので、まわりの人から非難されることがあります。しかし悪気はなく、相手の心情の理解とそれに配慮した話し方が自然にできないだけなのです。まずはそれを障害の特性として理解し、人格の問題として責めないことが大切です。また、あいまいな表現では真意が伝わりにくいので、いろいろな意味に受けとれるような言い方は避け、誤解の余地が生じない言い方で話すことも重要です。

事例10

Kさん（19歳、男性）はASDがあります。加えて重度の知的障害があり、グループホームで生活しています。意味のある言葉を話すことはほとんどありません。ときどき大声で叫んだり、自分の頭を壁にぶつけたりするなどの自傷行為があります。

⇒ポイント

パニックや**自傷行為**[37]などは、場面への見通しがもてないときや自分の意思を伝えられないときなどに起こります。１日のスケジュールや活動の段取りなどを写真や絵で順番に示すと見通しが得られ、気持ちが安定します。またコミュニケーション手段として絵・写真カードを使う方法も効果的です。何らかの手段を使って自分から要求を発信し、欲求を満たすことができるようになると、問題行動は減っていきます。

37 自傷行為
頭を床や壁にぶつける、自分の手を噛む、自分をたたくなど自分で自分を傷つける行動。ASDの人の自傷行為や物を壊す行為などは、強度行動障害とも呼ばれる。

（3）発達障害がもたらす心理的問題への配慮

発達障害の人たちは周囲に合わせることにたいへんな苦労をし、ストレスに満ちた生活をしています。その結果、うつなどの精神症状を呈しQOLが低くなっていることが少なくありません。発達障害の人たちの心理的問題への支援を考えるときに、英国自閉症協会が考案したSPELLの原則が役立ちます[9)]。支援のために重要なキーワードの頭文字です。ASDの人を対象にしたものですが、ほかの発達障害にも当てはまる場合が多いでしょう。

1 Structure（構造化する）

何をどのような順序で行うか、どこで行うか、いつ終わるか、最後にどうなるかなどの見通しがもてると安心できます。それらのことがひと目でわかるような環境をつくることを**構造化**といいます。具体的には、それぞれの活動を行う場所を決めたり、スケジュールを示したりします。言葉で伝えるときにも配慮ができます。たとえば「あと少しで終わります」でなく「あと５分で終わります」と言うなどです。

2 Positive（肯定的に）

失敗経験を積み重ねて自尊感情が低下すると、**二次障害**[38]が生じやすくなります。また、ASDの人は自分は脅かされているという不安感が強く、指図されることに抵抗を感じます。「○○してはいけません」という禁止・命令の形でなく、「○○するのがよいです」と肯定的に伝えることが大切です。禁止を伝えなければならないときには、一方的なおしつけではなく、なぜそれをしてはいけないのかを、ていねいで穏やかに説明するのが効果的です。そして、苦手なことより得意なことや長所に目を向けることも大切です。

38 二次障害
失敗経験の積みかさなりやいじめなどのネガティブな体験から不適応が生じ、うつなどの精神症状を起こすことをいう。その予防は発達障害支援においてもっとも重要な課題の１つと考えられている。

3 Empathy（共感的に）

ASDの人の経験している世界は一般の人とは少し異なっています。興味や関心のもち方も個性的です。そのため、人と話題が合わずに孤立し、人に理解してもらえないという孤独感に悩むこともよくあります。ASDの人の理解の仕方や物事の感じ方を想像し、寄り添い、共感的に接することが大切です。雑談は苦手なことが多いですが、興味のある分野の話題だと会話を楽しめることがあります。そういったことを通して共感的な関係を築くこともできます。

4 Low Arousal（穏やかに）

ASDの人は感覚がとても繊細です。音や光などに過敏で、大声が苦手で、明るすぎると落ち着きません。イヤーマフというヘッドフォンのような防音用のツールを使ってうるささを和らげている人や、サングラスをかけてまぶしさを和らげている人もいます。大声は威圧的に感じることがありますので、穏やかに話しかけることが大切です。また、部屋は明るすぎないほうがよいでしょう。真っ白はまぶしすぎることが多いようで、白地に黒の文字は読みにくいという人もいます。

5 Links（つながりを）

支援にかかわる多職種間の連携が大切です。支援の方向が一致していないと混乱するからです。また仲間とのつながりも大切です。発達障害の人たちは友人関係を築きにくく孤立しがちですが、地域に発達障害の人たち同士が集い交流できる場所や機会があると、こころの健康を保つうえでとても大きな支えになります。

10 高次脳機能障害のある人への支援

1 高次脳機能障害の特徴と生活への支障

（1）高次脳機能障害の特徴

高次脳機能障害とは、脳の部分的な損傷により、その脳部位が担っていた機能が障害されることです。原因として、**脳血管障害**(39)、**脳腫瘍**(40)、**頭部外傷**(41)、**脳炎**(42)などがあります。高齢者では脳血管障害によるもの、若年者では事故などの頭部外傷によるものが多いとされます。

高次脳機能障害には、臨床的・学術的な定義と、行政的な定義の２種類があります。臨床的・学術的には、失語・失行・失認・半側空間無視・注意障害・健忘・判断障害と、幅広い症状を高次脳機能障害として扱います。認知症も高次脳機能障害の１つです。一方、行政的には、記憶障害・注意障害・遂行機能障害・社会的行動障害のみを指します[10)]。行政による障害者手帳や年金支給など法律による支援体系に沿った区分です。

ここでは、高次脳機能障害のなかで多くみられる、半側空間無視、遂行機能障害、社会的行動障害について述べます。なお遂行機能障害や社会的行動障害は、知的機能低下や認知症でもみられることがありますが、ここではそれらによるものではなく、脳の特定の領域の障害としての特徴と支援方法について述べます。

（2）高次脳機能障害がもたらす日常生活コミュニケーションへの支障

1 半側空間無視

半側空間無視とは、自分の正面を境界にして、右側あるいは左側にある物や人に気づきにくい状態のことです。意識的に、あるいは故意にそちら側を無視しているのではありません。脳の損傷によりどちらか一方の方向に注意が向かなくなっているといえます。左側に気づきにくい人の割合が多く、発症してからまもなく治ることも多いのですが、治らない場合は長期にわたって症状が続きます。

左半側空間無視があると、自分の目の前に置かれた絵をまねして描く

39 脳血管障害
脳卒中ともいう。血管がつまって脳の細胞が死ぬ「脳梗塞」と、脳の血管が破れて起こる「脳出血」にわけられる。日本の死亡原因の第3位で、全体数としては減少傾向にあるが、高齢者における患者数は増加している。

40 脳腫瘍
脳にできる腫瘍である。発生率は約1万人に1人といわれている。良性のものと悪性のものとがある。

41 頭部外傷
頭部に強い衝撃を受け、脳が損傷を受けることである。頭部外傷の半数近くは自動車事故が原因である。そのほかに、転倒や転落、暴行、スポーツやレクリエーション活動中の事故などの原因も多くみられる。

42 脳炎
脳にウイルスが感染して炎症が起こることである。脳に直接感染する病気として、単純ヘルペス脳炎、日本脳炎が代表的である。はしか（麻疹）、おたふくかぜ（流行性耳下腺炎）、水ぼうそう（水痘）、三日ばしか（風疹）などにかかったあとに脳炎となることもある。

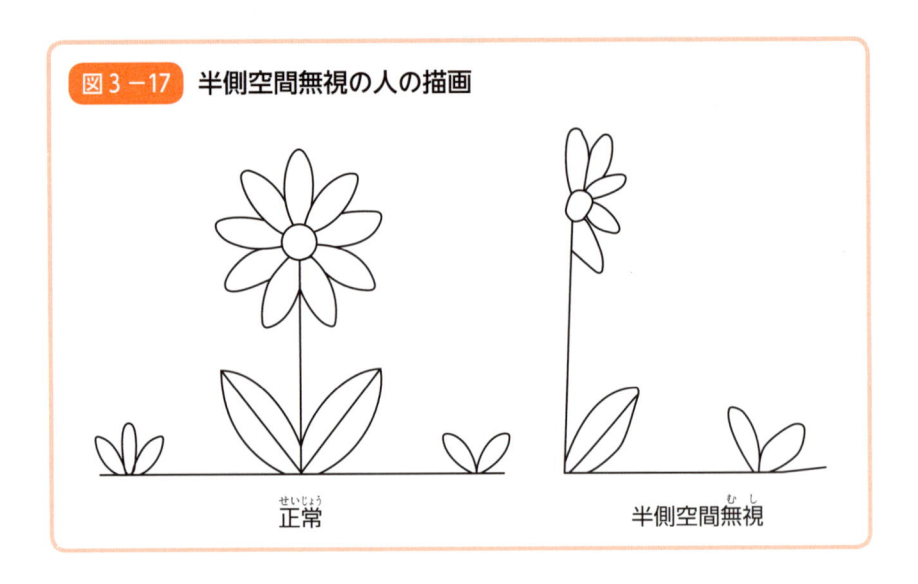

図3－17　半側空間無視の人の描画

ように言われると、**図3－17**のように、自分の右側に見える絵しか描きません。左側にも同じように絵があるのに、それに気がつかないのです。これにより、日常生活でも大きな支障が生じます。たとえば、食事のとき、左側に置かれたお椀やお皿に気づかず食べ残す、車いすで廊下を移動するときに左側にある手すりの突起に気づかずぶつかってしまうなどです。

コミュニケーションをとるときにも支障があります。第1は、自分の左側にいる人に気づかないことです。そこに人がいると思っていませんから、話しかけられても気がつかない、あるいはひどく驚くことがあります。第2は、自分の前に置かれた文字の左側を読み落とすことです。左半分を読みませんから文を飛ばして読むことになり、結局意味がわからなくなります。第3は、自分にそのような症状があることを自覚しないこと、つまり病識が薄いということです。「左側を見ましょう」「左側に気をつけましょう」とうながしても、返事はよいのですが、実際注意を向けようとしないのが半側空間無視の特徴です。

2 遂行機能障害

遂行機能とは、①目標を定める、②段取りをたてる、③行動を開始して継続する、④状況に応じて適切な調整を行いながら最終的に目的を達成するという一連の過程をいいます。自ら決めた目標に向かって目の前の問題を解決していくという、人間ならではの高次の機能です。

主として脳の**前頭葉**[43]の損傷でこれらの機能が低下することを遂行機能障害といいます。日常生活では、自分のまわりの出来事に対する興

[43]前頭葉
前頭葉は大脳の中心溝より前の部分で、ヒトでもっともよく発達し、大脳皮質全体の3分の1を占める。なかでも前頭前野は、注意、思考、意欲、情動コントロールなど、高次の機能を担っている。

味・関心がなくなり、何に対しても無感動で、意欲がわかず、自発的に活動を開始することができないというような状況が起こります。表情が平坦で、感情の表出がとぼしく、以前の趣味や行動習慣などを忘れてしまったかのようにふるまうこともあります。うつ病と症状が似ており、注意が必要です。

本人は、自分のこのような症状に気づくこと、理解することが難しいものです。また自分の障害がどのような場面で困難をもたらすのかの予想もできにくいため、同じ失敗をくり返すことが多くなります。介護する側としては、何度同じことを注意しても伝わらない、理解してもらえないという不満や葛藤が起こりやすくなります。

3 社会的行動障害

社会的行動障害とは、自分の発言、行動、感情を、その場の状況に合わせてコントロールできなくなる高次脳機能障害の1つです。からだには障害がないことが多く、外見からは障害のあることが判断しにくいため、「困った人」「変わり者」「ひねくれ者」などと周囲から誤解されやすいといえます。脳の前頭葉の損傷により起こる場合と、ほかの高次脳機能障害（記憶障害、注意障害、遂行機能障害など）の影響を受けて、二次的に起こる場合があります。

家族や慣れ親しんだ施設職員などとの日常生活はある程度こなせていても、初めての場面や、知らない人と会ったとき、さらには地域社会に出たときなどに、行動や感情をうまくコントロールすることができず、周囲が困惑したり、迷惑をかけたり、トラブルメーカーになったりといった問題が生じます。

具体的には、**表3－24**に示すような症状です。依存性や退行、感情コントロールの低下、欲求コントロールの低下、共感性の低下、コミュニケーション障害、固執性、意欲・発動性の低下、反社会的行動であり、いずれも、私たちが人間関係を築き、維持するために重要な機能が低下してしまうことがわかります。

また、「不適切な言動をしてしまう」→「その結果パニックになり追いつめられる」→「精神的な負担が増えて、さらに問題行動が増える」→「失敗が続いて自信を喪失し、抑うつ的になる」→「それが、また不適切な言動を増やしてしまう」といった悪循環となりがちです。

事例11

Lさん（40歳、男性）は、造園職人で、仕事中にはしごから転落して頭部を強く打ち、頭部外傷と診断されました。高齢の母親と２人暮らしです。後遺症として高次脳機能障害が残り、特に、記憶障害と社会的行動障害が生活に支障をきたしています。精神保健手帳３級をもっています。

受傷から24か月後、地域の通所型障害者施設（以下、通所施設）への通所を開始しました。身体機能障害はなく、１人で歩け、身の回りのことは自立していました。外出は自宅近隣でも道に迷うため母親のつきそいが必要で、通所施設へは送迎車を利用していました。

通所施設での活動内容は、戸外でのポスティング、木工などの販売品制作でした。朝に、その日のスケジュールを伝えられますが、Lさんは昼には午後のスケジュールを忘れてしまい、そのつど職員に確認していました。

Lさんはいずれの活動もまじめに取り組んでいましたが、怒りのコントロールが難しいようでした。特にポスティングでは、近くの公園などの子供の声に反応して怒鳴ります。販売品制作でもほかのメンバーの会話が聞こえてくると眉間にしわを寄せたり、耳をふさいだりしていました。時に「うるさい！」と怒鳴り散らします。

一方、作業終了後の片づけでは、テーブルふきを職員から依頼されるとこころよく引き受け、ていねいに行っていました。怒鳴ったことについてLさんに問うと、「僕が悪い。怒鳴らなければいいんですよね」と答えますが、時間がたつと忘れていました。

⇒ポイント

社会的行動障害がある場合、甲高い声や大勢が集う環境に過敏だったり、怒ってしまったりすることがあります。また、記憶障害や注意障害などをあわせもつことが多いので、スケジュールや活動場所が覚えられなかったり、うっかり見逃したりして困惑し、余計イライラしやすいです。

対応として、まずは怒鳴る刺激となる環境面の調整が必要です。Lさんは多少の気づきがあり、知的機能もある程度保たれていますから、本人とともに怒鳴りやすい刺激を確認し、環境調整の方法をいっしょに考えることが大切です。

また、記憶障害については大事なことを紙で書いて渡すことが欠かせません。予定に変更があったら口頭だけでなく、その紙も必ず修正することも重要です。

表3－24　社会的行動障害の症状

依存性・退行	自分でやらず他者を頼る。子どもっぽくなる
感情コントロール低下	「怒り」「笑い」などのコントロールが難しい。「怒り」の爆発は対人関係で大きな障害だが、注意を受けている時や悲しい場面での「笑い」も対人関係を気まずくする
欲求コントロール低下	欲しいと思うとがまんできない。食べ物、嗜好品、お金など、欲求を抑えることができない
共感性の低下	相手の気持ちを推測することが難しい。冗談や嫌味、比喩を理解できず相手の言うことの真意や隠れた本音が理解できない
コミュニケーション障害	話にまとまりがなくすぐに脱線する。一方的に話し、多弁である。雰囲気にそぐわない会話をする
固執性	さざいなことにこだわる。やりはじめるとやめられない。状況に合わせて変更できずにやり続ける。同じことを何度もしつこく言ったり、やったりする
意欲・発動性の低下	ボーっとして自分から何かしようと行動を起こさない。うながされないとやっていたこともやめてしまう
反社会的行動	「盗み」「性的逸脱行動」など

2　高次脳機能障害のある人に対するコミュニケーション技術

（1）基本的対応

1 半側空間無視

半側空間無視のある人とコミュニケーションをとるときは、次のような工夫が必要です。ここでは左半側空間無視を例にとって説明します。

まず、環境整備です。ベッドやいつも座るテーブルなどの位置は、わかりやすいように右側にしましょう。ぶつかりそうな障害物があったらとり除く、大切な物は右側に置くようにするなど、半側空間無視があっても安全に生活できる環境を整えることが大切です。話しかけるときは

図3−18 左半側空間無視の人の環境調整

右側に立ち、気づかない場合はからだに触れて注意をうながします。視線を合わせることも大切です。また食事のときも、トレイを右に置いたり、左側に注意を向けるよう印をつけたり、声かけをしたりします（図3−18）。

半側空間無視の症状が軽い人の場合は、注意をうながすことで多少なりとも症状が改善しますから、あえて左側から話すとか、文章を本人の正面に置いて「左の方も読んでください」と指示するなどして、トレーニング的なはたらきかけをすることも有効です。

2 遂行機能障害

遂行機能障害のうち、興味や関心の低下、意欲や活動性の低さに関しては、次のような対応が考えられます。

まず、叱咤激励しても効果は期待できません。自発的に何かができない場合、やるべきことを具体的に示す必要があります。たとえば1日のスケジュールを決めて、スケジュールにそって1つひとつ課題をこなしていくという方法で、規則正しい生活リズムをつくるようにします。スケジュールを決めても自分からは行わないことが多いので、チェックリストをつくり、目につくところに貼り、1つひとつうながしていきます。行動が達成できたらチェックリストに☑印を付けて、「やりとげた」ことを明確に認識してもらい、賞賛し、ともに喜びましょう。

注意が散漫になったり飽きたりして、行動を継続できず、途中でやめてしまうときの対応方法は次のとおりです。

まず、注意が持続し集中できるような環境が大切です。テレビや館内放送、ドアの閉まる音や足音といった騒音を可能な限り減らしましょう。また、人の出入り、机の上の書類や文房具など、課題に関係のない物を視野から除きましょう。

遂行機能障害のある場合は、一度に２つ以上のことを同時にやることは困難です。課題は１つにしぼります。それでもすぐに疲れてしまって集中できないのであれば、集中できる時間をまずは５分から始めて、次の日は10分というように、少しずつ延ばすようにしましょう。集中が途切れがちなときには様子をみながら声かけを行いましょう。やり終えたら賞賛することは欠かせません。これが達成感につながります。

3 社会的行動障害

感情のコントロールが困難な場合の対応方法は、次のとおりです。

まず、社会的行動障害は本人の単なる感情の変化ではなく、症状の１つであることを周囲の人や本人も認識することが必要です。そのうえで、周囲が冷静に対応することが大切です。怒りに正面から向かおうとするとさらに事態が悪化します。まずは、怒り出したら話題を変えること、場面を変えることが必要です。物理的にその場から離すことも有効です。そして落ち着いたところで、自分がとった行動について一緒に話し合ってみることが大切です。それらをくり返すうちに、自分のとった感情的行動に対し反省の言葉が聞かれるようになったり、怒り出す原因やきっかけがわかったりすることも多く、以後の対応のヒントが得られることもあります。

盗みや性的逸脱行動などの不適切な行動をとった場合は、はっきりと指摘しましょう。このときもこちらが怒らないことが大切です。あくまでも客観的に冷静に指摘しましょう。一方で、不適切な行動を避けられたときに褒めること、励ますことも重要です。できないことのみに目を向けるのではなく、できたことに目を向けて達成感を共有することが大切です。また、不適切な行動を引き起こすような刺激をあらかじめとり除いておくことも欠かせません。

11 重症心身障害のある人への支援

1 重症心身障害の特徴と生活への支障

（1）重症心身障害の特徴

重症心身障害児の概念は、児童福祉法により定められており、「重度の知的障害及び重度の肢体不自由が重複している児童」とされています。介護福祉職のコミュニケーション支援は、重症心身障害者の生活の質に直結するので、重症心身障害の療育に果たしている役割は大きいです。

重症心身障害児と成人の脳血管障害の後遺症との違いは、前者は発達上の障害であるという点です。成人の場合、すでに獲得されている機能の損失という形をとります。重症心身障害児では、介護や教育、医療の援助のもとで、機能が徐々に獲得されていきます[11]。

（2）重症心身障害がもたらす日常生活コミュニケーションへの支障

重症心身障害における、コミュニケーション支援を考えるためには、脳性麻痺の特徴と知的障害の特徴の 2 つの視点が大切です。

1 脳性麻痺

脳性麻痺は、1968（昭和43）年の「厚生省脳性麻痺研究班会議」資料によると、「受胎から新生児（生後 4 週以内）までの間に生じた脳の非進行性病変に基づく、永続的なしかし変化しうる運動および姿勢の異常である」とされています。

脳性麻痺にみられる筋緊張や姿勢維持の障害は、呼吸、循環、消化、吸収などの生命維持のための基本的機能に影響を与えます。コミュニケーション支援にあたっては、対象者 1 人ひとりについて、筋緊張に対する対応や、最適な姿勢の保持の仕方について、医療スタッフや、理学療法、作業療法のスタッフより情報を得ることが大切です。

2 知的障害

知的障害の程度については、大島の分類が参考になります。大島の分類では、重症心身障害の区分は、IQが35より低く、運動障害の程度は

「座れる」または「寝たきり」である区分に、主として相当するとしています。

そして、コミュニケーション支援では、話し言葉の理解の程度が、大切な基礎情報になります。なお、言語発達の研究結果から、生活場面の言葉について養育している大人が「理解の有無」を直接評価する方法が効果的であることがわかってきました。特別支援学校の生活場面でよく用いられる言葉20個について、約80名の重症心身障害児について担任教員と副担任教員で理解単語数を検討したところ、2人の教員の判断した理解単語数の差が10単語以内であった児童は約75％でした。このことから、重症心身障害児の療育にあたっている大人は、児童の理解単語数をよく把握していることが指摘されています[12)]。

3 話し言葉の理解

話し言葉の理解にいたる発達は、**定型発達児**[44]においても、生後6か月ごろから始まり、1歳半までかかることがわかってきました。生後6か月ですから、特定の話し言葉に対して、特定の応答行動を示すことはありません。しかし、言葉の学習は始まっているのです。このことは、重症心身障害児のコミュニケーション支援を考えるうえでとても大切です。重症心身障害児では、明瞭な応答行動を表出することはなくても、話し言葉の学習が進行している可能性はとても高いことを指摘できます。

生後6か月では、話し言葉に注意を向けることができます。次に、8～10か月にかけては、なじみのある音声パターンとして単語を認知するようになります。よく知っている人が話しかけるときと、なじみのない人が話しかけるときとでは、表情や発声が違うことを理解します。その次は、単語を認知的に意味理解する段階です。なじみのある単語のなかでも、「いただきます」のような特定の単語や特定のカテゴリの単語に対して良好な反応を示す段階でもあります。最後に、記号として意味を理解するようになります。「いぬ」と言われると、いろいろな種類の動物でも、犬の方を見ることができます。重症心身障害児は、このような話し言葉の記号としての理解が成立する前の段階におり、周囲の人からのはたらきかけを受けて、言葉の意味理解を進めている途上にあります。

44 定型発達児
定型的な発達を示す児童の総称。非定型な発達を示す児童と対比される。

2 重症心身障害のある人に対するコミュニケーション技術

（1）基本的対応

1 視覚障害と聴覚障害の有無について知る

まず、コミュニケーション支援を行う際は、医療職に視覚障害と聴覚障害の有無を確認することが大切です。視覚障害があるといわれた場合でも、光の有無や方向がわかる児童がいるので、視覚刺激に対する応答をていねいにみることが大切です。長い時間をかけて視覚的応答が回復したという事例も報告されています。聴覚障害があるといわれた場合でも、振動や触覚などは知覚できます。

次に、児童がもつわずかなサインを見つけることが大切です。「声かけに対する応答は？」「笑顔の種類は？」「うれしいときの発声は？」「不快なときの表情は？」「排泄のサインは？」などです。サインを見つけることで、児童への適切なはたらきかけの理解を進め、児童にとって楽しめる活動を増やします。はたらきかけや遊びのなかで、意思確認ができる場面を増やし、双方向のコミュニケーションとなるように配慮していきます。

2 理解している単語の数を把握する

コミュニケーション支援を行う際は、理解できる単語数について把握することが大切です。生活場面で使う単語を整理し、本人をよく知っている複数の人に、「理解している」と判断できる単語について教えてもらいます。

具体的には、その単語を「理解している」と判断する際の手がかりとなる行動が、50%以上の頻度で認められる単語について聞きとり、その数を調べます。**図3－19**は、理解単語数によりタイプ分けをしたときの、コミュニケーション行動（横軸）の出現様相を表したグラフです。たとえば「安定した注意反応」は、はたらきかけに注意を向けることができるか、4つの質問項目で調査しました。そのうちの1つの項目でも、50%以上の頻度で認められる行動があるときは「やや達成」と評価します。また4つのうち2つ以上の項目でそのような行動があるときには、「達成」と評価します。「途上」は50%以下の頻度で認められる行動が2つ以上の項目であるときです。

図3－19　単語理解の異なる3タイプにおける学習項目の達成度の平均得点

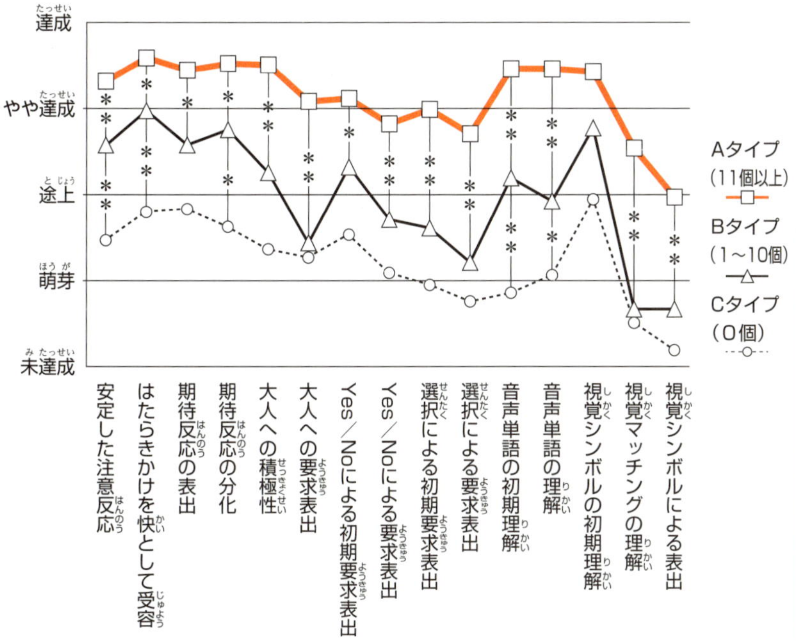

語意理解の異なるAタイプ、Bタイプ、Cタイプについて、各学習項目の達成度の平均得点を示した。
資料：小池敏英・雲井未歓・吉田友紀・阿部智子「肢体不自由特別支援学校における重度・重複障害児のコミュニケーション学習の習得状況の把握に関する研究」『発達障害研究』第33巻、2011年に基づき作成

(1) 理解単語数が11個以上のタイプ（Aタイプ）

この図より、11個以上と評価されたタイプの児童では、視覚シンボルによる表出や視覚マッチングの理解（介護者が示した事物に対応する事物を注視するなど）では、成績が低いですが、Yes／Noや選択による要求表出は「やや達成」と良好です。したがって、意味理解の力をもとにして、意思表出の仕方を安定化させ、定着をうながすことが、コミュニケーション支援の課題になります。そのためには、本人が理解している場面で意思表出を求め、**VOCA（音声出力会話補助装置）**[45]やマイクロスイッチなどの**AAC（補助代替コミュニケーション）**[46]手段によって意思表出が明瞭になるようはたらきかけます。AAC手段に関しては、言語療法の職員から情報を得ます。

(2) 理解単語数が1個から10個のタイプ（Bタイプ）

このタイプの児童では、「安定した注意反応」「はたらきかけを快として受容」「期待反応の表出」「期待反応の分化」などは、「やや達成」に

㊺VOCA（音声出力会話補助装置）

Voice Output Communication Aidの略。音声によるコミュニケーションツールであり、ボタンを押すことで音声を出すことができる機器の総称。あらかじめ記録した音声を再生する方式と、合成音声をその場で生成する方式が利用されている。

㊻AAC（補助代替コミュニケーション）

Augmentative & Alternative Communicationの略。コミュニケーション能力に障害がある人が、サイン、身振り、文字盤、絵カード、電子機器などの代替手段により、意思を伝える方法。道具を使う方法は、電子機器を用いないローテクエイドと活用するハイテクエイドに分けられる。

近いことがわかります。ここで、「期待反応の表出」とは、快をもたらす刺激やはたらきかけを、待ち望むような注視や笑いを示すことです。「いない、いない、ばあ」のような遊びでは、「いない、いない」の後に観察されます。

「期待反応の分化」とは、特定の刺激やはたらきかけに対してのみ、期待反応を表出する場合です。一方、「大人への積極性」や「Yes/Noによる要求表出」は「途上」であることがわかります。期待する力を基にして、要求表出をうながし、話し言葉や視覚サインの理解をうながすことが、コミュニケーション支援の課題になります。児童によっては、VOCAやマイクロスイッチなどが効果的です。

（3）理解単語数が0個のタイプ（Cタイプ）

このタイプの児童では、周囲の出来事を快として受けとめ、出来事を予期して期待できるような力をうながすことが、コミュニケーション支援の課題になります。そのためには、環境を工夫して、意味をわかりやすくしながらはたらきかけることを行います。

（2）事例を通してコミュニケーション支援を考える

事例12

Mさん（10歳、男性）は、夏祭りなどのイベントが近くなると、発熱することが多く、参加できないことがあります。また、うまく自分の要求を伝えることがむずかしい様子です。Mさんへのコミュニケーション支援をするにあたって、理解している単語の数を調べました。その結果、11語以上理解できることがわかりました。

Mさんは、期待できる場面ではうれしそうな顔をし、手を動かすことができます。そこで、要求を聞くときに、Yesのマイクロスイッチをそばに置き、介護福祉職とともに、一緒に音の出るスイッチを押すようにしました。はじめは好みのはっきりした事物についてたずねるようにし、介護福祉職と一緒に、スイッチを押すということが定着したようです。

⇒ポイント

理解できる単語の数が多くても、表出がむずかしいと、児童にとってストレスになります。このようなときに、押すと音の出るマイクロスイッチにより意思表出を求めるとわかりやすくなります。「介護福祉職とともに押すこと」を反復することで、微弱な反応でも、しだいに安定して表出するようになります。

事例13

Nさん（10歳、女性）は、5語程度理解できる単語があります。日常の出来事についての理解がとぼしいために、意思表出に困難がありますが、好きなアニメソングのときにはうれしそうな顔をします。

そこで、アニメソングとオーケストラの2種類の音楽を用意しました。音楽を開始手がかり刺激として短時間提示し、聴いたときの表情を期待反応として把握し、期待反応を手がかりに意思を判断しました。アニメソングを少し聞いたあとに、「どちらを聞きますか？」と言って、短時間ずつアニメソングとオーケストラの2種を提示すると、アニメソングに対してうれしそうな顔を示しました。

⇒ポイント

好きなはたらきかけを受けているときの表情をよく観察すると、はたらきかけを期待する表情を認めることができます。期待する表情を手がかりに、子どもの意思を確認していきます。

事例14

Pさん（12歳、男性）は、重度の運動障害と知的障害があるため、はたらきかけに対する応答がとても弱いです。はたらきかけをしているときの表情の観察から、木琴やギターの演奏のときに表情が変わる様子がみられました。また、「顔をタオルで拭いて手をさする」という開始手がかり刺激を与えてから、音楽を聴いてもらうと、音楽が始まる前から口を少し動かすようになりました。少しずつですが、好みの音楽がわかってきました。

⇒ポイント

呼びかけなどの開始手がかり刺激を与え、次に好みと思われる音楽やはたらきかけを提示することをくり返し行います。その結果、開始手がかり刺激からはたらきかけ開始までの間に、表情や口の動きなどが、特徴的に認められるようになります。そのような行動を観察できるようになると、はたらきかけに注意し、受け入れようとしていると考えることができます。

(3) 重症心身障害がもたらす心理的問題への配慮

重症心身障害児では、重度運動障害のために応答がとぼしく、はたらきかけも大人からの一方向になりがちです。大人の側に迷いが生じるときもあります。このようなときには、「児童がはたらきかけを受けとめるのが大変であったり、応答をうまく表出するのが困難である」状態は、「さまざまな制約があるためだ」と考えるとよいと思います。

制約をはずす努力を大人が行うなかで、児童の側では「環境を認知する」という学習が進んでいきます。児童のサインをよく学ぶこと、うれしい表情を確認し、好きなはたらきかけを見つけること、ともに喜ぶことでうれしいという気持ちを支援することが大切です。また、児童の注意をうながしながらはたらきかけを行い、予期・期待する気持ちを引き出すことで、双方向のコミュニケーションを確立していくことが大切です。多くの実践例は、「いま、障害がどんなに重くみえても、将来、変わることもある」ということを教えてくれています。

◆引用文献

1）Reyes-Ortiz C.A.,Kuo,Y.F., et al., *Near vision impairment predicts cognitive decline; data from the Hispanic Established Populations for the Epidemiologic Studies of the Elderly.* Journal of the American Geriatrics Society 53(4), pp.681-686, 2005.

2）吉川悠貴・菅井邦明「認知症高齢者に対する介護職員の発話調節――発話ターゲットおよび発話者の差異からの検討」『コミュニケーション障害学』第22巻第1号、pp. 1～11、2005年

3）Liljas,A.E.M., Carvalho,L.A., et al., *Self-Reported Hearing Impairment and Incident Frailty in English Community-Dwelling Older Adults: A 4-Year Follow-Up Study*. Journal of the American Geriatrics Society, (65), pp.958-965, 2017

4）飯干紀代子ほか「アルツハイマー病患者のコミュニケーション障害への対応――聴覚障害に対する口形提示の効果」『老年精神医学雑誌』第22巻第10号、pp.1166～1173、2011年

5）石川裕治編著『言語聴覚療法シリーズ4失語症』建帛社、pp.12～13、2000年

6）木村真人「高齢者のうつ状態――多元的アプローチ」『老年精神医学雑誌』第22巻第8号、pp.920～927、2011年

7）上野一彦・牟田悦子・小貫悟編著『LDの教育――LDの概念・定義』日本文化科学社、pp. 2～38、2001年

8）文部科学省「通常の学級に在籍する発達障害の可能性のある特別な教育的支援を必要とする児童生徒に関する調査結果について」(http://www.mext.go.jp/a_menu/shotou/tokubetu/material/__icsFiles/afieldfile/2012/12/10/1328729_01.pdf)、2012年

9）The national autistic society（英国自閉症協会）「SPELL」(https://www.autism.org.uk/about/strategies/spell.aspx)、2016年

10）河村満編『高次脳機能障害Q&A基礎編』新興医学出版、pp. 3～5、2013年

11）江草安彦監修、岡田喜篤・末光茂・鈴木康之編『重症心身障害療育マニュアル 第2版』医歯薬出版、pp.169～171、2005年

12）小池敏英・雲井未歓・吉田友紀・阿部智子「肢体不自由特別支援学校における重度・重複障害児のコミュニケーション学習の習得状況の把握に関する研究」『発達障害研究』第33巻、pp.105～118、2011年

◆参考文献

- 全国盲老人福祉施設連絡協議会『ふれあう――視覚障害老人を援助する人々のためのガイドブック』1994年
- 鹿島晴雄・種村純編『よくわかる失語症と高次脳機能障害』永井書店、2003年
- 楠敏雄・三上洋・西尾元秀『知っていますか？　視覚障害者とともに一問一答』解放出版社、2007年
- 三村將・飯干紀代子編著『認知症のコミュニケーション障害――その評価と支援』医歯薬出版、2013年
- 飯干紀代子・吉畑博代編著『高齢者の言語聴覚障害』建帛社、2015年
- 平野哲雄ほか編『言語聴覚療法臨床マニュアル 改訂第3版』協同医書出版、2014年
- 広瀬肇・柴田貞雄・白坂康俊『言語聴覚士のための運動障害性構音障害学』医歯薬出版、2001年
- 飯干紀代子『今日から実践　認知症の人とのコミュニケーション――感情と行動を理解するためのアプローチ』中央法規出版、2013年
- 藤田郁代・立石雅子編『失語症学』医学書院、2009年

- T.キットウッド・K.ブレディン、高橋誠一監訳、寺田真理子訳『認知症の介護のために知っておきたい大切なこと――パーソンセンタードケア入門』筒井書房、2018年
- 上田諭編『認知症に寄りそう――「治す」から「あるがまま」へ』日本評論社、2015年
- 下仲順子・中里克治編著『リーディングス介護福祉学８　高齢者心理学』建帛社、2004年
- 大野裕編『高齢者のうつ病』金子書房、2006年
- 精神保健福祉研究会編『精神障害者ホームヘルパー講習テキスト』へるす出版、2000年
- 上島国利・立山萬里・三村將編『精神医学テキスト 改訂第４版』南江堂、2017年
- 公益社団法人日本精神保健福祉士協会監、田村綾子編著、上田幸輝・岡本秀行・尾形多佳士・川口真知子『精神保健福祉士の実践知に学ぶソーシャルワーク②ソーシャルワークの面接技術と記録の思考過程』中央法規出版、2017年
- 太田俊己・金子健・原仁・湯汲英史・沼田千妤子共約『知的障害：定義、分類および支援体系 第11版』日本発達障害福祉連盟、2012年
- American Association on Mental Retardation, *Mental Retardation. Definition, Classification and Systems of Supports.－10th ed.*, 2002.
- 「学習障害及びこれに類似する学習上の困難を有する児童生徒の指導方法に関する調査研究協力者会議『学習障害に対する指導について』（報告）」1999年
- 高橋三郎・花田耕一・藤縄昭訳『DSM-Ⅲ-R精神障害の分類と診断の手引き』医学書院、1988年
- World Health Organization, *The ICD-10 classification of mental and behavior disorders; Diagnostic criteria for research*, 1992.（中根允文・岡崎祐士・藤原妙子『ICD－10精神および行動の傷害－DCR研究用診断基準－』医学書院、1994年）
- World Health Organization, *The ICD-11 classification of mental and behavior disorders; Diagnostic criteria for research*, 2018.
- 日本発達障害学会監『発達障害支援ハンドブック』2012年
- 本田秀夫『自閉スペクトラム症の理解と支援――子どもから大人までの発達障害の臨床経験から』星和書店、2017年
- 鹿島晴雄・種村純編『よくわかる失語症と高次脳機能障害』永井書店、2003年
- 世田谷ボランティア協会身体障害者デイサービスセンターふらっと『高次脳機能障害者とデイサービス――地域で進めるあきらめない回復支援』医歯薬出版、2005年
- 厚生労働省社会・援護局障害保健福祉部、国立障害者リハビリテーションセンター編『高次脳機能障害者支援の手引き』改訂第２版、2008年
- 中島八十一・寺島彰編『高次脳機能障害ハンドブック――診断・評価から自立支援まで』医学書院、2006年

 演習3−2 ## 構音障害のある人への支援

構音（こうおん）障害のある人とのコミュニケーションを体験（たいけん）してみよう。
・２人組になり、１人が構音（こうおん）障害のある人の役、１人が介護福祉職役
・構音障害者役になった人は、下記のテーマで話す内容を考え、ところどころ子音を省（はぶ）いた原稿（げんこう）をつくる（ろれつが回らない発話原稿をつくる）
・その原稿（げんこう）を音読し、介護福祉職役に伝える
・聞き取れた単語を数え、答え合わせする
・工夫した点、反省（はんせい）点を整理
※テーマ例：この１か月で一番印象に残ったこととその理由、将来の夢、一度行ってみたいところ、もう一度会いたい人

テーマとその内容
子音を省（はぶ）いた原稿（げんこう）
聞き取れた内容
聞き手の時の感想・介護福祉職役が工夫した点
演習（げんこう）の感想

演習3－3　失語症の人への支援

失語症の人とのコミュニケーションを体験してみよう。

・２人組になり、１人が失語症の人、１人が介護福祉職

・「カレーライス」「日本酒」「動物園」「神社」「屋根」「トイレ」などの絵あるいは文字が書かれたカードを、テーブルに伏せて重ねて置いておく

・筆談(ひつだん)用の紙と鉛筆(えんぴつ)も置いておく

・失語症者役が介護福祉職役に、カードに書かれた内容を伝える

・伝える手段は、ジェスチャー、描画(びょうが)、うなずきと首振(くびふ)りのみ

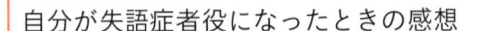

自分が失語症者役になったときの感想

自分が介護福祉職役になったときの感想 ・うまくいった点（工夫した点）   ・うまくいかなかった点

第4章

家族とのコミュニケーション

第1節

家族との関係づくり

学習のポイント

- 介護福祉職は家族と協働していく支援のパートナーであることを理解する
- 家族の意向をどう表出し支援していくかを理解する

関連項目
①『人間の理解』▶第1章「人間の尊厳と自立」
①『人間の理解』▶第2章「人間関係とコミュニケーション」
⑬『認知症の理解』▶第5章第1節「家族への支援」

1 家族と協働関係の構築

（1）家族の存在の重要性

介護福祉職にとって、支援の中心は利用者本人であり、**利用者主体**を徹底することが求められます。そして、この利用者主体の介護は、**家族**の存在を抜きにしては実現しません。

介護を必要とする人にとって、家族はかけがえのない存在です。家族は利用者の人生において、その関係のよし悪しにかかわらず、常に大きな位置を占めています。家族は利用者と切っても切り離せない存在であり、家族の犠牲のうえに利用者本人が望む生活を送れるようになっても、それは家族が犠牲になるだけでなく、利用者の人生においても望まない結果を引き起こします。逆に家族の生活を優先して利用者が自分の望みをがまんしてあきらめることになれば、利用者の人生に影響を及ぼしますし、優先された家族にとっても幸せとはいえません。

（2）支援のパートナー

介護福祉職は、利用者の家族とどのようなコミュニケーションをはかっていくことが必要でしょうか。

介護が必要になった利用者が地域でその人らしい生活を送っていくうえで、家族は利用者本人にとって**キーパーソン**となります。家族は**介護**

チームの重要な構成メンバーです。利用者の望む生活の実現という同じ目標に向けて介護を提供していくことが重要ですが、家族も同じ目標を共有することで目標達成に近づきます。

つまり、介護福祉職は利用者の家族と、利用者の望む生活を実現していくために協働していく支援のパートナーという立場でコミュニケーションをはかっていくことが重要です。

パートナーはお互いを尊重しあうことが重要です。尊重しあうためには、利用者本人の人生や利用者とその家族全体にとっての幸せな状態などについて、対話を深めていくことが重要です。

（3）家族歴の重要性

対話を通して、利用者の人生や家族全体の幸せについて理解していくために重要なのは、その家族の歴史（家族史）です。家族と利用者との関係を物語るような過去の出来事、家族に共通した思い出、そのとき、家族の間にどのような心情が生じ、それを各々がどのように受けとめ、そこからどのような家族の歴史が紡がれてきたのか、介護福祉職は家族や利用者本人から語ってもらえるようにします。

（4）家族との信頼関係の構築

介護福祉職が利用者の家族と支援のパートナーとして協働していくうえで最も重要なのは、家族との信頼関係の構築です。利用者とのコミュニケーションにおいても信頼関係が根幹になりますが、家族とのコミュニケーションも同様です。

そのためのコミュニケーションは、家族のペースに合わせたり、共感的態度をもって受容したりするなど、利用者に対して信頼関係を構築するのと同じ技術をもって信頼関係を構築していきます。そうすることで、家族の心情や意向も語ってもらえるようになりますし、家族の歴史というプライベートでなかなか第三者には話すことが難しいことでも表明してもらえるようになります。

2 家族の気持ちの理解

（1）家族の気持ちの多様性

家族のなかで介護という課題が生じたとき、家族はどのような気持ちになるのかを、介護福祉職として理解する必要があります。

介護が必要になると、まず家族にとっては**介護負担感**が大きくなると一般的には考えられます。しかし、家族の気持ちは一様ではありません。なかには介護負担感をほとんど感じない家族もいますし、逆にそれほど介護が必要ないにもかかわらず、負担感の大きさに押しつぶされそうな家族もいます。また身体的虐待やネグレクト（介護放棄）など、利用者本人を虐待してしまう家族もいます。

（2）家族間での気持ちの違い

家族といっても、本人との関係によって家族内でもその気持ちは一様ではありません。同居している家族間でも、同じ気持ちであるとは限りませんし、別居している場合にも違いがあることは多いです。また親族とのつながりが大きい場合は、親族の気持ちも無視できません。

たとえば、妻を介護している夫が、どんなに介護がたいへんでも自宅で妻が幸せになれたらそれでよいと思い、自分の生活を顧みないほどに介護に心血を注いでいたとします。しかし、別に暮らしている長女は、そうした介護状況を問題だと思っていて、施設に入所してほしいと考えるようになっていたとします。訪問介護（ホームヘルプサービス）で介護サービスを提供している介護福祉職が、もし夫の話だけを聞いていた場合、施設入所の検討はまったく行われないまま介護サービスが提供され、長女の心配が置き去りにされてしまうことも考えられます。

（3）家族１人ひとりの気持ちの理解

家族がどのような気持ちなのか、介護福祉職は１人ひとりの家族とコミュニケーションをとって把握することが重要です。それは施設入所の利用者であっても必要となります。

よく面会に来る家族の話だけを聞いていては、利用者にとってよりよい生活の実現が妨げられてしまう可能性も生じます。現実にはすべての家族と個別にコミュニケーションをとるのは不可能な場合が多いです

表4－1　把握すべき家族の気持ち

・介護への心配・不安・疑問・悩み・ストレス
・家族のなかで自分が介護者としての役割をになっていることを、どのようにとらえているか（納得している、しかたがない、いやいややっているなど）
・利用者本人に対して抱いている感情
・今後どのように介護していくか、生活していくか（介護・生活の意向）
・自身の人生・今後についての考え方
・家族全体の家庭生活の考え方
・ほかの家族に対する感情（家族関係）

が、そのような場合でも「ほかのご家族はどのようにお考えですか？」などと話をするようにして、家族間での介護をめぐる気持ちや考え方を可能な限り把握することが重要です。

（4）コミュニケーションによる家族の気持ちの把握

家族の気持ちの内容はさまざまです。介護福祉職が把握すべき家族の気持ちには、次のようなものがあげられます（**表4－1**）。

これらを一度にすべて把握することは困難ですが、コミュニケーションを重ねていくことで、家族の気持ちを深く理解することができます。それは、利用者本人にとってのよりよい生活を理解していくためにも重要な情報となります。

3　家族の介護に対する意向の確認

家族の介護に対する**意向**は、ひと言では語り尽くせない内容が含まれています。介護福祉職は、家族がどのような意向をもっているのかについて、質問や確認をしておくことが重要です（**表4－2**）。

医療現場では、**インフォームド・コンセント**を重要視しています。これは、治療内容や方針について詳細に情報を提供して十分に説明を加え、とくに複数の治療方法についてのメリットとデメリットを理解しやすいように伝え、そのなかから治療方法を選択してもらうことで同意を得ていくプロセスです。

表4－2 家族の意向の確認内容

- 利用者に対してどのような介護をしていきたいと思っているのか
- 介護を受けることで利用者にどうなってほしいか
- 自分は今後どのような生活を送っていきたいと考えているのか
- 介護を続けていったその先にどんな将来を考えているのか
- 自分の人生において、介護をどのように位置づけようとしているのか

介護現場でも、どのような介護内容をどのような方針で提供していくのか、事前に利用者本人と家族にわかりやすく説明し、選択してもらうことが求められています。介護保険サービスや障害福祉サービスでも、これを前提に**契約**にもとづいてサービスが提供されています。

このインフォームド・コンセント、そして契約が利用者主体で行われるためには、利用者本人と家族の介護生活に対するそれぞれの意向を介護福祉職が事前に理解しておくことが必須の作業となります。このとき、介護に対しての希望だけを聞きとるのではなく、利用者とその家族が介護生活についてどのようなイメージをもっているのか、その意向をくみとることができるように質問していきます。

4 家族の意向表出の支援

家族に意向を語ってもらうためには、対話コミュニケーションを重ねていくことになります。しかし、家族にとっては、意向を語ることが想像よりも容易ではないという理解が必要です。

家族は、第三者に本音を打ち明けることをためらうことがよくあります。たとえば、自宅で介護を続けることに限界を感じていても、「施設に入ってほしい」と言ったら「冷たい家族だ」と思われるのではないかと勘ぐったり、利用者思いの家族だと思ってもらいたいがために取りつくろったりして、本心とは逆の思いを語ってしまうこともあります。

家族が介護福祉職に本心を話せるようになるためには、信頼関係の構築が重要になります。信頼関係がないところで本心を打ち明けることは困難です。

　また、バイステックの原則にあるように、家族に「意図的な感情表出」をうながし、それを「受容」することによって、意向が語られやすい状況をつくることができます。家族によって介護に対する意向はバリエーションに富みます。介護福祉職が思いもよらない意向や、ときには介護福祉職の価値観に対立するような意向が表出される場合もあります。そのようなときでも、善悪で判断することなく、受容した態度と応答によって、安心して本音を語ることができるようになります。

　そして、家族の意向を聞くときの場面設定など、物理的な状況への配慮も必要です。利用者本人と一緒にいる場所では本音を語りづらいことも考えられます。また複数の介護福祉職が１人の家族を囲んで話を聞こうとすると、それだけで萎縮してしまう可能性もあります。家族が本音を話しても、秘密が外に漏れない、感情を打ち明けても安心できる個別の空間を設けることが効果的なこともあります。自宅の場合には、利用者本人の部屋と別室で話すと、こっそり秘密の話をしていると利用者本人に思われてしまう場合もありますし、本人がそう思わなくても家族自身が後ろめたい気持ちを抱いてしまうこともあります。事業所に相談に来てもらったり、利用者本人がサービス利用中に家族と話す機会を設けたりといった工夫もします。相談の場づくりにも、対応方法と同時に配慮が必要です。

事例

　Aさん（70歳、男性）は、妻のBさんと２人暮らしでしたが、介護老人福祉施設に入所しました。Bさんは毎日面会に来ますが、いつも怖い表情をしてAさんと会話もしません。

　ある日、介護主任がBさんに「もし何かご心配なことがおありでしたら、遠慮なくおっしゃってください」と声をかけました。Bさんは「夫の認知症が重くなって施設から追い出されたらと思うと怖くて」と言って泣き出しました。主任は、「つらい思いを抱えていらしたのですね。Aさんの症状が悪化しない介護方法を、いっしょに考えていきましょう」とBさんに伝えました。Bさんは、それ以降面会時にも笑顔を見せるようになりました。

⇒ポイント

　家族からは言い出せないこともあります。介護福祉職から受容的態度で話を切り出すことで、家族が本音を打ち明けられる状況を意図的に生み出すことが重要です。

第 2 節

家族への助言・指導・調整

学習のポイント

- 利用者のよりよい生活の実現のための助言・指導であることを理解する
- 利用者や家族の意向を円滑に調整するためのコミュニケーション手順を理解する

関連項目
① 『人間の理解』 ▶ 第 2 章「人間関係とコミュニケーション」
⑬ 『認知症の理解』 ▶ 第 5 章第 1 節「家族への支援」

1 家族を支援する視点

(1) 家族の相談に応じるコミュニケーション

利用者とのコミュニケーションの多くは、生活支援技術を提供しながらのかかわりになります。一方で家族との話し合いは、家族から相談をもちかけられる、家族から情報をうかがうなど、面接形式の場合が多くなります。したがって、カウンセリングのような相談面接場面でのコミュニケーション技術を身につけておく必要もあります。ただし、介護福祉職が家族とコミュニケーションをとるのは、家族に対するカウンセリングではなく、利用者本人のよりよい生活の実現のために必要な家族への対応の一環です。

家族に対する助言・指導・調整などを行うにあたって最初にすべきことは、家族のこころの声に傾聴することです。その家族がどんな考え方をしているのか、どんな気持ちなのかをしっかりと理解したうえで、その家族にとって助けになる言葉がけをすることが大切です。

そのためのコミュニケーションにおける基本的な態度は、利用者との援助関係の形成で述べたバイステックの原則がそのままあてはまります（第 1 章第 3 節参照）。また、第 2 章で学んだコミュニケーション技術は、家族との相談場面でもそのまま活用されます。

また、利用者ではなく、その家族にコミュニケーション障害がある場合があります。このようなときには第 3 章で学んだ特性に応じたコミュ

図4－1　家族への指導に際してもつべき意識

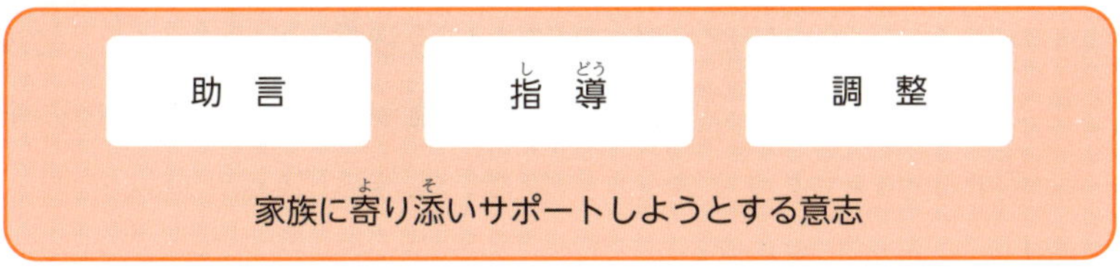

ニケーション技術を用いながら、家族の相談に応じます。

ただし、家族とかかわるときにも、利用者本人のよりよい生活の実現を目的としていることを忘れないようにします。利用者にコミュニケーション障害があって、家族との対話が多くなってしまうと、どうしても家族の希望や意向を優先して検討しがちです。しかし、家族の希望をかなえることや、家族の悩みを解決することがコミュニケーションの目的ではありません。家族の悩みが軽くなり、話を聞いてもらえることで家族に安心感がうまれ、家族が利用者本人に接する介護上の態度やかかわりによい影響をもたらします。利用者本人の意向だけを取りあげて、家族の話をほとんど聞かないと、家族関係が悪くなったり介護状況が悪化したりする可能性もあります。

（2）介護福祉士業務としての家族への指導

介護福祉士の根拠法である社会福祉士及び介護福祉士法第2条第2項において、介護福祉士の業務として「介護者に対して介護に関する指導を行う」ことが明記されています。

ここでいわれている**指導**は、介護技術や知識を介護者に教授することだけを意図していません。家族の不安や悩みが解消できるように、適切にコミュニケーションを図っていくことも意味しています。それは利用者本人が望む生活を実現するために不可欠なものです。利用者主体の介護は、利用者にとって大切な存在である家族に対する配慮も欠かせないものです。

家族とのコミュニケーションといっても、じっと傾聴に徹することが必要な場合もありますし、何らかの**助言**（アドバイス）が効果的なこともあります。ときには、介護生活に支障をきたすようなおそれのあるときに、忠告のような指摘が必要な場合もあるでしょう。

いずれにしても、その根底には、家族の不安や悩みに寄り添いサポートしていく意志をもつことが求められます（**図4－1**）。介護福祉職は、家族が介護チームの大切な一員であるという意識をもつことで、家族に対応するときの態度が違ってきます。専門職から素人に知識や技術を教育・指導するというようなスタンスでは、家族は追い詰められたり、反発を感じたりしてしまいます。

（3）家族への助言・指導

助言は、その家族が今まさに必要としている言葉を伝え、家族の助けになることをいいます。また指導の多くは、介護方法やサービス利用手続きなどにかかる、家族がすべき具体的な行動について行います。

家族からどうすればよいのかと質問されたときに、その質問の意図や背景に思いを致すことなく、「それは～するのがよいです」「～してください」と即答しても、家族にとって役に立たないこともあります。表面上は介護の方法について質問していても、辛い気持ちを理解してほしいというメッセージがこめられていたとしたら、その情報提供が負担になってしまうことすらあります。

介護福祉職は介護に関する専門知識と技術を学んでいるので、家族が行う介護が不十分だと感じたり、間違ったことをしていると気づいたりすることがあります。そのようなときであっても、すぐに助言するのではなく、どのようなことを考えてそういった介護をしているのか、それをすることでどんな気持ちなのかを理解していくように傾聴します。その家族自身は、自分の行っている介護は、利用者本人あるいは家族にとって、よいことだったり、必要なことだったりすると信じています。家族の真剣さに対して、簡単に切って捨てるように指摘や訂正をすることは、家族の意志を損なってしまいます。

家族が行っていることは、自分なりに工夫したり調べたりして、努力している結果であるととらえることが大切です。どんな工夫をしているのか、いつからがんばっているのかなど、家族がしていることを質問しながら、その努力に対して十分なねぎらいの言葉をかけていく必要があります。明らかに間違っている場合であっても、それを正面から否定するのではなく、よりよい方法を一緒に検討していくというパートナーとしてのスタンスでコミュニケーションをはかっていきます。

2 利用者と家族の意向の調整

（1）意向と自立支援の関係

意向とは、これから起こることに対して、自分はどうしたいのか、どうするつもりなのかについて、判断したり意志をもったり考えたりすることです。それは人生を左右するような重大な決定事項だけではありません。たとえば「今日の夕飯は何が食べたい」とか、「明日の朝はいつもより遅く起きよう」とか、「今は何もする気にならない」など、日常生活で常に私たちが選択を迫られている現実に対して無意識に反応しています。

介護が必要な状態になると、そうした日常生活における常時訪れる意向だけでなく、介護が必要な自分の人生を今後どのように送っていけばよいのか、どう生きていけるのかといった悩みにさらされる場合があります。そのような悩みを抱えていると、この先の生活や人生を考える余裕などないという苦しみまで抱えてしまいます。介護福祉職はそのような悩みに寄り添うことで、利用者がその悩みから一歩を踏み出すことを支援します。利用者自身が一歩先の未来を感じとり、そこに向けて自分の意志を反映していこうとする営みを根気強く支えていきます。

つまり、自分の意向を反映させながら生活していくことが自立生活につながるということです。利用者が自分の意向をもてるようになること、その意向を表出できるようになることが自立支援の第一歩です。

（2）意向を引き出す難しさ

上で述べたように、介護が必要になった利用者やその家族が、介護についての悩みや葛藤に苦しんでいる場合には、意向が引き出せないばかりでなく、本人が意向そのものをもつ余裕もない状態だといえます。このようなとき介護福祉職は、何よりも受容・共感・傾聴というコミュニケーションの基本を徹底して、利用者とその家族に寄り添う姿勢が求められます。

こうして利用者とその家族の精神的な安心の場が確保されてくると、生活に対するさまざまな意向が少しずつ湧き上がってくるようになります。しかし、そうなった時点でも、介護福祉職にそうした意向を気軽に話してくれるとは限りません。自分がこうしたいといった意思表明は、相手に笑われたり煙たがられたりするのではないかと警戒しがちです。介護福祉職は、利用者とその家族が本音を打ち明けられるような信頼関係を結ぶ努力が必要となります（第1章第3節参照）。

生育環境によっては、自分の気持ちやしたいことを軽々しくいうことは恥だという価値観をもっている利用者もいます。そうした場合は、対話を通して価値観の転換をうながす**リフレーミング**を試みるなど、意向の表明が今後の人生にとって価値のあるものだと認識してもらえるようなコミュニケーションを行います（第2章第3節参照）。

また、私たちは日常生活の多くの場面で明確な意向を意識しているわけではありません。なんとなく周囲の状況に合わせて行動し、自分がどうしたいという意見を特別に考えないこともよくあります。しかし、よく観察してみると、積極的に「こうしたい、ああしたい」と思っていなくとも、「したいとは思わない」「どちらでもよい」など「しない」という意向を選択していることもしばしばです。

したがって、利用者や家族に対して「どうしたいですか？」と質問しただけでは、本意を聞き出すことは難しくなります。そのような場合には、考えを聞く前に気持ちや感情を理解することが意向を見出すきっかけになります。感情は、言葉だけでなく、非言語コミュニケーションを用いて理解することが可能です。もちろんそれに対してどんな気持ちなのかを言語コミュニケーションで聞いてみることも有効です。

さらに、意向は第三者に聞かれる可能性がある場所では話しにくいものです。必要に応じて個室での話し合いをしたり、利用者本人と家族が一緒ではなく、別々に意向を聞いたりなどの配慮が必要です。

（3）利用者と家族の意向が対立する場合の対応

意向にはその人の価値観が反映されるので、同じ状況に対する意向でも、利用者本人と家族との間で食い違いが生じることもよくあります。意向が正反対の場合も少なくありません。

たとえば、利用者は家族と一緒に自宅で生活を続けていきたいと思っていても、家族は介護負担が大きくなりすぎて家庭を維持するために施設入所してほしいと考えている場合、意向が対立してしまいます。介護福祉職はこのような場合に利用者と家族の意向を**調整**していく役割が求められます。最終的に同じ意向をもって介護を展開する方向に進めていくわけですが、どのような意向に決定するかは、あくまでも利用者と家

表4－3　意向調整のプロセス

①利用者と家族それぞれの意向について個別に把握し尊重する
②自分自身の意向を言語化できるよう支援する
③両者がお互いの意向を表明できるきっかけと場をつくる
④必要に応じて介護福祉職がそれぞれの意向を代弁する
⑤両者の共通点または妥協点を探って確認する
⑥話し合いの結果の再確認を行う

族という当事者同士の意思決定に委ねるべきものです。介護福祉職は、その意思決定が円滑に行われるための調整役を担います。介護福祉職が決めた方向にリードするような、援助者主体の調整は決して行いません。

意向を調整していく場合には、次のような手順をふんでコミュニケーションをとっていきます（**表4－3**）。

1 利用者と家族それぞれの意向について個別に把握し尊重する

利用者と家族の意向は、どんな場合でもそれぞれの意向を聞く必要がありますが、両者の意向に食い違いがある場合には、意図的に個別の話し合いで意向を吟味していくことが必要となります。

とくに、そのような意向をもつ理由や、そう考えるようになったいきさつなどを話し合います。生活歴や家族歴といった過去の出来事についてうかがっているうちに、利用者やその家族が、それぞれ何を大事にしているのか、どのような価値観をもっているのか理解が深まり、それぞれの意向を尊重できるようになります。

この段階では、どちらの意向が正しいかといった介護福祉職としての価値判断を下すことのないように、両者の意向をありのままに尊重して理解する態度が重要です。

2 自分自身の意向を言語化できるよう支援する

利用者とその家族が、お互いの意向について話し合えることを目指していきます。しかし自分の意向について他者にうまく伝えるのは難しいものです。介護福祉職は、それぞれの意向について、その意図が正確に相手に伝わるように、言葉のくり返しや言い換え、直面化や要約など言語的コミュニケーション技術を活用しながら、言語化を支援します。

3 両者がお互いの意向を表明できるきっかけと場をつくる

それぞれの意向が明確になってきた段階で、お互いがどのような意向をもっているのかを表明しあえる場を設定します。場といっても、お見合いのように相対した形の特別席を演出するわけではなく、利用者と家族が顔を合わせる日常場面で、話の流れのなかでお互いの意向を表明して理解しあえるような、緊張感が生まれない場面設定が重要です。

ただし、意思表示を自分から口火を切って話すのはだれしも勇気が必要なものです。そこで介護福祉職がタイミングをみつけて、利用者あるいは家族に対して意向を話し出せるきっかけとなる問いかけをします。片方がその思いを話し終えたら、必要に応じて介護福祉職は不足点や誤解されないような補足説明を行います。その後に、もう一方にも意向を話してもらうよう問いかけをして、同じようにくり返します。

4 必要に応じて介護福祉職がそれぞれの意向を代弁する

コミュニケーションに障害がある場合や、両者の家族関係が破滅的に壊れていて対話できない状況の場合には、介護福祉職が意向を代弁する必要があります。代弁とは、意向そのものだけを代読するのではなく、その意向の背景となる理由や意図、何を大切に考えているのかなど、中立的な立場に立ちつつも、代弁の対象となる人の心情もくみとれるように伝えていくことが必要となります。

5 両者の共通点または妥協点を探って確認する

意向の共通点や妥協点に向かうためには、その意向の背景にあるそれぞれの立場や状況を両者が理解しておく必要があります。どのような思いで毎日を過ごしているのか、これまでの人生のなかで現在の状況はどのようにとらえているのか、相手に見えない努力や苦労として何があるかなど、当事者同士だけでは会話にはあがりにくいものを、介護福祉職が話を差し挟んでお互いの理解が深まるようにしていきます。

お互いの立場と状況が理解できれば、おのずと共通点が見い出しやすくなります。あるいは、お互いの理解が深まれば、相手の意向を優先したい気持ちになるなど譲りあいになることもあります。どちらか一方の意向に一致するとは限らず、両者が妥協できるまったく別の案をとりあげることになる場合もあります。

6 話し合いの結果の再確認を行う

お互いの意向について、共通点や妥協点が話し合われ、今後の方向性がある程度定まった時点で、介護福祉職は利用者と家族双方に対して、決まった意向で本当によいかどうか、再度確認をうながします。話の流れに押されて本音を隠したまま妥協してしまっているおそれもありますので、まず現段階での一致点ということで再確認して同意となります。

また、状況が変われば意向が変化してもおかしくはありません。介護福祉職は日常の介護行為のつど、上記のような大がかりなプロセスをふまないにしても、利用者と家族の意向を聞き、理解していく必要があります。

演習4－1　利用者と家族の意向の調整

次の事例を読んで、対立した意向の調整を体験するために、1～3にしたがってロールプレイをしてみよう。

Cさん（85歳、女性）は、半年前の脳梗塞後遺症により軽度の左片麻痺があり要介護2である。週2回の訪問介護（ホームヘルプサービス）を利用しながら、長女と2人暮らしをしている。屋内では手すりを使用して自力歩行している。

ある日、訪問介護で訪れたB介護福祉職の前で、Cさんと長女の言い争いがはじまった。

長女「1人で散歩なんて危ないから」

Cさん「私は外に出たいの」

長女「今度私が車いすを押して外出に連れて行ってあげるから」

Cさん「あなたに介護してもらいたい訳じゃないの」

長女は、Cさんの転倒を心配して車いすでの外出を勧めるが、Cさんはかたくなにそれを拒否して自分で歩いて外に出たいと言い張っている。

D介護福祉職は、Cさんと長女の対立している意向について調整することにした。

1 3人グループになり、Cさん役、長女役、D介護福祉職役を決める。Cさん役と長女役はそれぞれ、事例の発言をしているときの感情や発言の理由を考えてみよう。また、D介護福祉職役は、Cさんと長女の意向を調整するために、第2節の手順をふんで2人にはたらきかけるための質問を考えてみよう。

2 それぞれの役が考えた気持ちをもとに、具体的なセリフを考え、台本をつくろう。

3 台本にもとづいてロールプレイを行い、意見交換をしてみよう。

第3節

家族関係と介護ストレスへの対応

学習のポイント

- 家族関係と介護ストレスの関係に配慮したコミュニケーションを理解する
- 家族がもつ介護ストレスと、それに対応したコミュニケーションを理解する

関連項目
①『人間の理解』▶第２章「人間関係とコミュニケーション」
⑬『認知症の理解』▶第５章第１節「家族への支援」

1 家族関係のとらえ方

（1）家族関係の介護への影響

家族関係とは、親子間や夫婦間、兄弟姉妹間等の人間関係をいいます。家族関係は、各家族構成員の性格や生活歴といった個人因子やこれまでの家族の歴史によって形成されます。また、家族とはこうあるべきだ、家族はこのようなものだという社会全体の家族意識も、個々人がもつ家族観に大きく影響します。したがって、家族関係は利用者により異なります。しかも、介護を行ううえで家族関係はこうあるべきだという決まりはありません。介護福祉職が考える家族関係の理想に、利用者の家族をあてはめて考えないことが求められます。

しかし、介護が必要な利用者本人と家族介護者の人間関係は、介護生活に影響をおよぼす場合があります。たとえば、本人と介護者がお互いを思いやり、介護が必要な生活に適応していこうと努力するような関係の場合は、家族の介護負担感も大きくならず、本人のストレスも小さくなり、適切な介護状況が生み出される可能性が大となります。逆に、お互いの価値観や考え方が一致しなかったり性格的に合わなかったりして妥協できず、両者が関係をもちたがらない場合には、家族内での介護が難しくなることもあります。このように、家族関係が良好であるほうが、家族介護がスムーズに成立しやすくなりますし、逆の観点でいえ

ば、家族介護に問題が生じているときには、家族関係に起因する可能性もあることを理解しておく必要があります。

(2) 介護が必要になることで生じる家族関係の支障

また、それまでの家族関係は大きな問題が起きていなかったにもかかわらず、介護が必要になったことで家族関係に支障が生じやすい状況として、次のようなものが考えられます。

① 介護ストレスの影響により、家族介護者の心身が限界に追い込まれるとき

② 介護が必要な状態になったことを本人が受けとめられず、家族を非難したり拒絶したりするとき

③ 家族間に、介護を受ける側と提供する側という役割が生じ、それまでの家族内役割が急激に変化したとき

④ 介護が必要になる以前に、経済面や世間体などさまざまな理由で家族を維持しながらも、心理的つながりが薄かった場合

このように、家族内介護が必要になったことをきっかけとして、家族関係が悪くなることがあります。介護福祉職は、利用者が望む生活を継続できるように、こうした家族関係を理解し、本人と家族間の関係を調整していくこともときには必要となります。

(3) 家族間のパワーバランス

家族間の**パワーバランス**を理解することが、家族関係を考えるうえで重要です。パワーバランスとは、家族内における権限の強弱といいかえてもよいでしょう。バランスのとれた家族関係は、家族間でお互いがある程度対等な立場で、それぞれの考えや気持ちを伝えあい、ときにはけんかや言い争いをしたり、ときには励まし、ときにはなぐさめ、その状況に応じてバランスが維持されて家族機能を円滑に展開できているものをさします。お互いがその時々で自分の主張を通したり、相手にゆずったり、妥協点を探るなど強弱の立場が交互に現れることが、バランスがとれている状態であるといえます。

一方、バランスが崩れた場合には、利用者本人と家族のいずれかが一方的に強い立場にたつことになります。たとえば、利用者本人が強い立場にある場合、自分の考えを常に優先して介護者に対して指示命令を下す形になります。介護者は弱い立場になるのでその指示命令を破ること

ができずに、不満やストレスをため込んでいくことになります。逆に、介護者が強い立場にある場合には、利用者本人の生活の意向がとりいれられず、意思表示や意欲の喪失につながることもあります。

こうした家族間のパワーバランスが崩れることで生じる可能性のある家族介護の支障として、虐待があげられます。本人が強い立場にある場合には、介護者が精神的に追い詰められることで衝動的に身体的虐待をしてしまう可能性があります。介護者が強い立場にある場合には、介護者のストレスのはけ口として利用者本人への虐待がされる可能性や、ネグレクト（介護放棄）される可能性もあります。あるいは、介護者が完璧に介護をこなして利用者の生活全体を自分の介護のペースにはめて支配してしまう過剰な家族介護が展開される場合もあります。

また、利用者本人と介護者間だけでなく、ほかの家族とのパワーバランスの乱れも介護に影響する場合があることを想定する必要があります。

（4）家族間の情緒的癒着が引き起こす問題

このようなパワーバランスの崩れとは別に、家族間で情緒的に過剰な癒着が家族介護に影響を与えることがあります。

情緒的癒着とは、お互いが依存し合って第三者が割って入ることのできない状況です。たとえば、介護が必要な母を息子が介護しているが、母は息子をあやつり人形のように扱って指図し、息子は母に言われるがまま、いつもそばから離れることなくかいがいしく介護を続け、こうした介護生活を改善しようという意思が両者にないことがあります。父息子間や母娘間、父娘間、兄弟姉妹間などでも同じような問題が起きることがあります。また、利用者本人と介護者間だけに起こることではなく、利用者本人と介護者以外の家族間の癒着の場合もあります。介護者がかやの外に置かれて癒着した二者の思惑に沿った介護を強制的にせざるを得ない状況に追い込まれることもあります。

こうした状況では、介護福祉職など第三者の介護を入れたがらない場合が多くあります。その結果、介護の負担が徐々に増大し、家族機能の破綻にいたるおそれもあります。

（5）家族関係に配慮したコミュニケーション

介護福祉職は、家族関係が原因となって介護に支障が生じている場合には、その家族関係に配慮した介護を提供する必要があります。また、

第２節のように家族間の意向を調整するなどして、家族関係の影響で介護に支障が出ないように配慮する必要もあります。

ただし、家族関係そのものを良好にしていくことが目的ではありません。あくまでも適切な介護が提供されるために必要となる家族間の調整です。そのためには、介護福祉職が家族全体を視野に入れたコミュニケーションを行うことが求められます。

家族のなかで利用者本人がどのような立場にあるのか理解したうえで、本人の生活の意向を引き出し、傾聴していきます。また、本人だけでなく、介護者も含めたそれぞれの家族の立場を理解し、本人同様にその家族の思いを傾聴します。このとき重要なのは、本人と家族どちらからも傾聴して共感的理解を深め、受容的態度で接して対話を行うことです。本人の言っていることが正しいだとか、介護者がかわいそうだとか、だれかに肩入れしたり味方になったりしないよう注意が必要です。それは、家族内に悪者をつくり出し、いびつな強弱関係を生み出してしまうおそれが生じるからです。

また、本人や家族はお互いに不平や不満などの気持ちをもっていても、それを家族以外の第三者には言いにくいものです。しかし、それをだれにも打ちあけられずにいると、相手に対する嫌悪や憎悪などの悪感情にもつながりかねません。介護を受けていて、あるいは介護をしていて利用者本人または家族が抱く不平や不満について、介護福祉職がその思いを傾聴していきます。

ときには、利用者本人と家族がそれぞれの自分の時間や空間をもてるように配慮します。たとえば、介護福祉職が訪問介護員としてサービスに入ったときに、サービス提供中には家族介護者に自由に時間を使ってもよいということを伝えます。介護者はその間に横になって休んだり、散歩に出かけたり、介護者という役割から離れることができ、リフレッシュできます。

2 家族の介護ストレスへの対応

（1）家族がもつ介護ストレス

家族は、介護を行う過程でさまざまな**介護ストレス**を抱えることになります。介護福祉職がコミュニケーションを通して、家族がもつ介護ストレスに適切に対処することにより、利用者本人の介護生活がよりよい状況に変化する基盤が形成されます。こうした家族との適切なコミュニケーションを行うためには、介護を行ううえで家族がどのようなストレスを抱える可能性があるのか事前に検討しておくことが重要です。

第１に、家族が行わなければならない介護量が多いことで介護負担が強くなり、**身体的ストレス**が増大する可能性があります。また、家族が病気がちだったり体力がなかったりすると、介護量が少なくても介護負担と身体的ストレスは大きくなります。

このような物理的な身体的ストレス以外に、次にあげるようなさまざまな**心理的ストレス**が考えられます。

1 束縛感

多くの介護行為は、１つひとつに時間を要します。介護の必要性が増えるにしたがって、家族が介護にかかわる時間も長くなります。自分が自由に使える時間がなくなり、１日の大半が介護に費やされるようになって拘束されている感覚が生じます。このストレスが強くなると、家族の自立生活にも支障が生じます。

2 緊張感

利用者本人の状態によりますが、いつ何があるか心配で気をかけていなければならない、一時も介護が頭から離れないという緊張状態の持続は大きな心理的ストレスになります。たとえば、ちょっと目を離したすきに転倒したらどうしよう、外に出て行って行方不明になったらどうしようなど、予測される最悪の状況を考えることは緊張につながります。別居している場合には、直接本人の状況がみえないことで今この時点での安否がわからず、緊張感からくるストレスも大きくなります。

3 孤立感

介護をしていると、利用者本人以外の他者とコミュニケーションを図る機会がもちにくい状態になります。介護者自身の生活範囲が縮小することで、人間関係の幅もせばまりどんどん寂しさを感じやすい状態になります。あるいは、会話できる人が周囲にいたとしても、介護の辛さやときには本人に対する嫌悪などのネガティブな感情は、理解してもらえず否定されるのではと話すのもためらわれて、そのような状況が続くとだれにも理解してもらえていないという孤立感を抱くこともあります。孤立感からくる心理的ストレスが大きくなると、理解してくれない周囲への怒りや敵意が生じたり、自責の念が生じて抑うつ的になったりするおそれもあります。

4 手詰まり感・絶望感

介護の状況が一向に改善せず、負担が大きくなってしまった場合には、家族はどうしていったらいいのか八方塞がりの手詰まり感というストレスが生じます。どうしたらいいのかわからない状態が長引けば、もう何をしても無駄だという絶望感に押しつぶされる可能性もあります。

（2）介護ストレスに対応したコミュニケーション

介護によって生じる家族の身体的あるいは心理的ストレスを解消するために、介護福祉職は意図的に家族とコミュニケーションを図っていくことが求められます。介護ストレスはコミュニケーションだけで解消するものではありませんが、介護福祉職が適切なコミュニケーションを図ることでストレスの大きな軽減につながります。

1 家族介護者の状況、心情を理解する

家族を支援するための基盤は、家族のおかれている状況を適切に把握して理解し、その思いを受容し、心情に共感することです。介護福祉職は、利用者本人だけでなく、家族に対しても傾聴していくことが介護ストレスへの対応としても重要です。

2 家族介護者の不安感を解消する

家族介護者は、専門職ではないので、利用者の現状の理解や予後などがまったくわからず、不安はますます大きくなりストレスが増大します。したがって、介護福祉職は現状と今後の見通しについて、専門的な知識をもって家族にわかりやすくていねいに説明していくことが重要です。ただし、悪化していくなど悪い側面を強調するのではなく、客観的に状況を伝えてそれに具体的にどのような対応をしていけばよいのかといった助言を行うことも同時に必要です。

3 家族介護者が介護以外の生活に目を向けられる環境調整やうながし

介護福祉職は介護の専門職で介護の業務に従事しているため、家族とのコミュニケーションも、どうしても利用者本人の介護についての話題に終始しがちです。しかし、束縛感というストレスを抱えていることを考えると、介護から解放されて家族が自由にできる時間をもてるように環境を調整します。

また、家族自身が介護のことで頭がいっぱいになり介護者自身の生活に目が向かないこともあります。その場合には、介護者が自由な時間をもつことが重要だと伝え、意図的に介護しなければならないというはりつめた気持ちを解放してもよいというメッセージをこめたコミュニケーションを行うことが重要です。

4 家族とも協働して介護過程を展開する

家族介護の身体的ストレスへの対応は、コミュニケーションだけでなく具体的な介護サービスによって利用者の自立した生活の実現に一歩ずつ近づくことが求められます。このとき家族とのコミュニケーションで重要なのは、どのような介護を展開していけばよりよい生活が実現できるのか検討する介護過程のプロセスに、家族にも積極的に参画してもらうことです。なかでも家族の思いや考え、意向について積極的に傾聴するとともに、介護福祉職が、利用者本人も含めて、チームで対話を展開する機会を意図的に設けていく必要があります。

このように、介護者が抱える介護ストレスを軽減することを介護福祉職が意識して介護を展開することが、利用者本人の尊厳を保持して自立した生活を実現することにつながります。利用者にとって家族はキーパーソンです。利用者主体の生活を実現するためには、家族も介護チームの一員として協働することが重要です。家族を理解し、適切なコミュニケーションをはかることが必要です。

◆参考文献

- 石原邦雄『家族のストレスとサポート 改訂版』放送大学教育振興会、2008年
- 竹内孝仁『TAKEUCHI実践ケア学 ケアマネジメント』医歯薬出版、1996年
- 団士郎『対人援助職のための家族理解入門——家族の構造理論を活かす』中央法規出版、2013年

第 5 章

介護におけるチームのコミュニケーション

第1節

チームのコミュニケーションとは

学習のポイント

- コミュニケーションがチーム力を最大限に発揮させることを理解する
- 介護福祉職チーム、多職種協働チームにおけるコミュニケーションの意義と目的を理解する

関連項目

①『人間の理解』	▶第3章「介護実践におけるチームマネジメント」
④『介護の基本Ⅱ』	▶第4章「協働する多職種の機能と役割」
⑥『生活支援技術Ⅰ』	▶第1章第3節「生活支援とチームアプローチ」
⑨『介護過程』	▶第4章第2節「チームアプローチにおける介護福祉士の役割」
⑬『認知症の理解』	▶第6章第2節「多職種連携と協働」
⑭『障害の理解』	▶第4章第2節「チームアプローチ」

1 チームにおけるコミュニケーションの意義・目的

（1）チーム力を最大限に発揮するためのコミュニケーションの重要性

チームは、メンバー間で目標を共有して理解したうえで、協働と連携の意識をもちながら、個々のメンバーが責任をもって任務を遂行し、目標達成を目指す集団です。介護を必要とする人の尊厳を保持して自立を支援することによってその人の望む生活を実現していくためには、チームで介護を行うことが求められています。

チームの形成から目標達成に至るすべての過程において、チームにおけるコミュニケーションが重要な役割を果たすことになります。

（2）チームにおけるコミュニケーションの目的

メンバー間でコミュニケーションが行われることで、はじめてチームが機能します。コミュニケーションの有無がチームの存在意義そのものといっても過言ではありません。そのなかでも下記のような目的を意識

しながらコミュニケーションを行うことで、チームがよりよく機能することにつながります。

1 チームの目標・方針の共有

チームメンバーはそれぞれの価値観や考え方をもっており、1人の利用者に対するアセスメントや課題分析の視点などにも当然相違点が出てくるものです。それぞれのメンバーが自分の考え方で介護を行ってしまうと、方針がばらばらで利用者の混乱につながります。それを避けるためには、チームのメンバーそれぞれが、**チームの目標・方針**を共有して理解しておく必要があります。そのためには、会議などの話し合いの場をもつことも必要になりますし、共有と理解を確実にするために、記録として残して活用するといったコミュニケーションが必要になります。また、チーム形成の初期だけでなく、介護を提供していく過程においても、目標の再確認や再検討のためのコミュニケーションを継続していく必要もあります。

2 情報の共有

介護の実践において、それぞれのチームメンバーが知り得る情報は多岐に渡ります。複数のメンバーが協働していくうえで、それらの情報を一体的に運用管理できれば、効率的に介護を提供することにもつながります。また、介護を提供するうえで根拠となる情報を共有できれば、介護計画を実施する際の認識の共有化にもつながります。

こうした**情報の共有**には、目標の共有と同様にさまざまなコミュニケーションが必要となります。とくに日々の介護実践において、申し送りなどの報告や連絡を徹底したり、確実な情報共有のために記録を工夫したりします。

3 メンバー間の合意形成

具体的な介護方法や提供体制の整備などについて、メンバー間で合意のもと介護を行う必要があります。**合意形成**するためには、目標の共有と同様にメンバー間のコミュニケーションの充実が求められます。また、意見が対立した場合の調整や仲介といったコミュニケーション技術も必要になります。合意形成されずに曖昧なまま介護が開始されると、統一された方針の介護が提供されないだけでなく、情報を共有する際にも視点が異なることで、その解釈に齟齬が生じる可能性もあります。

4 課題解決のための新たな方策の創造

メンバー間で目標と情報が共有され、合意形成された介護が提供されていると、何か解決すべき課題が生じたとしても、話し合いをもってすれば、それを乗り越えるための工夫や発想が生まれやすくなります。それぞれのメンバーが知恵を出しあうことが、1人ひとりのメンバーでは想像できなかったような新たな方策を生み出すことにつながります。

5 円滑なチーム運用の実現（チームメンバーの信頼関係の形成）

メンバー同士の良好なコミュニケーションは、人間関係を円滑にするだけでなく、チームそのものの運用も円滑に進むことにつながります。そして円滑なチーム運用は、チームの目標達成に直結します。良好なコミュニケーションが利用者の介護の成果に結びついているという意識をもって、チーム内のコミュニケーションをはかることが重要です。

メンバー同士のコミュニケーションを良好にするためには、メンバー同士が互いに信頼関係をもつ必要があります。利用者本人に対して受容や共感的理解を進めるのと同様に、チームメンバーに対しても、相手を相互に尊重しあうことが求められます。専門職である介護福祉士は、意図的にコミュニケーション技術を活用して、チーム内の人間関係が良好になるように努めていきます。

2 介護福祉職チームと多職種協働チームのコミュニケーション

介護におけるチームは、介護を提供する役割を果たすための**介護福祉職チーム**と、介護だけでなく医療面や心理面など、利用者の多面的な支援にそれぞれの専門性を発揮して総合的にケアを展開するための**多職種協働チーム**という多層構造をもっています。

（1）介護福祉職チームのコミュニケーションの意義・目的

介護の実践は、1人の介護福祉職で行うのではなく、複数の介護福祉職がかかわって展開されます。したがって、目標や介護方法などを共有して意思統一された介護を提供する必要があり、そのためにコミュニケーションを図ることが求められます。

介護福祉職といっても、実践場面では国家資格である介護福祉士だけでなく、無資格の介護福祉職もいます。経験も新人からベテランまでさまざまで介護の質は職員間で大きく差が生じてしまいます。介護福祉士は、介護福祉の専門性をもった国家資格者であり、正しく適切な知識と技術を有した責任ある立場にあります。チームのリーダーであっても肩書きのない一メンバーであっても、介護福祉職であれば共通して責任を有しています。さまざまなレベルの介護福祉職が存在している実践場面で、適切な介護が利用者に提供されるためには、介護福祉職メンバー間でのコミュニケーションを確実にし、目標や方針が統一された一貫性のある介護を提供できるようにチーム展開していきます。

（2）多職種協働チームのコミュニケーションの意義・目的

利用者のQOL（Quality of Life：生活の質）全体が向上していくためには、介護福祉職だけでなく、ほかの多くの福祉・保健・医療にかかわる対人援助職が協働する必要があります。介護福祉職チームは、ほかの専門性を有した多職種チームと協働していきます。専門性が異なるため、対象となる利用者のとらえ方やそれぞれの専門職がめざす目的、支援の方法も異なるため、たとえば情報共有のために用いる言語も、それぞれの専門用語を用います。このようなほかの専門職種とコミュニケーションをはかり連携して協働するためには、それぞれの専門性に対する理解と敬意が必要となります。利用者を支援するためには、一専門職だけでQOL向上を実現していくことは困難です。自分の専門性だけではフォローしきれない面を支援する重要な専門職であると認識し、その専門的見地からの意見や技術をお互いに尊重しあうことが重要です。

また、ほかの専門職種という点だけでなく、複数の専門職種が集合して、多職種で１人の利用者にアプローチするという多職種協働アプローチの視点も必要です。多職種協働が円滑に行われることにより、利用者をトータルで支援することが可能となります。ここでは、ほかの専門性の理解を土台にしたうえで、複数の視点からの情報や見解がもたらされることによって、それを統合して共通目的を見出していく作業をしていきます。そのためには、カンファレンスや会議の効果的・効率的な運営や、自分の専門性から得られた見解を他職種に向けて、同時にわかりやすく伝えるためのコミュニケーション技術が必要となります。

3 介護の実践場面におけるチームのコミュニケーション技術

介護チームが機能していくために基盤となるのは、利用者や家族と援助関係を形成するためのコミュニケーション技術と共通している、良好な人間関係形成の技術です。それは前章で具体的に述べています。ここでは、そうした基盤となる人間関係形成の技術のうえに、チームという観点に特化した場面ごとのコミュニケーション技術を考えると、次のような技術に分類して考えると整理できます（**図5－1**）。第2節からは、これらの技術それぞれについて具体的な技術を学んでいきます。まずはその概要についてまとめ、全体像を把握します。

（1）報告・連絡・相談の技術

介護福祉職が日々の介護実践を展開していくうえで常に必要とされるコミュニケーションの基礎が、報告の技術、連絡の技術、相談の技術です。これは専門職だけでなく、一般的な会社などの組織運営においても必要とされる基礎的な技術であり、一般的には覚えやすいように「報・連・相（ホウ・レン・ソウ）」とセットにした略語で知られています。これらの技術は、チームがうまく機能していくために個々のチームメンバーが徹底して行う必要があります。また、個々のメンバーが報・連・相を行いやすい職場の環境づくりも必要です。

（2）記録の技術

チームで情報を共有し、その実践の成果や妥当性の検証のためのコミュニケーション手段に「記録」があります。記録には、メモから専門性が必要な介護過程の展開記録までさまざまなものがあります。

（3）会議や議事進行の技術

会議には顔合わせや情報共有などのミーティングから課題討議のためのカンファレンスまでさまざまなものがあります。複数の会議参加者の力を合わせて効果的な会議にしていくためには、会議運営（ファシリテーション）技術と情報伝達・説得（プレゼンテーション）技術の両者が必要となります。

（4）事例検討に関する技術

利用者に対する介護を最大限に効果的・効率的に行うために、専門職が集まってケアの方針を検討する事例検討が不可欠です。事例検討における参加者間の討議を実りあるものにするためには、共通認識しておくべきコミュニケーション上の課題をふまえる必要があります。

（5）情報管理のための技術

利用者に提供する介護にかかわるあらゆる情報は、利用者本人にとっても介護福祉職にとっても貴重な情報となります。それはただ蓄積されるものではなく、適切に運用され活用していくことで意義が生まれます。重要な個人情報の扱いや活用方法まで、情報管理することはチームにおける情報活用のためのコミュニケーション技術です。

図5－1　チームにおいて必要となるコミュニケーション技術の概要

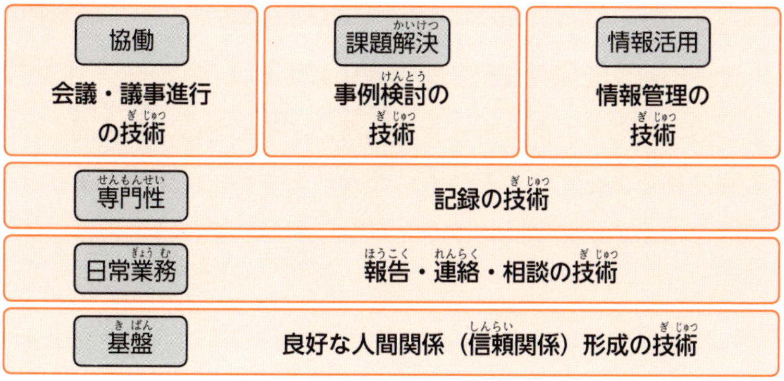

◆参考文献
● 津田耕一『福祉職員研修ハンドブック――職場の組織力・職員の実践力の向上を目指して』ミネルヴァ書房、2011年

第2節

報告・連絡・相談の技術

学習のポイント

- 報告・連絡・相談の流れやタイミング・留意点を理解する
- 報告・連絡・相談を促進させる環境づくりに必要なものを理解する

関連項目

①『人間の理解』▶第3章第2節「ケアを展開するためのチームマネジメント」
④『介護の基本Ⅱ』▶第4章第1節「多職種連携・協働の必要性」

1 報告・連絡・相談の意義

（1）チームの成果をあげるためのコミュニケーション技術

チーム内のコミュニケーションを円滑にすることは、職員間の仲間意識や人間関係をよくすることにもつながりますが、何よりもチームの目的を達成するために意図的にコミュニケーションを行うことが求められます。

チームが成果をあげるためには、次の2つのコミュニケーションが必要となります。まず、上司と部下間の意思疎通をはかることで指示命令系統を的確かつ確実にするコミュニケーションがあります。また、チームメンバー同士が、情報を共有して意思統一をはかるコミュニケーションも必要です。

この2つのコミュニケーションを整理すると、**報告・連絡・相談**という3つの技術に分類できます。

（2）報告・連絡・相談を行うことでえられる効果

報告・連絡・相談を適切に行うことで、チームにさまざまな効果をもたらします。

上司と部下間、メンバー間のコミュニケーションが円滑に行われることで、情報活用が促進されてチーム運営が効率的になります。また、効率的なチーム運営は、サービス利用者の信頼にもつながります。仕事の進捗状況も明確になり、チーム全体の業務の進行管理がスムーズになります。

2 報告の技術

（1）報告の目的と流れ

報告とは、ある業務の指示や命令を受けた人が、その業務の結果や経過について、指示者に対して知らせることをいいます。この報告がしっかりとなされると、チームとして必要な業務が適切に行われているのか、その結果がどうなったのかという情報が部下と上司の間で共有されます。その報告に対して、上司が結果の評価や次の指示など何らかのフィードバックをすることで業務が展開していきます。

また、部下から上司に報告するだけでなく、指示した業務の進捗状況について上司の方から部下に随時確認作業を行うなどして、業務が確実に行われるよう配慮します。上司からの確認作業はリマインドと呼ばれることもありますが、業務の重要性が意識づけされたり、業務のし忘れを防いでトラブルを避けたりすることにつながります（**図5－2**）。

（2）報告のタイミング

報告が必要となるタイミングは、次のようなときです。

1 指示を受けた業務が完了したとき

指示された業務が完了したという事実と、その結果がどうなったの

図5－2 報告の流れ

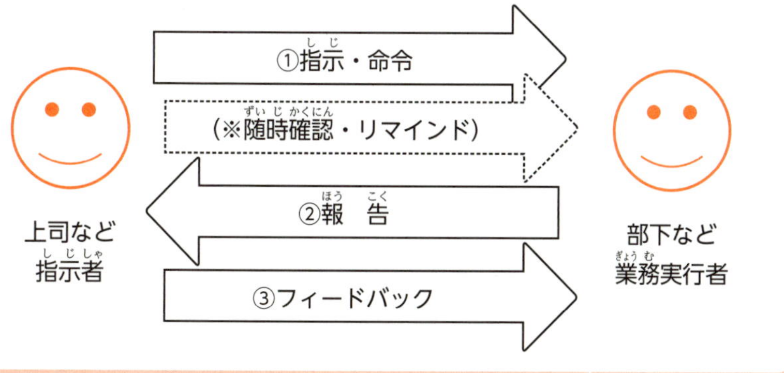

かを指示者に報告します。

2 複数の工程が含まれ、一定期間継続する業務の中間報告

一定期間にわたる業務には、多くの作業工程が含まれることが多くあります。このような場合には、結果が出るまで何も報告しないのではなく、進捗状況の経過を途中段階で適宜指示者に報告します。

3 業務実施途中だが想定外の経過の場合

当初考えられていた業務経過とは違う状況になったり、想定している結果とは異なる方向に物事が進んでいたりしたとき、指示者に報告してその後の指示を仰ぎます。報告を受けた指示者は、その報告内容を検討して、そのまま継続するのか、中止するのか、ほかの方針や方法を実行するのかなど何らかの指示を行うことになります。

4 業務上のミスや何らかのトラブルが発生したとき

失敗してしまったり、苦情を受けたり、対人トラブルがあったりしたときには、その大小にかかわらず速やかに指示者に報告し、指示を仰ぎます。指示を受けずに勝手な判断で対応してしまうと、とりかえしのつかない重大事故や事件につながり、責任をもって業務を遂行できなくなりかねません。

5 業務に関連する新たな情報をえたとき

業務実行途中で新しい課題がみえてきたり、よりよい方法や改善案がみつかったり、それまでわからなかった情報を収集できたりしたときには、指示者にそれを報告して指示を仰ぎます。報告を受けた指示者は、業務の継続や修正といった判断をくだして、新たな指示をすることになります。

（3）報告の留意点

上記のようなタイミングで報告を行う際に、報告をする側と報告を受ける側が次のような留意点を意識することが重要です。

1 適切な方法を選択する

報告の方法には、口頭での報告とメールや記録など書面での報告のいずれかに分けられます。

口頭での報告は、単純に理解できるもので業務に支障が生じていないような場合と、逆に緊急性があり一刻も早く指示者に判断を仰ぐ必要がある場合に適しています。また、指示者がほかの業務を行っている途中で報告すると、報告を受ける時間を割くことになるため、口頭での報告を行う際には「今お時間よろしいでしょうか？」などと相手の都合を聞いてから、必要な報告内容を短く簡潔に伝達することが重要です。報告を受ける側も、単純に自分の業務が忙しいからといって報告を受けるのを後回しにすると、緊急事態を見逃してしまうことにつながります。

書面での報告は、いくつかの根拠資料を示す必要があったり、報告内容に補足説明が必要だったり、報告したという事実そのものを記録として残しておくべきことである場合などに用います。書面の場合には、相手に書面が確実に渡っているかどうかを確認するようにします。また書面による場合には、相手が書面に目を通すタイミングがわかりません。したがって、数時間以内にフィードバックを必要とする内容や緊急の場合には、書面ではなく口頭で確実に迅速に報告することが求められます。

2 結論を先に伝える

報告では、指示者に報告内容が正確かつ確実に伝達され、その後のフィードバックが適切に行われることが求められます。そのためには、報告内容は結論を最初に伝えます。次にそのような結論にいたった経過の要点を述べます。その後に報告者の意見や判断があれば伝えます。

3 客観的事実の情報と報告者の主観的情報を区別する

報告の際には、実際に起きている客観的事実と、それに対する報告者の意見や判断など主観的情報を混同しないようにします。とくに、事実なのか、報告者の主観なのかを区別するためには、事実は言い切るのに対して、報告者自身の意見や判断の場合には「これは私の意見（判断）ですが」と前置きしてから話すと報告を受けた側が情報を的確に区別しやすくなります。

4 ミスやトラブルは速やかに確実に報告する

ミスやトラブルが起きた場合には、その後の迅速で適切な対応が必要になるので、できるかぎり早期に、しかも指示者に確実にそれを伝えます。小さなミスやトラブルの場合には、「怒られるのではないか」という不安があったり、「これぐらいなら自分で対処できる」という楽観的な観測があったりして、報告をおこたりがちです。しかし、ミスやトラブルは小さいうちに報告して対応するほどその後の対処がうまく運びます。

3 連絡の技術

（1）連絡の目的と流れ

連絡とは、客観的な情報をチームメンバー間で共有するためのコミュニケーション技術です。連絡が適切に行われることによって、必要な情報が共有され、業務の進行が円滑に行われるようになります。

連絡は、個別に必要な相手に情報を伝える場合だけでなく、申し送りやカンファレンスや会議など集団に対して一斉に伝える場合もあります。報告と同様に、口頭での連絡もあればメールや文書など書面での連絡もあります。

（2）連絡の留意点

連絡は、部下と上司のような指揮命令系統に限らず、チームメンバー間の至る所で行われます。また、利用者の家族への連絡や、他部署などへの連絡が行われる場合もあります。

連絡する側、受ける側のどちらも次のような留意点があります。

1 事実だけを伝える

連絡は、客観的な情報を共有することを目的としています。したがって、憶測や主観的意見は連絡には適しません。

たとえば「Aさんは入浴したくないみたいです」という曖昧な連絡は、発信者が勝手にそう判断しているのか、発信者がだれか第三者から聞いたことなのか、本人の訴えなのかなどがわからないので、連絡を受けた側の解釈によって違った情報が流れて混乱します。

「～のようだ」「～らしい」などの曖昧な言葉遣いは避けて、客観的な事実をできるだけ正確に伝えます。

2 迅速に連絡する

情報は速やかに連絡します。たとえば、利用者が「食欲がない」と言って朝食を食べなかったとき、その情報は少なくとも午前中の早いうちには連絡して情報共有しないと、その後の食欲などの経過観察や補食や昼食の検討、病気やけがなどの早期発見など、適切な対応が遅れてしまいます。できるだけ早く関係者に連絡することが必要です。

3 伝達が必要な人に直接連絡する

連絡は、伝達する必要がある人に直接行うようにします。第三者に

図５－３　連絡の流れ

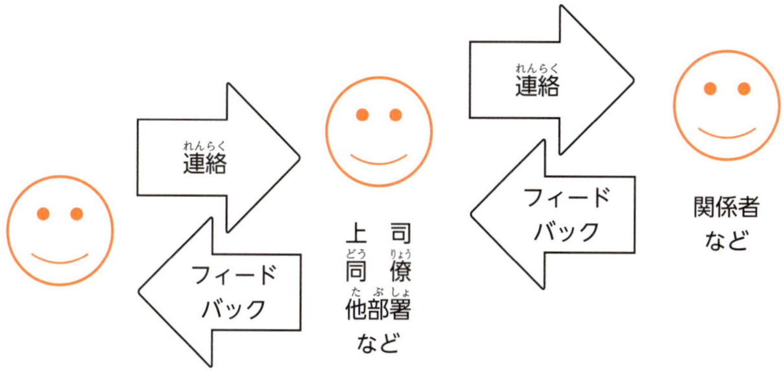

伝言を頼むと、内容が正確に伝わらなかったり、伝達するタイミングが遅くなってずれてしまったりすることもあります。

❹ 情報共有が必要な相手、範囲、順番を意識して連絡する

その情報を必要とする相手はだれなのか、どの範囲まで情報共有するのか、その中でどういう順番で連絡を行うのかを意識して連絡を行います。

❺ 連絡した相手、日時、内容が後から確認できるようにしておく

関係者全員が情報を確実に共有できるように、連絡した相手、日時、内容について、メモやチェックリストや記録などに残しておきます。連絡をした者は❹にあげた必要な相手と必要な範囲の関係者に確実に情報が伝わったのかどうか、チェックすることで伝達漏れを防ぐことができます。また、連絡を受けた側も、確かに受け取った旨を連絡してきた人に返すことが重要です（図５－３）。

4　相談の技術

（１）相談の目的と流れ

ここでいう**相談**は、業務上の相談のことです。業務を遂行するうえで、困りごとや悩みごとはつきものです。こうした悩みや困りごとを解決することは、円滑な業務遂行につながり、よりよい結果となります。このように、問題解決を効率的に行うための手段の１つが相談です。

相談は、ただ悩みを聞いてもらうのではなく、困りごとを解決につな

図5－4　相談の流れ

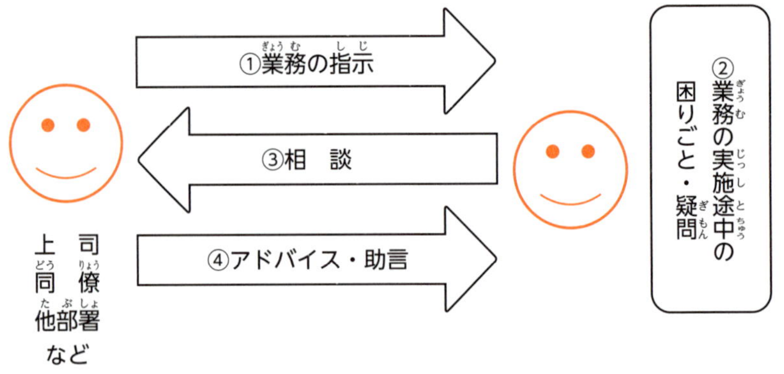

げて業務の生産性を上げるために行います。したがって、困りごとを相談相手に正確に伝えることが必要となります（図5－4）。

（2）相談のタイミング

相談が必要となるのは、次のようなタイミングです。

1 業務を実行するうえで心配や疑問が生じたとき

業務の指示を受けて実行した際に、現状問題は起こっていないものの、心配な点や疑問が生じた場合には、指示者に速やかに相談します。心配な点や疑問をもったままで業務を進めると、業務効率が悪くなったり、ミスを引き起こしたりすることもあります。ただし、相談するにあたっては、心配な点や疑問に対する解決策を自分なりに検討して相談することで、相談の効果があがります。

2 自分1人では解決できないことが起こったとき

自分1人の力では解決できないことが起こったときには、速やかに指示者に相談します。相談せずに勝手な判断で業務を進行すると、間違ったまま仕事が進行して、思わぬトラブルに発展することもあります。

（3）相談の留意点

1 業務の指示者への相談をおこたらない

指示された内容がよく理解できていなかったり、業務の対処方法がわからなかったりした場合には、業務を指示した上司等に直接相談します。指示者以外に相談しても、その指示された業務の意図や目的、なぜその人に指示をしたのかなどの背景がわからないことが多く、適切な助言にならないこともあります。

2 業務変更をともなう意見や提案などは、下準備をしてから相談する

業務に対して意見をもったり、提案したいアイデアがわいたりした場合などには、今後の業務進行に修正や変更がともないます。このような場合は、何の根拠も示さずにその考えだけを説明しても理解してもらえません。相談する際には、意見や提案の根拠や裏付けとなる情報やデータなどを用意して、判断してもらえるような下準備をして相談をもちかけます。このような場合には、口頭だけで済ませるよりも、改善案や意見書などの文書にまとめておくことで、相談内容も整理でき、相手に内容が伝わりやすくなります。

3 何を相談したいのか明確にしてから相談をもちかける

相談されている内容を理解してもらえると、適切な助言・アドバイスを受けることができます。「困っています、どうしたらよいでしょうか？」と困っているという主観的な情報だけを伝えて、ただ指示を仰ぐだけでは、理解してもらうことができず、適切な指示も出せません。どんな内容で困っていて、その原因は何なのか、できていることとできていないことの明確化、どのような方法で実施してうまくいかないのか、最終的に何をどうしたいのかなどを整理し、それを提示して相談します。

4 相談された側は、相談者の感情に配慮する

相談を受ける側は、利用者との援助関係の場合と同様に、受容して、共感的理解を示し、傾聴する姿勢が重要です。「それくらいは自分で考えなさい」と突き放したり、逆に「ああしなさい、こうしなさい」と一挙手一投足の指示命令をしたりしないようにします。

5 報告・連絡・相談を促進する環境づくり

（1） 6W3Hを明確にした情報の共有

報告・連絡・相談の目的である情報共有を適切に行うためには、伝える側も受ける側も情報の要素（6W3H）を明確にしてもれなく、わかりやすく情報を伝え、あるいは聞く必要があります（図5－5）。

図5－5 6W3H

だれ（なに）が （主語） Who	だれ（なに）に （目標） Whom	だれ（なに）を （対象） What
いつ （時間） When	なぜ （理由） Why	どこで（どこに） （場所） Where
どのくらい （規模） How many	どのように （方法） How	いくら （コスト） How much

（2）チームでコミュニケーションしやすい雰囲気づくり

メンバー間、とくに上司と部下の間で積極的に報告・連絡・相談が行われるためには、上司が意図的に相談しやすい環境や雰囲気をつくる必要があります。厳しい側面ばかりを強調すると、部下に近づきがたい印象を与えてしまい、報告・連絡・相談が行われにくくなります。ふだんから、上司の方から気軽に部下に話しかけるなどし、会話しやすい雰囲気をつくります。

（3）報告・連絡・相談へのフィードバック

報告・連絡・相談は、それを行う側だけでなく、受け手側の努力も必要です。必要性を感じて伝えようとしてきた相手の気持ちや考えを尊重し、真剣に耳を傾け、何らかのフィードバックを行います。報告・連絡・相談を受けているときは、相手に向き合い、業務の合間でも手を止めて、非言語コミュニケーションにも配慮しながら話を聞きます。

どうしても手が離せない業務中の場合には、あらためて報告等を受けるアポイントを定めます。時間を決めなかったり、先延ばしすると、情報が古くなったり、どちらかが忘れてしまったりする可能性もあるので、両者の間で日程調整します。

◆参考文献

- 野部剛『これだけ！Hou Ren Sou（報連相）』すばる舎、2013年

第3節

記録の技術

学習のポイント

- 記録の意義・目的について理解する
- 記録の書き方・方法について理解する
- 記録の活用がケアの質向上につながることを理解する

関連項目 ⑨『介護過程』▶第2章「介護過程の理解」

1 記録の意義

介護の場では**記録**が重視されています。その理由は介護という業務の特性にあります。社会福祉士及び介護福祉士法と介護保険法から、介護の対象とその業務についてみてみます。

（1）介護の対象と業務

社会福祉士及び介護福祉士法における介護福祉士の業務

第2条　略

2　この法律において「介護福祉士」とは、第42条第1項の登録を受け、介護福祉士の名称を用いて、専門的知識及び技術をもって、身体上又は精神上の障害があることにより日常生活を営むのに支障がある者につき心身の状況に応じた介護（喀痰吸引その他のその者が日常生活を営むのに必要な行為であって、医師の指示の下に行われるもの（厚生労働省令で定めるものに限る。以下「喀痰吸引等」という。）を含む。）を行い、並びにその者及びその介護者に対して介護に関する指導を行うこと（以下「介護等」という。）を業とする者をいう。

介護保険法の目的

（目的）

第1条　この法律は、加齢に伴って生ずる心身の変化に起因する疾病等により要介護状態となり、入浴、排せつ、食事等の介護、機能訓練並びに看護及び療養上の管理その他の医療を要する者等について、これらの者が尊厳を保持し、その有する能力に応じ自立した日常生活を営むことができるよう、必要な保健医療サービス及び福祉サービスに係る給付を行うため、国民の共同連帯の理念に基づき介護保険制度を設け、その行う保険給付等に関して必要な事項を定め、もって国民の保健医療の向上及び福祉の増進を図ることを目的とする。

介護（予防を含む）を必要とする人に対し、尊厳を保持し、能力に応じ自立した日常生活を営むことができるよう支援するためには、他職種、事業者、特に医療職など複数の人との密接な連携が必要です。

その連携を適正かつ確実にする方法の１つが記録です。

（２）記録で目指すもの

適正な記録は適正なケアを導き、利用者は「サービスを受けながら自分を主体として人生を生きる」ことが可能になります。介護福祉職は実施したケアが記録されることにより「自分の業務に責任をもつこと」ができます。また各職種が、それぞれの専門性で貢献しあうことができます。

利用者は、生活の場面で他職種の人たちとかかわり、複数の人たちからサービスを受けて、人生の継続をはかります。人生は有限で必ず終わりがやってきますが、最期を迎えたときに、利用者が自分の人生を肯定できることが重要です。利用者からすると、個人を尊重した適切なサービスによる日々の積み重ねが人生の肯定（＝人生の質の向上）につながります。記録はそれを可能にします。

（３）記録で時をつなぐ

時は途切れることなく刻まれますが、私たちは、時を区切りながら生活をしています。働く人たちには決められた労働時間があります。利用者の日々の生活が途切れることなく営まれるには、複数の職種、多くの人たちがチームで支え時間をつなぐ必要があります。

図5－6　チームで生活を支援

利用者の生活により、連携職種等は増減します。

（4）記録でチームをつなぐ

チームは多くの人で構成されますが、１つひとつの介護サービスは個別の専門職により提供されます。情報の共有がなければ、１人の利用者に対し、かかわった人数分の利用者像がつくられたり、思い込みの介護が提供される危険があります。個々の利用者像を統合して１人の利用者としてとらえることが必要です。

利用者に関する情報、介護サービスに関する情報が適切に書かれた記録はチームの力をいかし、質の高いサービスを可能にします。

（5）介護記録の電子化

施設、事業所において、電子介護記録の導入が進んでいます。メリットとして以下の様なものがあります。

1 記録にかかる時間を短縮、効率化

連絡帳や業務日誌、日々書き込む介護記録、申し送り記録など、いくつもの紙の記録が存在し、それらに同じ内容を転記していることもありますが、記録の電子化により、さまざまな帳票にデータを同時に反映させることができます。

2 どこにいても確認や管理が可能

電子化した記録はクラウドでほかの端末に連携できるので、どこに居ても各職員間での情報共有がスムーズになり、他職種の視点からの分析もでき、課題の早期発見・解決につながりやすいです。

3 リスクの軽減

各利用者の申し送り情報が一覧で確認できるので、出勤したらまずその内容を確認してから業務に入ることが習慣化され、情報共有が簡単にでき、観察力や判断力の向上につながり、リスクが軽減されます。

(6) 介護福祉職に求められる力

介護福祉職は、利用者にアセスメント（情報収集、課題分析）して、解決（かいけつ）するための個別サービス計画を立案、実践（じっせん）します。このプロセスをふみ、その後の変化を確認（かくにん）（モニタリング）し、必要な修正（しゅうせい）を加えます。このくり返し（介護過程の展開（てんかい））により、利用者はその人固有の人生を歩むことができます。

介護福祉職には情報をキャッチするための**観察する力**、何を記録するかの**判断（はんだん）する力**、正確（せいかく）に**記録する力**、記録を**共有する力**、記録を**活用する力**が必要です。これらを適切（てきせつ）に実施（じっし）することで、利用者の支援に責任（せきにん）をもつことができます。

記録は、その責任（せきにん）を果たすために必要なコミュニケーションツールです。「だれのために、何を伝えるために、どのように記録をつけるか」が大事です。

記録の意義（いぎ）や目的の理解が明確（めいかく）であれば、具体的で適切（てきせつ）な記録を書くことができます。

(7) 記録は双方向のコミュニケーション

記録は、書いただけでは一方的なコミュニケーションで終わります。書いたものを受けとめ活用する関係があって、双方向（そうほうこう）のコミュニケーションが成り立ちます。介護において大切なのは双方向（そうほうこう）のコミュニケーションです。それは記録においても同じです。

記録の共有で利用者の理解が深まり、解決（かいけつ）の道筋（みちすじ）がみえます。記録をすることで適切（てきせつ）な支援が保証（ほしょう）され、介護の質（しつ）が向上し、利用者、家族、介護福祉職の信頼・安心に結びつきます。

2 記録の目的

私たちはさまざまな目的をもち、記録します。利用者の理解を深めるため、利用者・家族との関係形成のため、適正かつ円滑に業務を遂行するため、他職種との連携を深めるために記録します。専門職に求められる記録とは、高い職業倫理のもと、必要な事実を正確に記録すること、そしてよりよいケアを実践するために活用することです。

（1）記録の目的と効果

記録は、記録する側、される側、双方の立場から考えることが重要です。

1 利用者からみた記録の効果

利用者は何を見てほしいのか、何を記録してほしいのか、記録をとおして利用者の尊厳の保持・自立支援・自己選択・自己決定の実現をめざします。

個人の尊重
① 年月をかけてつちかった生活の仕方や信条を理解してもらえる
② 好みや意思を尊重してもらえる
③ だれか１人に伝えたら、みんなにわかってもらえる
④ 関心をもち、見守ってもらえる
⑤ 事実が残ることにより、人権が尊重される
自立支援
⑥ 実施してはいないけれど、できるかもしれない能力に気づいてもらえる
⑦ 課題を解決してもらえる
自己選択・自己決定
⑧ 介護福祉職の得意な方法ではなく、利用者のやりやすい方法に合わせてもらいやすくなる
⑨ 言葉に出せないときでも、表情やからだの動き、行動から意思や希望をくみとってもらいやすくなる
⑩ 思い込みや決めつけをせず、言動の背景を探ってもらえる

2 介護福祉職から見た記録の効果

介護福祉職は業務として、利用者の理解を深めるための情報やはたらきかけの具体的な事実とその根拠、実践後の変化などを記録します。記録により検討の経緯や結果、実践したサービスの痕跡が残ります。それ

によって利用者の生活や人生がよりよい変化を遂げることで、介護福祉職の仕事の誇りにもつながります。

> 利用者の理解
> ① 利用者の価値観や考え方を尊重できる
> ② 利用者の言動の背景を考えられるようになる
> ③ 表現しない（できない）けれど存在する利用者の思いや能力に気づくことができる
> 介護職の知識と技術の向上
> ④ 記録をつけることで思考過程が明確になる
> ⑤ 観察力が増し、明確な意図にもとづいた情報収集ができるようになる
> ⑥ 提供した介護の結果を確認し、サービス内容の検証、修正、創造ができる
> ⑦ 報告・連絡・相談がしやすくなる
> ⑧ 介護の統一を図りやすい
> ⑨ 介護教育、現任教育などの教材、スーパービジョンに活用できる
> 社会的貢献
> ⑩ 正確な検討記録や実施記録により、検討した事実や実施した内容を証明できる
> ⑪ 介護福祉に関する調査や研究のデータとなる

介護保険法にもとづき、2006（平成18）年より介護サービス情報の公表制度が施行されています（2018（平成30）年改正）。これは利用者が介護サービスや事業所・施設を比較・検討して適切に選ぶための情報を都道府県が公表するものです。それらのサービスを実施していることを証明するのは記録です。

事実が明確に記録された介護記録は、あらゆる場面で重視されます。たとえば重大な介護事故が起きて裁判になった場合、問われるのは**予見義務**❶と**結果回避義務**❷についてです。記録がなければ、リスクを予測し、それを回避するよう注意してサービスを提供していたことを証明できません。この考え方は軽微な事故でも、日常のヒヤリハットでも、日常の介護記録でも同じです。何のために記録をするのか、記録の意義・目的から反れてはいけません。

❶**予見義務**
事故や被害が発生する前に、推察によって、発生する可能性を見通さなければならないことをいう。

❷**結果回避義務**
事故や被害が発生するのを避けなければならないことをいう。

3 記録の種類

介護福祉職が扱う記録にはさまざまな種類があります。そのなかで、利用者または家族間で活用される記録、介護福祉職間で活用される記録、多職種間で活用される記録に分けられます。家族との間ではわかりやすい言葉、多職種間では適切な専門用語や略語が使用されます。

表5－1　介護福祉職が活用する記録

1）介護福祉職が書いて活用する記録	2）介護福祉職は書かないが、活用する記録（他職種の記録）	3）介護福祉職は書かないが、情報を提供して、書かれたものを活用する記録
入所時の記録 介護記録 申し送り記録 排泄記録 チェック表（排泄・水分・食事・バイタル・体重など） ヒヤリハット報告記録 事故報告記録 身体拘束経過記録 家族との連絡記録 ケアプラン実施記録 苦情相談記録 クラブ、レクリエーション、余暇活動記録 研修報告記録 ケアカンファレンス記録　など	健康診断表 ワクチン接種記録（インフルエンザ・肺炎球菌） 入所前・入所時の訪問記録 フェイスシート 受診記録 家族との面談記録 栄養改善のための記録 苦情相談記録 運営推進会議記録　など	介護サービス計画（ケアプラン） ケアカンファレンス記録 苦情対応記録 感染対応記録　など

4 記録の方法と書き方

紙記録でも、電子記録でも共通することは、観察力、判断力、表現力など、確実な情報共有を可能にする知識と技術が必要です。

（1）書き方

1 5W1Hの活用

5W1H（When、Where、Who、What、Why、How）の要素を取り入れて記録をすると簡潔で明確な記録を書くことができます。

表5－2 5W1Hとは

When ・・いつ、○年○月○日、○時○分ごろ
Where ・・どこで（居室、食堂、トイレ、浴室、玄関などの場所）
Who ・・・だれ（どのような人）（だれがだれに、だれとだれが）
What・・・何（何が起きたか、何をしたか、何をされたかなど）
Why ・・・何故
How ・・・どのように

いつもこの視点で観察していると、確実に情報を収集・記録できるようになります。的確な記録は誤解なく伝わり、ケアの質の向上につながります。

2 文体をそろえる

文体には常体と敬体があります。会話の場合はていねいでやわらかな印象を与える敬体を用い、介護記録では事実を簡潔に明確に伝えやすい常体を使います。家族との連絡記録では敬体を使います。

表5－3 常体と敬体の文体の違い

① 常体（文末に「だ、である」を使う）・・・記録に適している
② 敬体（文末に「です、ます」を使う）・・・会話に適している

3 ありのままの事実と判断

記録には、観察や確認されたありのままの事実（客観的事実）と、介護福祉職の解釈や推測が入った判断（主観的事実）があります。介護福祉職の判断を書く場合は、判断の根拠となる客観的な事実が書かれていることが必要です。

たとえば、「Aさんが右斜めになった姿勢で食事をしていたが、食べ方はいつもと変わらなかったので、そのまま食事をしてもらった。主食、副食共に少し残す」の記録では、介護職が「食べ方がいつもと変わらない」という事実だけで、食事の継続を判断しています。いつもと違う「右斜めになった姿勢」や「少し残す」のはなぜなのか、判断の根拠が不足です。

4 介護福祉職の計画、行動と利用者の反応、変化

介護福祉職は利用者の心身の状況に応じて意図的なはたらきかけを行います。記録にはその意図的なはたらきかけ（計画、行動）と、そのはたらきかけによる利用者の変化を記録します。

5 記録を書くときの留意点

記録は、ほかの人に読まれ活用されることが必要です。そのためには以下の留意点を意識して、正確で、わかりやすく、読みやすい記録を書きます。

① 主語を明確にする
② 記憶が確かなうちに書く
③ 事実をそのまま書く
④ 要点を簡潔に書く
⑤ わかりやすい表現で書く
⑥ 適切な専門用語や略語を使う
⑦ 1文の長さを35文字以内にする
⑧ 必要時、利用者の言葉をそのまま書く
⑨ ほかから得た情報は情報源も書く
⑩ 誤字、脱字に気をつける
⑪ 手書きの場合は読みやすいようにていねいに書く

すぐ書けない場合はキーワードをメモしておく

6 記録を書き間違えたとき

記録は事実を書き残す公的文書です。書き換えができないように消えないボールペン（黒）で書きます。誤字を修正する場合は、例で示すように、間違えた文字に二本線をていねいに引き、正しい文字を書き修正者の印を押します。また、文字だけではなく文章の修正が必要な場合に

は、二本線をていねいに引き、修正の日時と修正された内容を書き、修正者の印を押します。

> 例 （誤字を修正する場合）
>
> 午後
> 午前中に入浴を済ませ、~~午前~~はちぎり絵に参加し、
> ㊞
> 訂正印

電子記録の場合、訂正は更新されるため訂正前の内容を確認することはできません。ただし、職員ごとのログインIDやパスワードを入力して使用するのでいつ、だれが、更新したのかの履歴は残ります。

7 記録に不適切な言葉

記録には使わないほうがよい言葉があります。それは介護福祉職が判断した言葉です。判断には個人の常識や価値観が入ることがあります。判断した言葉を書くのではなくその言葉であらわそうとした事実（出来事、状況など）を具体的に記録します。特に**表5－4**に示した言葉からは利用者の様子がわからないだけではなく、人権や尊厳が守られていると感じられません。自立支援の視点、自己選択・自己決定の視点も感じられません。

表5－4 記録に使わないほうがよい言葉

- 不穏
- 拒否
- 勝手に～
- 指示に従わない
- 指示が入らない
- 機嫌がよい、悪い
- 気難しい
- 暴力的

不適切な記録例（介護付き有料老人ホームの記録から）

日時	内容	サイン
3/10 13：00	Bさんを入浴に誘うが拒否、時間を置いてもう一度声をかけることにする。	岡本
14：30	入浴に誘うが、再び拒否、明日の入浴に変更する。	岡本

この記録では、Bさんは理由が分からないまま、時間を置いて声をかけられています。記録の研修を受けた職員の提案で、「拒否」

という言葉を使わずに、その理由や状況を書くことに統一しました。

適切な記録に変化した記録例（介護付き有料老人ホームの記録から）

日時	内容	サイン
3/12 13：00	Bさんを入浴に誘いに行くと、「入りたくない」と言う。理由を聞くと「恥ずかしい」ということだったので、バスタオルですぐ身体を隠すことを伝えると、「それなら」と言い、入浴する。 「恥ずかしくなかった、気持ちよかった」と喜んでいた。	岡本

理由や状況が具体的に書かれた記録は、検討しやすく、適切なケアに結びつきます。

同様に「特変なし、変化なし」「見守り」の表現にも注意が必要です。判断の根拠となる具体的な事実の記録や、背景にある些細な変化を記録します。

見守りも、何（What）をどのように（How）見守ったのかを書きます。結果が悪かった場合、「何」と「どのように」を検証し、それらが不適切な場合は再度利用者の心身状況や環境について幅広く情報を収集した検討が可能になります。

（2）記録の方法

記録の方法として、時間を追って記録する経時（逐次）記録、利用者の現在の行動や気がかりな点、状態、重大な出来事、利用者の良い点、もっている力などに焦点をあてた**フォーカスチャーティング**❸などがあります。フォーカスチャーティングでは、1つの事柄に焦点をあて、介護福祉職の計画や行動、その行動による利用者の反応、変化を記述するため、状況が把握しやすいという特長があります。看護記録と介護記録を共通で効率よく的確に記録する方法として使われています。

❸フォーカスチャーティング

フォーカスチャーティングは、「F」「D」「A」「R」の4つの項目で記載する。F（Focus）は焦点をあてた項目、D（Data）はデータ、事実、情報、A（Action）は介護福祉職の計画、行動、R（Response）は反応・結果、その行動による利用者の変化を意味する。

記録例

経時記録（特別養護老人ホームの記録から）

日時	内容	サイン
6/15（木） 12：30	昼食後、不安定な様子で下膳しようとしていたので、危ないから職員がするのでいいですと伝えると、表情が険しくなり、「家に帰る」と落ち着かなくなったので、お膳を軽くして一緒に下膳してもらった。お礼を言うと、表情が軟らかくなり、その後は家に帰ると一言も言わずに過ごした。	吉田

フォーカスチャーティング記録例

月日	時間	F	D、A、R	サイン
6/15 （木）	12：30	昼食後の様子	D：不安定な様子で下膳しようとしていた。 A：危ないから職員がすると伝えた。 R：表情が険しくなり、「家に帰る」と落ち着かなくなった。 A：お膳を軽くして一緒に下膳してもらい、お礼を伝えた。 R：表情が軟らかくなり、その後は家に帰ると一言も言わずに過ごした。	吉田

5 記録の実際

介護福祉職が書いて活用する記録を中心に、記録の書き方とその活用について考えます。

（1）入所日の記録

事前に生活相談員が訪問し、基本情報等のアセスメントをしていますが、入所すると今までとは異なる環境に身をおくことになります。トイレへの動線も変わります。部屋のしつらえも変わります。周りの人（介護福祉職、ほかの利用者）も変わります。利用者を理解するために、早い段階での適切な情報の共有が必要です。そのためにも、介護福祉職の判断を交えずに、ありのままの情報を記録します。

目的をもち記録を書いたり読んだりすることで、課題を発見することができ、新たな事実、改善の糸口をつかむことができます。

目的をもち記録を書き、読む例

日時	内容	サイン
9/13（木）	Cさんはお茶が大好きで、家では1日に2000ml飲んでいたとのことだが、すすめても「今は結構です」と言い、590mlしか摂取できていない。初日ということもあってか、疲れた様子もみられる。	山田

不明確な情報

① 施設で提供した飲み物は何か

② 好みの温度だったのか

③ 飲みたいときに自由に飲める環境だったのか、決まった時間だからすすめたのか

④ 緊張からの疲れなのか、水分不足からの疲れなのか、その両方なのか

課題として受けとめた介護福祉職が、自宅と同じようにいつでも好きなときに自由に飲める環境をつくりました。その後、Cさんは水分を十分に摂取して、周りの利用者とおしゃべりをするなど、疲れた様子はみられなくなりました。

（2）介護記録

介護福祉職は利用者の一番近くにいる専門職です。そして一番多くの情報をキャッチします。利用者の思いが尊重され、十分に力を発揮でき、安心して、安全に暮らせるよう、記録の目的を理解して、必要な事実を客観的に簡潔に書き残すことが求められます。

記録例①客観的で簡潔な事実の記録が活用された例

日時	内容	サイン
6/15（木） 12：30	Dさんは昼食で、お粥を半分以上残している。お粥は好きか聞くと「嫌い」と答える。嫌いなのになぜ食べ	吉田

	ているのか聞くと「出されるから」と言う。好物を聞くと「わからない」と小さな声で答える。寿司は好きか、まんじゅうは好きかと尋ねると、「海苔巻やいなりずしは食べたい」「粒あんの最中を食べてみたい」とはっきりとした声で答えた。 なぜお粥が提供されているのかを含め食事内容について看護師や栄養士と相談する必要があると考える。	

その後、この記録をもとに看護師、栄養士と話し合いがもたれました。

① 咀嚼、嚥下ともに問題なく、常食が食べられる
② 半年前に風邪を引いたときにお粥になり、回復後も変更していなかった
③ 介護福祉職は何も考えずに提供し、本人は出されるからしょうがないと思っていた
④ 本人は好物を考えてもしょうがないから、考えることもしなくなっていたことがわかった

話し合いの後、Dさんの食事は常食になり、好みも配慮してもらい、毎回の食事を楽しみに、全量摂取するようになりました。

介護福祉職には、情報をキャッチするための**観察する力**、**疑問をもつ力**、**目的に応じた記録をつける力**が求められます。適切な記録がなければ、Dさんは、いつまでも「よくない状態」が継続したかもしれません。

記録例②利用者の「気兼ね」を拾えなかった記録例（グループホームの記録から）

日時	内容	サイン
10/3（水） 10：00	Eさんは尿失禁が続くようになり、ご家族から衣服の事で相談があり、排泄行為がしやすくて、間に合わなくても洗濯がしやすい洋服に変えることになった。 ① 本人には介護福祉職同席のもとで、家族が伝える ② 洋服（ウエストゴムのズボンと下着）は家族が購入	山田

	③　洋服の着脱行為は担当の介護福祉職がそのつど教える	
10/4（木） 11：00	ご家族から、洋服に変えたほうがトイレもしやすくなること、汚れても洗濯がしやすいので楽なことをEさんに説明し、Eさんも「迷惑にならないなら」とおっしゃり、洋服を着ることにした。	山田

Eさんは、今まで和服しか着たことがない人で、洋服は持っていませんでした。トイレに間に合わなくて和服を汚すようになり、家族は、和服は洗濯が大変なので、職員に迷惑をかけると思いました。

和服から洋服に変更したEさんは、日に日に気力を失い、活動が縮小し、認知力も低下しました。途中で和服に戻しましたが手遅れで、別人のようになり、人生を終えました。

これは、記録が活用されなかった例ですが、次のようなことに気づいたでしょうか。

①　家族は、（洋服なら）排泄行為がしやすくて、間に合わなくても洗濯がしやすいと発言しています。「洗濯しやすい」の言葉に着目すると、気兼ねに気づきます。

②　Eさんも「迷惑にならないなら」と発言しています。「迷惑にならないなら」の言葉に着目すると、気兼ねに気づきます。

この記録を読み返し、変更の背景にあった家族の気兼ね、利用者の気兼ねに気づいていたら、結末が変わっていたことが想像できます。

今回の事例は残念な結果でしたが、この記録があったので、同じ過ちをくり返さないための示唆をえることができました。

家族の意向を受けとめつつも、利用者本人の状況に合っているか、利用者の思いが尊重されているか、だれのことが優先されているのかを考え、明らかにする役割が専門職としての介護福祉職にあります。話し合い、その内容が書かれた記録を読み返すことで客観的な目をもつことができます。

記録例③書き方により主体が変わる記録例

ここでは、食事の盛りつけを介護福祉職と一緒にする利用者の様子を書いた3人の介護福祉職（F、G、H）の記録を比較します。

8/5（土） 11：30	昼食の盛りつけをこころよく手伝ってくださる。	F
8/6（日） 17：00	上手に盛りつけてくださる。お礼を言うと「何年主婦やっていると思っているのー！」と笑顔だった。	G
8/7（月） 17：00	おかずの盛りつけをしてくださる。お礼を言うと「またやってやるね」と笑顔がみられる。	G
8/8（火） 17：10	声掛けすると機嫌よく盛りつけてくださる。	H

介護福祉職FとHの記録は、介護福祉職が主体で、介護福祉職の目線で書いて完結しています。とくに介護福祉職Hの記録は子ども扱いしているようで、利用者を尊重しているとはいいがたいです。それに対して介護福祉職Gの記録は、利用者を主体として、利用者の人となりが伝わり、利用者の意欲が書かれていて次につながります。

（3）チェック表（排泄・水分・食事、バイタル・体重、入浴など）

チェック表は、多くのことが関連してみえるように必要な項目を網羅できるものです。

たとえば排泄で考えると、適切な誘導時間の示唆だけではなく、関連情報を統合して考えることで、よりよい排泄のかかわりを可能にします。

1 排泄チェック表の活用

排泄時間、量や性状、尿・便意の強さ、漏れの有無、漏れた状況と量を記録します。おむつの場合は、つける前と排泄後の重さを量り、○gで記録します。認知症や精神疾患がある場合は、誘導時の状況も書きます。尿なら3日以上、便なら排便の周期がわかるまで記録すると必要な情報が得られます。また水分や食事の摂取情報も同じ表で記録されていると、より多くの情報のなかから検討することができます。

水分・排泄表（例）

24時間の水分摂取量と排泄量の状態を知ることができます。水分の摂取量と排尿・排便の状態を記録し、表を確認しながら個別の対応を行います。

＜水分・排泄表＞

平成○○年□□月△△日

氏名	A		B	
	水分	排泄	水分	排泄
0：00		○		○
5：00			100ml	○
6：00		○		
7：00				○ ●5
8：00	200ml	○ ●4	200ml	
23：00				
尿/便回数	8 / 1		9 / 1	
水分合計	1200ml		1500ml	

注：排尿は○、排便は●で記入する。●の横にブリストル便形成スケール番号をつける（1〜7）。

記録の活用で利用者の生活が改善された例

① 3日排便がないと下剤を投与されていた利用者が、下剤投与と便の性状、排泄に伴う本人の苦痛などを看護師と一緒に考え、下痢便から正常便に移行でき、本人の苦痛や皮膚の状態が改善された
② 日中の活動日と入浴日を別にしたら、夜間の尿漏れがなくなった
③ 日中の活動に、本人が関心をもっているメニューを加えたら活動に夢中になりトイレの訴えが減り、日中の排泄回数が正常の範囲に戻った

記録の適切な活用によって利用者の生活が改善されます。本人にとっても介護福祉職にとっても達成感が得られ、新たな意欲につながります。

2 体重・水分・食事チェック表の活用

食事は、毎回おいしいと言い全量摂取する利用者に課題はないと判断

してしまいがちです。しかし、体重は徐々に増え、本人からも体が重いと訴えがあり、介護福祉職も介護時に重さを感じることも少なくありません。こうした状況をチェックするためにも、体重や水分、食事をチェックできる表を活用することは有効です。チェック表の活用により医師、看護師、管理栄養士、介護福祉職で検討し、総カロリー量と活動の見直しがなされるということにつながります。

(4) 家族との連絡記録

家族との連絡記録の意義は、情報伝達の手段だけにとどまりません。介護福祉職と家族が、お互いに不足している情報を補いあい、重要な情報を的確に把握し、信頼関係を構築しながら利用者本人への支援方針や目標を共有することを意図した記録をこころがけます。

記録例①小規模多機能型居宅介護の泊りを初めて利用したときの記録

昨日は、夜間、かばんの中をガサガサと何か探している様子がみられたりしました。少し落ち着かなかったかもしれません。
日中はお変わりなく過ごされています。　10/3　吉田

この利用者は骨粗鬆症と認知症の診断がついています。要介護認定は要介護2で、歩行は多点杖を使用しています。

事実	①　はじめての泊り経験であること ②　かばんの中をガサガサと何かを探していること
判断	③　少し落ち着かなかったかもしれない ④　日中は通いのときと同じように過ごしている

家族はこの記録を見て、介護福祉職は家族からの情報をあまり気にかけていないと感じました。

家族からの情報

①　本人の日課として、毎晩寝る前に30～40分かけてかばんやタンスの中身を入れ替えていること（毎回、しまう場所が変わる）
②　したいことは、相手に気づいてもらいたいので、絶対に自分から申し出ないこと

そのうち家族は、本人が元気で楽しく通ってくれればよいと考え、それ以上のことは連絡しなくなりました。それから数か月後に誤嚥と捻挫で入院することになりました。「いつもと違うと思ったけれど、ご本人が何も言われなかったので」と見過ごされ、入院と同時におむつにされ、動くと危ないからと拘束され、介護度があがりました。

家族からの情報が記録され共有されていたら、入院を防ぐことができたかもしれません。

（5）ヒヤリハット・事故（アクシデント）報告記録

ヒヤリハット報告書・事故報告書を書く目的は、事実を書き残し、それにもとづいて原因を分析し、それらの出来事を個人的な体験にとどめずに全員で共有し、類似のヒヤリハットや事故を未然に防ぐための取り組みに活かすためです。利用者の安全を守るために記録します。

表5－5　ヒヤリハット・事故（アクシデント）報告の目的

① ヒヤリハット・事故（アクシデント）の原因を明らかにし、どうすれば事故を未然に防げるかを考える
② ヒヤリハット・事故発生のプロセスや問題点をほかのスタッフと情報を共有し、施設や事業所として組織的な業務の改善につなげる

利用者に何らかの処置を必要とする事故が発生した場合をアクシデント、事故には至らなかったが、「ヒヤリ」「ハッ」とする出来事が発生した場合をヒヤリハットといいます。事故発生の背後には、多くのヒヤリハットが存在しているといわれます。さらにその背後には、日常のちょっと気になる出来事がたくさん存在しています。チーム間で互いを

表5－6　ヒヤリハットと事故（アクシデント）の違い

ヒヤリハット	事故(アクシデント)にはいたっていないが、事故寸前の危険な状況でヒヤリとしたこと、ハッとしたこと
事故(アクシデント)	利用者に簡単な処置や治療を要する事故が発生したこと

認めあい、関心をもち、声をかけあうことで気になった段階で対応することが可能になります。

ヒヤリハットや事故が発生した場合、具体的に報告記録を書き、全員が自分のこととしてとらえ、確実に改善できるようにしっかり検討することが大事です。

十分な検討に必要な材料として日々の記録があります。豊富な情報としての日常の記録です。そこにはヒヤリハットや事故の芽が隠れています。目的に沿って記録をし、活用することでリスクに対する感受性を高めることができます。

ヒヤリハットや事故をくり返さないために、なぜそのようなことが発生したのか、「利用者」「介護福祉職」「環境」の３つの側面から状況を詳細に記録して、具体的に検討する必要があります。

図５－７　ヒヤリハット報告書・事故報告書と日常の記録との関係

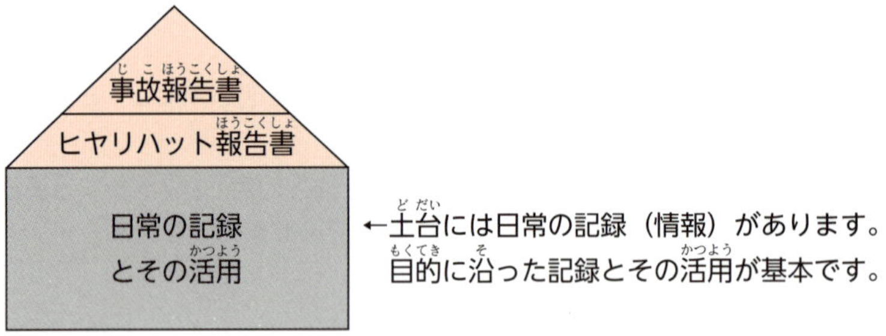

事故報告書
ヒヤリハット報告書
日常の記録
とその活用
←土台には日常の記録（情報）があります。
目的に沿った記録とその活用が基本です。

再発防止策は直接支援にあたる介護福祉職の不安を払拭し、安心して利用者の支援にあたれる内容でなくてはなりません。

また、ヒヤリや事故のデータを分析することで課題が浮きぼりになり、対応策のヒントが得られます。

（６）研修の報告記録

研修の報告記録は、参加したことを証明することだけが目的ではなく、参加していない職員を含めてチームで研修内容を共有することでケアの向上を目指すという教育効果を発揮します。

演習5－1　介護記録の書き方

次の不適切な介護記録を読んで、適切な記録にするために、1～3について検討してみよう。

日時	内容	サイン
6/14（水）12：30	昼食、「もういらない」と言い途中で箸を置く。粥1/2、おかず2/3摂取しているので十分と考え終了する。いつもと様子に変化なし。	山田

1 不適切な理由は何か考え、まとめてみよう。

2 記録に書かれている事実は何か考え、まとめてみよう。

3 記録に不足している事実は何か考え、まとめてみよう。

第4節

会議・議事進行・説明の技術

学習のポイント

- 介護福祉職が行う会議の意義や目的、種類、役割を理解する
- 議事進行のプロセスを知り、各プロセスにおける留意点を理解する
- チーム内で情報を共有できるようにするための説明の技術について理解する

関連項目
①『人間の理解』▶第3章第2節「ケアを展開するためのチームマネジメント」
④『介護の基本Ⅱ』▶第4章「協働する多職種の機能と役割」

1 会議とは

（1）会議の意義と目的

会議とは、ある一定の議題について、関係者が集まって議論し、何らかの決定をする場です。個別の報告・連絡・相談では、こうした組織としての議論や決定を下すには、限界があります。

関係者が一堂に会して、あるいは映像や音声を同時に中継して、お互いにもっている情報や意見を、一斉に共有し合うことができるメリットがあります。また、会議において合意のもと決定されたことが、会議終了後迅速に開始することにもつながります。

会議の目的は大きく2つに分けられます。

1つは確実な情報共有です。同時に一斉に同じ内容を伝達することができるので、個別に情報が伝達されるよりも齟齬が少なくなります。また、質問や疑問があった場合も、会議で議論されることで全員が共通して疑問を解決できます。

もう1つは、組織の意思決定です。チームが目的を達成するためには、チームメンバー間で業務に関する合意形成がなされたうえで、決定事項が遂行される必要があります。そこで、メンバーの合意形成をはかり、組織全体の意思決定をはかる場として会議が開催されます。

とくに後者の意思決定を目的とした会議は、組織運営の要となります。介護福祉職は、専門職として利用者の介護にかかわるチーム・組織が効率的かつ効果的に運営されるように、会議を活用していくことが求められます。したがって、会議の知識と技術を身につける必要があります。

（2）会議の種類

会議にはさまざまな種類があります。定期的な会議もあれば、随時開かれる会議もあります。また、職場内会議とそれ以外の組織が合同で開かれる会議もあります。

介護福祉職が介護サービスを提供する組織で業務を行ううえで実施される会議を分類すると次のようになります。

1 個別の利用者の介護に関する会議

個別の利用者について、どのように介護を提供していくか、介護福祉職内でカンファレンスを開いたり、サービス提供にたずさわる多職種が集まって会議を行ったりします。

たとえば、介護保険制度ではサービス担当者会議の開催が義務づけられています。利用者のケア提供にかかわる各サービス担当者を介して、介護支援専門員（ケアマネジャー）の立案したケアプランをもとに、介護サービス実施の方針や目標、方法などを議論して決定する会議です。この会議は、介護支援専門員が主宰する会議であり、介護福祉職はサービス担当者として会議のメンバーとして参加することになります。

サービス担当者会議以外にも、介護福祉職が集まって、個別の利用者の介護実施方法について検討する会議が行われます。これは、ケア検討会議、ケアカンファレンスなどさまざまな名称でよばれます。

この事例検討に関する技術は、第5節で焦点をあてます。

2 組織運営に関する会議

組織の運営においては、チームや組織で実施される事業や業務を行う際に、実施企画・立案を決定したり、実施状況について報告したり、各部署間の業務調整をはかったりするために会議を行います。

たとえば、感染症対策について、対策委員会を立ち上げて具体的な予防対策を検討したりなど、各種委員会による会議が行われます。また、地域にある同一種別のサービス事業者が協議会という団体組織として地域連絡会議などを立ち上げる場合もあります。

こうした組織運営に関する会議では、介護サービスを組織的な業務として効果的・効率的に実施していくために必要不可欠な会議となります。このような会議の場で、介護福祉職としての専門性をふまえた利用者の代弁機能（アドボカシー）を発揮することも重要となります。

❸ 地域の関連職種・団体のチームアプローチに関する会議

各専門職が集まって、地域全体の介護ニーズを検討・課題解決の話し合いをする会議があります。多職種が集まるという点では❶のサービス担当者会議などと共通点もありますが、❶が個別事例に特化した課題解決であるのに対して、こちらは地域住民全体に共通した介護ニーズを抽出して対応するという視点が異なります。

たとえば、障害者の日常生活及び社会生活を総合的に支援するための法律に規定する地域における障害福祉サービスに関する協議会が、自立支援協議会などの名称で開かれています。介護保険法でも、地域ケア会議と呼ばれる同様の会議が開かれています。

❶から❸に共通しているのは、介護福祉職同士あるいは多職種間いずれかにかかわらず、効果的かつ効率的なチームアプローチを実現するための会議である点です。会議を単なる議論の場ととらえるのではなく、チームの一員であるという自覚をうながし、共通の目標に向かって介護を展開するための機会であるととらえます。そのための会議の技術を身につける必要があります。

（3）会議の構成員とそれぞれの役割

会議では、構成員として、参加者、主宰者・議長役、司会役、記録役が必要となります。実際の会議では、主宰者と議長が別な場合や、議長役と司会役を同一人が行う場合などもありますが、その役割を明確にわけて考えておくことが効果的な会議運営につながります。

❶ 参加者

参加者は、会議構成員の中心的存在です。情報共有が目的でも、何らかの意思決定が目的でも、どちらにしても参加者一人ひとりが、議題に対してどのように理解しているのか、どのような意見をもっているのかという意思表明が必要です。また、チームとして共通点を見出そうとするチームメンバーの一員であるという自覚をもって会議にのぞむことが重要です。

2 主宰者・議長役

主宰者は、会議開催の決定者であり、会議をつかさどる役割を担います。議長は、その議題に対して決定権をもっている人です。ある議題に対して議論しても、それを決定する役目を担うメンバーがいなければ、意見が最終的にまとまりません。会議で意見が分かれた場合には、参加者間での話し合いでも歩み寄りの努力はなされますが、最終的に会議としてどんな結論にするかは、議長に委ねられます。

介護保険法にもとづいて行われるサービス担当者会議は、主宰は介護支援専門員であり、会議開催の周知や参集、会議の進行まで一手に担います。ただし、最終決定は利用者本人の意思が最も重要なので、議長にあたるのは利用者本人です。介護支援専門員は、利用者本人の代弁者として機能することが求められます。

3 司会役

司会役は、会議の時間配分や議論の展開調整など、会議全体の進捗を管理します。参加者全員が議論に参加できているかに気を配ったり、発言が出やすいように時間配分や議論の展開を調整したりなど、議論の流れ全体を把握します。

4 記録役

記録は、会議に必須です。話し合われたこと、とくに決定したことがなんなのか、だれがどんな発言をして、どんな議論の展開で結論にいたったのかなど、決定事項を実施した後にも会議の記録、すなわち議事録は重要になります。議事録は文書として保管管理が必要です。最近は、記録係が議事録作成に集中するという形ではなく、議論を参加者全体で見えるように、ホワイトボードなどに議論と同時並行して、発言の内容をまとめながら整理して書き、参加者がそれをながめながら新しいアイデアを展開していくという方法が行われることもあります。

いずれにしても、記録物は会議終了後期間をおかずに会議参加者に配付して共有し、会議の結論を再確認、周知徹底します。

2 会議の議事進行

(1) 議事進行プロセスの概要

組織として何らかの結論を出し意思決定するための会議では、**議事進**

表5－8　議論の展開プロセス

①	会議の目標の共有
②	会議でのルールの確認
③	会議の論点の明確化
④	論点ごとに現状と問題を整理
⑤	解決像（あるべき姿）の設定
⑥	課題の設定
⑦	会議の円滑な終了
⑧	課題解決の結果の評価と定着

行のプロセスを強く意識することが必要となります。会議において合理的な結論をえるために、効率的に参加者の合意形成をはかる技術を**ファシリテーション**といいます。このファシリテーション技術のなかでも、議事進行のプロセスはもっとも重要なものの1つです。次のようなプロセスで会議を進行していくことで、意思決定に向かって効率的に話し合いが展開されることになります（**表5－8**）。

（2）各プロセスの留意点

❶ 会議の目標の共有

会議の冒頭で、この会議では何についてどこまで決めるのか、話し合いのゴール（目標）を全員で共有します。決定することが目標であれば、何を決めるかを共有します。検討することだけが目標であれば、どこまで詰めるのかを共有します。報告や連絡の伝達が目標であれば、何について確実に理解してどのように周知していくのかを共有します。

主宰者や議長が、この話し合いの目標をあらかじめある程度決めている場合もあります。その場合には、主宰者あるいは議長から参加者に伝えます。ただし、参加者から会議の目標について異義が出た場合などは、参加者全員で会議の目標の妥協点を探ります。

また、最初にどこまで決定するかを決めずに、会議開始後に「どこまで決めましょうか？」とメンバーに聞く場合もあります。また、主宰者や議長がある程度口火を切って提案することで、内容の議論に早く入り込みやすくなります。

❷ 会議でのルールの確認

話し合いには一定のルールが必要です。参加者全員がそれぞれの意見

表5－9　参加者の発言をうながす会議でのルール

・発言を否定・批難しない
・人の話は最後まで聞く
・反対意見があれば会議の場で言う
・改善に向けた前向きな発言をする
など

を率直に出し合える場づくりのための最低限全員が守るべきルールです。このルールがないと、ある1人の参加者だけが意見を出したり、あるいは意見を出しにくい雰囲気になったりするおそれもあります（**表5－9**）。

3 会議の論点の明確化

会議の**論点**とは、会議で話し合うべきテーマ･議題のことをいいます。争点あるいはイシューということもあります。また、複数の論点があがっている場合は、それらを議事あるいは**審議事項**（**アジェンダ**）といいます。ただし、議題というと、「～について」のように曖昧な表現になることが多いので、議論の焦点がずれることがあります。論点については、「問い」や「疑問形」で表現することで、何を話し合ったらよいのかが参加者間で明確になります。また、論点は、議論によって結論が出るもので、その後実施する際に参加者自身がコミットできるものを設定する必要があります。また、「どこに問題があるのか」「どんな問題を解決する必要があるのか」について参加者で合意する必要もあります。

たとえば、議題として「認知症の徘徊の問題について」とするよりも、「徘徊に対して私たちにできることは何か？」と設定することにより、何について考えて議論を進めるのかが明確になります。また、自分たちの実行可能範囲内にしている点の確認も重要です。

また、論点が複数ある場合にはその優先順位を決定してその順番で議論を展開していきます。この順番についても会議で合意形成していきます。優先順位としては、重要度と緊急度という2つの視点で検討します。もっとも優先順位が高いのは、重要度が高くかつ緊急度も高い論点です。次に緊急度は高いが重要度は低いもの、それから緊急度は低いが重要度は高いもの、最後に緊急度も重要度も低いものの順にします（**図5－8**）。

図 5 − 8 論点の優先度を決定する視点

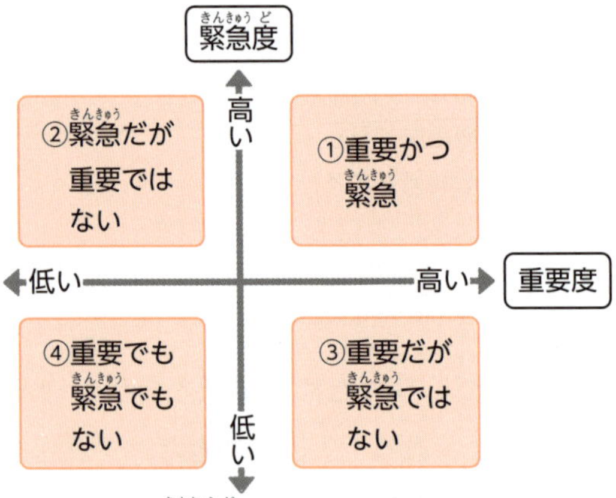

緊急度（きんきゅうど）

高い

②緊急（きんきゅう）だが
重要では
ない

①重要かつ
緊急（きんきゅう）

←低い ―――――――― 高い→ 重要度

④重要でも
緊急（きんきゅう）でも
ない

③重要だが
緊急（きんきゅう）では
ない

低い

重要度と緊急度（きんきゅうど）のマトリックス

4 論点ごとに現状と問題を整理

　次の段階（だんかい）では、論点（ろんてん）ごとに、それぞれの現状（げんじょう）を洗（あら）い出し、何が問題となっているのかを整理して共有します。このときに必要なのは、それぞれの参加者がもっている思い込（こ）みをいかになくしていけるかです。そのためには、現状（げんじょう）と問題に関する事実を具体的にしていく必要があります。具体的に事実を把握（はあく）するためには、その問題の原因（げんいん）は何なのか、関連しているほかに解決（かいけつ）すべき問題は何なのか、事実にもとづいた表現（ひょうげん）になっているかという３点を意識（いしき）して現状（げんじょう）と問題について議論（ぎろん）を深めてい

表 5 −10 事実を具体的に整理する３つの視点

○深く掘（ほ）り下げる（原因（げんいん）は何か？）
・絞（しぼ）り込（こ）んだ問題を掘（ほ）り下げる
・「それはなぜ？」「〜だから」「〜はなぜ？」と原因（げんいん）を掘（ほ）り下げて考える
・論理（ろんり）の飛躍（ひやく）に気をつける
・打ち止めになるまで掘（ほ）り下げる
○広（ほ）く掘り下げる（関連するほかの解決（かいけつ）すべき問題は何か？）
・もれなく、だぶりなく、幅（はば）広く可能性（かのうせい）を考える
○正しく掘り下げる（事実にもとづいた表現（ひょうげん）になっているか？）
・事実で確認（かくにん）をする
・正しい日本語で掘り下げる
・「自分を主語」にして掘り下げる（一般論（いっぱんろん）で考えない）

きます（**表5－10**）。

また、この段階を経ずに解決策を検討すると、事実とかけ離れた議論になってしまうので、各論点の議論では、まずは解決すべき問題と現状について、参加者間で問題の全体像に関する情報をしっかりと共有することが必要となります。

5 解決像（あるべき姿）の設定

4で明らかになった問題に対して、問題が解決した理想的な状態について議論します（**表5－11**）。ここで重要なのは、予算の問題や人手の問題などの課題解決の障害となる現実の制約条件を除いて議論することです。ここではまだ、具体的な解決策については議論に入れない段階です。解決の方法について議論するよりも前に、チームメンバーで解決像を共有することが重要となります。それぞれがイメージしている解決像がばらばらのまま共有できていなければ、その後の解決策も当然一致しません。

6 課題の設定

次に、問題を解決して何を目指すのかという課題を設定します。だれが、いつまで、どの程度の範囲で、何を、どのように実行するのかという具体的な課題です。

個々で検討すべきことには、その課題が成果につながるものなのか、実行するチームメンバー全員にとってわかりやすい課題か、着実に実行できる課題かという3点を検討します。ここで「成果につながる」といっているのは、その課題の実行によって実際に問題が改善・解消することを意味しています。

表5－11 解決像（あるべき姿）の設定の概要

○解決の視点を設定
・解決像（何をしたいのか？　将来どうなりたいのか？）
・内部環境（自分たちに何ができるか？）
・外部環境（何を期待されているのか、何をすべきなのか？）
○解決像を具体的に設定
・だれが（何が）
・どうなっていたらよいか
○いつまでに、どの程度実現しているかという「指標」を設定

この着実に実行できる課題かどうかの話し合いで、5で注意事項としてあげた現実の制約条件が検討されることになります。この段階で話し合われることによって、制約条件は「取り組まない理由」にはなりにくく、メンバーの創意工夫によって5で設定したあるべき姿を実現するためのクリアすべき、あるいは回避すべきこととしての認識となります。

また、「努力する」「徹底する」「つとめる」「組織化する」「検討する」といった設定は、ゴール設定が曖昧なので課題としては不適切です。

7 会議の円滑な終了

会議での話し合いのプロセスの終了に向けて、次のような段階を経ることが会議の成果に影響を与えます。

まずは、話し合いのプロセスを振り返りながら、会議で出された意見を整理します。整理のしかたにはいろいろありますが、いくつかのテーマごとのまとまりに分類します。その分類された意見の共通項について参加者間で再確認します。

それから、会議で出した結論を共有します。とくに、だれが、いつまで何をするかという実施計画にあたる結論部分は、会議終了にあたって必ず全員で確認し共有して会議を終了します。また、最後に次回会議の開催予定についても共有します。

会議終了後には一両日中を目安にして、議事録を参加者全員に配付します。また、必要に応じて関係各所に決定事項を報告または連絡します。

8 課題解決の結果の評価と定着

次回会議を開催する場合には、前回決定した課題に取り組んだ結果を持ち寄って評価を行います。「成果」と「取り組み過程」の両方を評価します。また、「成功要因」と「失敗要因」の両方を抽出して、まとめて可視化します。

解決策やその取り組みを組織に根付かせることも意識的に行う必要があります。そのためには、その業務を標準化し、横展開するということが必要になります。

このように会議とは、次々に新たな問題解決に取り組み、組織力を最大限に発揮して介護の成果が発揮されるために行うものであり、組織におけるコミュニケーションとして重要なものです。

3 チームにおける説明の技術

（1）説明の必要性

介護福祉職は、介護の実践でさまざまな情報を集めます。また、その情報を根拠に、介護過程を展開するうえで情報を分析・解釈・統合化します。また、業務改善に資するような提案や改善策を考えます。

このような情報や見解は、介護を提供するチームで共有して活用することで、利用者に対するよりよい介護実践につながります。チームで共有するためには、その情報や見解を他者に理解してもらえるよう説明を行う必要があります。説明する目的は、情報や意見の共有と、自身の意見を第三者の視点で検証することです。

こうした説明の作業の一連の過程を**プレゼンテーション**とよびます。プレゼンテーションの技術は、組織のコミュニケーションのなかでも重要なものとなります。

（2）プレゼンテーションの工夫

プレゼンテーションは、その内容が相手に正確に伝わることが大前提になります。しかし、考え方・価値観は人によって異なるとともに、その事実に接していない人であれば想像することも難しくなります。したがって、相手にどうしたら正確に伝わるのか、さまざまな工夫をして説明する必要があります。次のような工夫が、プレゼンテーションにおいては基本となります。

① 具体的に６Ｗ３Ｈを意識して説明する
② 事実と判断は明確に区別して説明する
③ 相手のペースに合わせて説明する
④ コミュニケーションをはかりながら説明する（非言語コミュニケーションも意識する）
⑤ 相手の都合を考えて説明する（日時や場所などの設定）
⑥ 意見には根拠を加えて説明する
⑦ 複数の論点を同時に説明しない
⑧ 図表化、ビジュアル化して説明する

（3）プレゼンテーションの基礎

プレゼンテーションは、発表者と聴衆とのコミュニケーションです。広い会場で大人数に対する場合でも、数人に対するプレゼンテーションでも同じです。聞き手に、私が知っている新しい情報を正確に届けて共有したいという思いを、しっかりとコミュニケーションで伝えることが必要です。そのためには、次のような留意点があげられます。

① 顔をあげて話す（原稿にずっと目を落とさない）
② 聞き手に語りかけるように説明する（原稿を棒読みしない）
③ 発表はていねい語で行う（です・ます調）
④ ポイントを絞ってゆったりと説明する
⑤ 決められた時間を厳守する（リハーサルでかかる時間を把握する）

また、プレゼンテーションはプレゼンテーションソフトを用いて、スライドをプロジェクター等でスクリーンに投影して行うことが多くなっています。

こうしたスライドは、説明を読んでもらうのではなく見てもらうものです。したがって、ビジュアル的に一目でポイントがつかめるような工夫が必要となります。

（4）発表スライド資料の作成の留意点

発表スライドの資料は、単純で、端的に、そして文字は大きくすることが原則です。これをスライドデザインの分野ではKISS（Keep It Simple and Short）と略して呼ばれることがあります。

また、複数のメッセージを1枚に凝縮せず、1スライドに1つのメッセージだけ盛り込みます。また、そのメッセージが伝わりやすいように、各スライドにはそれぞれテーマの見出しをつけます。

そして、シンプルなスライド作成をします。こだわってあれこれ装飾を施すと逆に伝わりにくい説明になります。シンプルさについては、次のような点に注意が必要です（**表5－12**）。

スライドの文字にも注意が必要です（**表5－13**）。まず、1文章は2行以内を目指します。1スライドを文章で埋める場合は、最大10行/1枚以内に抑えます。また、文章は常体（だ・である）ですが、原則体言止めにして冗長的にならないようにします。同様の理由で、末尾に句点（。）は不要です。

数値データや整理した情報は、積極的に表やグラフに図示して工夫し

表5－12　シンプルなスライド作成の留意点

・背景のデザインよりも、内容を引き立てる
・文字フォントの種類を統一
・文字色は通常と強調の２、３種類
・アニメーションは強調したいときに限定
・スライドの余白いっぱいに文字を詰めて配置しない
・とくにスライド下部は見えにくいので余白を十分にとる

表5－13　スライドの文字に関する留意点

○字体の種類

・ゴシック系（和文）・サンセリフ系（英文）を選択

視認性、判読性が高く、見出しやスライドに向いている。明朝系・セリフ系は文字の縦横の太さが異なりウロコがついているので、遠くから見えにくく、スライドに向いていない。紙面の文章では、可読性が高い明朝系を用いるのが適当。

・プロポーショナルフォントを選択

プロポーショナルフォントは、文字幅に合わせて均等に間隔を調整する。フォントの名称に“P”が付く。プロポーショナルフォントでないフォントは等間隔になり、間延びして見える。

例）MSPゴシック：かきくけこ
MS　ゴシック：かきくけこ
※“く”は文字幅がせまいので、MSゴシックでは間延びして見える

○文字の大きさ

・フォントサイズは最低24ポイント

20ポイント以下は、会場の後ろでは見えない可能性がある。見出しや強調語はそれ以上にして、本文と区別をつける。

ます。その場合でも、図やグラフは見せたいポイント部分を強調します。図表に文字が書いてある場合には、できるかぎり大きくして見えるように作成します。

（5）プレゼンテーションの聞き手の留意点

上記ではプレゼンテーションを行う側の留意点を述べてきました。しかし、プレゼンテーションの場はコミュニケーションの場であり、聞き

手側も協力して説明を傾聴することが求められます。

手元の資料ばかりを見ていないで、発表者の顔を見て、耳を傾ける必要があります。そうしないと、発表者は聴いてもらえていないのではないか、あるいは反対意見をもっているのではないかと不安を感じて萎縮してしまいます。

また、発表がいったん終了した時点で質問の時間には、積極的に質問します。不明な点や大事な点を確認したりします。この議論があることで、プレゼンテーションが発表者にも聞き手にとっても実りある情報活用の場となります。

あらさがしをしたり、発表者を批判したり、発表者を試すような質問をしたり、議論をけしかけたり、持論を展開したり、発表と関係のない私語をしたりしないように気をつけます。

◆参考文献

- 堀公俊『ファシリテーション・ベーシックス』日本経済新聞出版社、2016年
- 倉島保美『論理が伝わる世界標準の「プレゼン術」』講談社、2004年

演習5－2　プレゼンテーションと会議によるディスカッション体験

プレゼンテーションと会議によるディスカッションを体験するために、1～4について検討してみよう。

1 テーマを「高齢者にすすめる飲み物は何がよいか」に設定する。緑茶派複数名・コーヒー派複数名のチームに分かれ、それぞれ高齢者にすすめる理由とメリット、デメリットについてまとめてみよう。

2 各チームによる短いプレゼンテーションを行ってみよう。プレゼンテーションソフトなど、PCを利用したり、手書きの大きなポスターをつくるなど、できるだけわかりやすく説明できるようにツールや資料も活用しよう。

3 上記のチームメンバーとは別に、議長・司会役（同一でも可）各１名、記録役１名、参加者役複数名を決め、議事進行を担ってみよう。

4 会議を行い、高齢者に何の飲み物をすすめるかについて決めよう。

第5節

事例検討に関する技術

学習のポイント

- 事例検討におけるコミュニケーションの基本姿勢を理解する
- 事例検討会の展開と必要な視点、協働について理解する

1 事例検討を行う意義・目的

ケアカンファレンス、事例検討会議など、事例検討に関する会議の名称はさまざまです。本節では「事例検討会」と統一して話を進めることとします。

事例検討を行う目的は、支援・サービス等の適切な介入によって利用者の現状をよりよい状態に回復すること、または維持することにあります。具体的には、利用者・利用者家族・各専門職・地域等がチームになって問題点を洗い出し、課題を抽出後に支援計画が立てられます。必要なのはチーム力です。チーム力が発揮されることによって、利用者の現在の状況・状態の改善・維持への近道になります。このことが、事例検討を行う価値、つまり意義であり、利用者へのケアをよりよいものにします。

チーム力を発揮するためには、チームワークが必要不可欠です。チームワークは、チームに属した全員に営みの責任があると認識しましょう。認識後、それぞれの役割を理解したうえで利用者にかかわっていきます。チーム力が発揮されることで、利用者の状況・状態改善につながり、お互いに喜びを感じ、達成感を味わうことでしょう。場合によっては悲しみを共有することもあるかもしれませんが、関係者間の信頼を失うことがないよう、私的な言動はつつしむことがチームに属する者として大切なことです。

事例検討は、問題が起こったときだけ事例を検討するものではありません。状況・状態が回復すると、その状況・状態を維持することも大切

な支援になります。利用者とかかわりがある限り、利用者の状況・状態変化に合わせて適宜事例検討を行います。

事例検討を積み重ねることで、チーム力、ケアの向上のほか、副次的にスーパービジョンの機会にもなります。すなわち、介護福祉職の知識・技能の向上につながり、事例検討を通して職務の発展的な継続性をもたらす要素が含まれるといってよいでしょう。

2 事例検討におけるコミュニケーションの基本姿勢

（1）空間を共有する意義

利用者の生活を支えるうえで、利用者がいだく希望・要望を理解することが必要です。生活のしづらさ、困りごとなどを抱え生活に支障が出てしまう生活障害もあります。生活しているときの充実感ももちろんあるでしょう。事例検討ではこれらを含め実態を把握します。

事例検討は、利用者のQOL（Quality of Life：生活の質）が向上するためには、どこを解決していく支援が必要なのか、実践に移せる内容を決めるために開かれるものです。その空間を、事例検討に出席した全員で共有する意識をもつことが必要です。

共有する意識をもつことで、良質なケアチームがつくれることと教育要素がえられ、スタッフ教育・相談（コンサルテーション）の機会にもなり、各々との相互理解を促進することが期待できます。

（2）出席者と開催者の姿勢

事例検討会では、**フォーマルサービス**[1]・**インフォーマルサービス**[2]を交えて利用者に対する具体的な支援方法を検討します。

出席者は、利用者にかかわる福祉･医療の専門職、行政職、民生委員･児童委員、ボランティアなどです。また近年は、利用者本人や家族も事例検討会に参加することが徐々に増えてきました。出席者の姿勢としては、ほかの出席者の背景に考慮して、できるだけ専門的な用語ではなく、日常語を使い、ていねいな言葉を使うなど、とくに利用者や家庭に配慮した言動で事例検討会が行われることが望ましいでしょう。

また開催者は、事例検討会を開催する際、事例の問題点を解決するために必要な材料をもっている、力を貸してくれる人材・組織に招集をか

❶フォーマルサービス
行政機関、指定または認可を受けた公式の民間団体や機関の支援をさす。

❷インフォーマルサービス
非公式によるボランティア、家族、近親者、地域住民などの私的な支援をさす。フォーマルサービスとインフォーマルサービスは、ソーシャルサービスと表現され、提供源の違いで使い分けられている。

けることが重要です。それが必要な姿勢であり、力量でもあります。

(3) 出席者同士がお互いを認める姿勢

事例検討会に出席する人全員には、これまでつちかってきた人生があり、その分だけそれぞれの価値観があります。

また、各専門職によって学習してきた知識に違いがあり、知力や実践力によって事例に対する切り口・着眼点もそれぞれ異なります。さらに、同職種間でも専門領域によって事例に対する見方に違いが出てきます。これまで獲得してきた知恵と実践力をいかしながら、チームケアを意識したうえでお互いを認め合う態度で事例検討会にのぞむことが重要です。理論的視点でディスカッションが行われるため、多職種協働としての技能も身につきます。

(4) 利用者の生活を念頭に意見をまとめる

事例検討会で出された意見は、宝であり貴重なものです。それをまとめていくには、調整する力、いくつもの意見をまとめて1つに組み立てる力、意見を出した人と交渉する力が必要になります。良質なケアチームによって実践されるチームワークは「長・主任を頂点としたピラミッド型の構造をもち、上からの指示命令と下からの各種提案(意見)というコミュニケーションの型をもつ」とあります[1)]。同職種・各専門職としての立ち場の違いや知識・技能の差によって衝突・対立(コンフリクト)することもあるでしょう。長・主任は、利用者の望む生活に向け、方向性を統一します。

意見がまとまりはじめたら、資料に書かれた検討したい内容にそわせつつ、新たな視点が加わった内容も含め、検討内容のまとめを全員で確認し合います。大切なのは、利用者がよりよく生活するためにはどうすることが望ましいかを念頭に、意見を調整しまとめることです。事例検討会では、利用者本人・家族を含め関係者(出席者を含む)全員が共通認識をもって支援ができるよう一丸となって取り組むことが必要です。

3 事例検討会の実践的展開

（1）開催者または事例報告者の役割－各事業所・部署への連絡－

事例報告者は、事例検討会で何を取り上げるか、何について検討したいかを明確にしましょう。また、事例に対する着地点も、できる限り出席者に事前に伝えましょう。事前に連絡をしておくことで、出席者も各自の視点で意見をまとめて事例検討会当日を迎えることができます。

専門用語を聞き慣れない出席者もいると想定し、わかりやすい説明を加える、資料を準備するなど、有意義な検討ができる空間づくりを意識しましょう。資料以外からの可視化できるホワイトボード等を活用するのも便利です。

（2）事例検討会場面の流れ

初めて出席する人にも配慮し、①～⑥の順に事例検討会を進めましょう。

① 自己紹介・情報交換
② 事例紹介（客観的視点）
③ 事例に対する、感情の交流（当事者・家族または代弁）
④ 支援方法の検討（発想の転換視点）
⑤ 当面の支援方法の決定
⑥ 役割分担

（3）事例検討会の資料内容

事例報告者は課題解決策が導きやすくなるよう言語化した資料を作成します。

だれに、あるいはどのサービスに対して、何をしてほしいのかをわかりやすく伝えます。そのようにして出席者が納得できると理解がえられ、行動に移しやすくなります。

① 検討したい内容を記載（事例提出の意図）

・なぜ○○が必要なのか（理由）

・○○を活用すると、こうなる（えられる効果）

・いつ・どのように活用するのか（条件）

② 生活歴（時系列に記載）

③ 家族図（ジェノグラム）

④ エコマップ

⑤ 心身状況

⑥ 生活状況（ADL（Activities of Daily Living：日常生活動作）を含む基本情報の記載）

⑦ 日・週間スケジュール（時系列に言動の観察を含め記載）

※わかりやすさ、伝え方の1つに図を活用する方法があります。可視化しましょう。

※資料提示の場合も個人情報の取り扱いには十分に気をつけましょう。

（4）質問する

意見を出し合う際、意見を出した人の意見を非難・否定するような言動はしません。もちろん、事例を出した人に対して資料の仕上がりや検討材料の少なさに対する指摘もしません。

検討材料が少ない場合は、質問するようにします。質問のあと、または質問する前には、質問する理由を述べるのがよいです。これは事例の問題点の原因を探り、問題を解決するための課題とするためです。

課題を導くには、自分のもっている知恵が必要となります。知恵があるから質問ができるということにもなるでしょう。

4 事例検討会のときに必要となる問題解決の手法

問題解決の手法として、クリティカル・シンキングを活用する方法があります。問題解決のクリティカル・シンキングとは、「与えられた情報や知識を鵜呑みにせず、複数の視点から注意深く論理的に分析する能力や態度」とされています[2]。

クリティカル・シンキングによる問題解決には4つのステップがあります。

【クリティカル・シンキング思考の問題解決：4つのステップ】

① 現状分析（analysis of the status quo）
② 原因の把握（analysis of the cause）
③ 対策の提示（provision of solutions）
④ 実行と評価（implementation and assessment）

1 現状分析

何が起こっているのか、緊急度とその程度、心身への影響と予測についての視点をもって事例検討を行います。ここで大切な姿勢は、現状に背を向けることなく現在の状況を認識することです。現状を正確にとらえましょう。

2 原因の把握

原因を把握するため、根本の洗い出し作業を行います。問題となっている現状の直接的な原因・間接的な原因・構造上の問題・人的な要素・法制度等を客観的にとらえます。

3 対策の提示

対策は、事例検討会のなかの解決策でもあります。問題の存在が認識できたら、現在と未来をみて話を進めましょう。現在と未来とは、現状の原因を2で把握したので、その原因に対して考えられる支援と、その支援を実践した場合に得られる効果を導き出すことです。

検討しながらも、できない理由や解決困難な理由を見つけて議論するのは賢明ではありません。解決策とその理由を意見として述べ、よりよい解決策になるようにあがった意見をさらに利用者にとってベストな支援方法・解決策になるよう具現化します。

4 実行と評価

支援方法・解決策がまとまったら実行に移します。実行後、反応によって解決策を修正します。修正する際には、2のステップに戻って場面を振り返り、客観的に原因を把握しましょう。

支援方法・解決策が決まる前、事例検討会を実施する前に、問題点を解決するためにはどうすればよいかを考え、暫定的に支援・解決策を実行する場合もあるでしょう。その情報も事例検討会では必要です。

5 事例検討会での注意点

（1）時間は有限である

もっている情報を後出しするのでは、建設的な事例検討会にはなりません。事例検討会では、何をどのように情報提供・伝達するのか、提供・伝達された情報をどのように加工して出していくかについて事前に準備してからのぞむことが求められます。時間は有限であり、有意義な検討会にしなければなりません。

（2）事例報告者と出席者で意見が出る空間をつくる

事例報告者が事例検討資料を作成しますが、事例報告者が何を検討したいのかに気づけず、明確に課題を抽出できない場合もあるでしょう。出席者はそれをおぎない合う姿勢でのぞみます。

また、出席者が、意見を言うタイミングがなかった、言い出せなかったなど、何らかの理由があるかもしれませんが、困っている人を目の前にどのような支援方法・解決策を講じてかかわっていくかという視点をもっていれば、意見を述べることに躊躇する必要はありません。

挙手をして意見を述べるようにし、事例検討会を主催する担当者も、全員から意見が出るように配慮が必要です。だれもが会議の空間をつくれるような環境にすることが大切です。

【事例報告者・出席者の共通事項】

① 他者の発言を、事例検討会が開かれた目標との関連について考えながら聴く
② 身振りや言葉遣いを意識しながら伝える
③ 事例の対象者・家族の感情、思いに参加者が配慮する
④ 具体的支援の方向性を参加者で導く
⑤ 論点がずれた場合、司会を助ける

6 事例検討と支援方法——解決策の実践は協働が鍵

事例検討を行い利用者の支援を行っていくうえで、課題の解決に向け

て取り組むには、協働が鍵になるといえます。そのためにも、事例検討に向けて、次のようなことを心がけておくことが大切です。

① 同職種はもちろんのこと、多職種と一緒に現状を把握したうえで、今後を予測しながら支援の方向性について検討していく。
② 各専門領域の情報を交えることで多角的視点から検討していく。
③ 社会資源同士のつながりをつくり、支援を選択できる幅を広げる。
④ 地域の問題点がみえてきたら、問題解決に向け発信する。
⑤ 互いに支え合える仲間になれる機会をつくる。
⑥ 自己研鑽に努めていく。
⑦ 解決策が出ても「しない理由」を見つけて「何もしない」のはよくない行為であり、「知らないふり」「見ないふり」をしてはいけない。

とくに⑦については、強く心がけることが必要です。日本介護福祉士会倫理綱領及び日本介護福祉士会倫理基準（行動規範）を意識してのぞむことが大切です。

◆引用文献

1）竹内孝仁『介護再生―元気な介護を創ろう』年友企画、p.29、2009年
2）鈴木健人・鈴木健・塚原康博編著『問題解決のコミュニケーション―学際的アプローチ』白桃書房、p. 4 、2012年

◆参考文献

● 野中猛『図説ケアチーム』中央法規出版、2007年

演習5−3　常食移行の実現に向けたケアカンファレンス

次の事例を読んで、常食移行の実現についてケアカンファレンスをしてみよう。

Aさん（男性、要介護４、80歳）は、左片麻痺で上肢屈曲拘縮、左下肢伸展状態で体幹も拘縮している。普段の食形態は、〔主食〕は全粥、〔副食〕はきざみ食で、スプーンを使って自力摂取しているが、時々むせる。飲み物にはとろみをつけている。

２か月に１回の外食に出かけたときは、焼き魚定食やてんぷら定食を注文し、割りばしとフォークを使い、自力摂取できる。キス、エビ、サツマイモなどをむせずに食べ、おいしかったと表情をゆがませる。義歯はないが、下の奥歯が１本ある状態で、本人は「お粥のほうが楽に早く食べられる」と話す。

外食で定食が食べられるということで、普段の食事も常食へ移行できるようにケアカンファレンスを行うことになった。

1. Aさんの今の状態像をイメージしてみよう。

2. Aさんが常食に移行できたとき、QOLはどのように変化するかを想像してみよう。

3. 専門職の技能を使ってアセスメントしてみよう。

4. PDCAサイクルを活用して実践することをイメージして話し合ってみよう。

※自立支援、重度化防止（予防）には、廃用症候群と全身状態を回復していくための知識が必要です。

第6節

情報の活用と管理のための技術

学習のポイント

- 介護福祉職が行う業務でのICTの活用の仕方、利点などを理解する
- 利用者の個人情報を保護するために必要なコミュニケーションを理解する

関連項目　①『人間の理解』▶第3章第2節「ケアを展開するためのチームマネジメント」

1 情報の活用と管理

（1）ICTの活用

ICT（Information and Communication Technology：情報通信技術）とは、コンピューターによる情報処理や通信技術の総称です。たとえば、パーソナルコンピューターや、スマートフォン、スマートスピーカーなどによる情報処理だけでなく、インターネットを介したソーシャルネットワーキングサービス（SNS）やIoT（Internet of Things）など、私たちの日常にICTが普及しています。

介護福祉職の業務においても、ICTを活用して効率的な仕事をすることが推進されています。ITがコンピューターによる情報処理技術そのものを重要視している表現なのに対して、ICTはコミュニケーションという語を入れ込むことで情報の伝達という側面を重視した表現をしています。介護チームにおける情報共有を効果的かつ効率的に行うために、ICTをどのように活用するかという観点が重要です。

（2）介護実践における情報活用の重要性

介護の実践場面では、利用者の個人情報をはじめ、会議などのチームにおける議論の情報など、多くの情報が用いられており、記録物として蓄積されていきます。

これらの記録物は、単なる過去のデータとして保管しておくだけでな

く、データを統合、整理、分析してこれからの介護に活用が可能な新たな知見を発見するための貴重な資源です。

（3）ICTによる情報活用の利点と欠点

記録物は、以前は紙媒体でしたが、コンピューターにより電子媒体として記録・保管されることが多くなってきました。電子媒体として記録しておけば、後から紙に印刷して活用することもできますし、多くのメリットがあります。

1 情報整理・チェックの簡易化

コンピューターでは情報をコード化して紐付けすることによって、複数の情報を一括して管理・保管することが可能となります。紙ベースで情報を整理したりチェックしたりするには、すべての書類にいったん目を通して、並べ替えるなどし、チェック後には、日付順や業務分類別に再度しまう必要がありました。しかし、ICT化によりコンピューター内のデータベースで情報が自動的に一元管理されることでそうした手間をかけずに整理が可能となります。

2 情報抽出の高速化

記録物から必要な情報を抽出する能力は、人間の能力をはるかに超えます。膨大なビッグデータからでも、こちらが指示した検索条件で必要な情報を即座に抽出することができます。

3 複数の関係者間でデータ共有の簡易化

紙媒体では持ち運びが可能な範囲内でしかデータ共有できなかったものでも、ICT化により情報媒体のコンパクト化が進んで持ち運びやすさも向上しています。

4 メディアによるデータ表現方法の多様化

文字や写真だけでなく、音声や動画などによる記録も容易になり、事実をありのままに保存することが可能となっています。

5 遠隔情報処理の実現

遠隔地にいながら、インターネット回線を使用して音声や映像などのデータがリアルタイムに送受信可能となっています。見守りシステムのような遠隔介護にも活用がはじまっています。

ICTの活用には、こうした多くのメリットがある反面、これまでにない大きなリスクがあることにも注意が必要です。

6 電源喪失などによる情報へのアクセス不能

停電やコンピューターの不調により、コンピューターが使用できない状況になると、コンピューター内にあるデータにアクセスできなくなります。

7 コンピューターの記憶媒体故障による情報消滅

6とは異なり、データそのものが消滅して取り出すことが不可能になる場合があります。したがって、定期的な情報のバックアップが必要です。

大規模施設などでは、各部署に設置している複数のPCで情報の入出力をしながら、そのデータは1か所のサーバーPCに保管され一括管理している場合が多くあります。また、最近ではインターネット上のクラウドサーバーに情報が管理されていて、利用するときだけクラウドサーバーにアクセスして情報の入出力を行うことがあります。これは、使用しているコンピューターの記憶媒体が壊れても、データそのものは別の場所にあるサーバーに保管されているので、回復可能性が高まります。しかし、サーバー自体の故障により、あらゆるデータが消失してしまうおそれもあります。

定期的なバックアップを行い、バックアップメディアの保管も別の場所にしておくなど念入りなバックアップ体制をしくことが重要です。

8 コンピューターウイルスやマルウェアなどによるデータ破壊や情報流出

現在一般に用いられるコンピューターは、ほとんどがインターネット接続されており、基本的に常時オンラインでつながっています。愉快犯によるウイルス感染や意図的なデータハッキングが起こり、データの消滅や改ざん、情報流出などの危険性もあります。コンピューターにはファイヤーウォールやウイルス対策ソフトがついていますが、すべての感染から守ることはできません。また、USBなどの記録メディアを通した感染の可能性もあります。

コンピューター処理の基本的なしくみを理解して個別に対策をする必要があります。また、信頼のある相手との情報のやりとり以外は慎重にすることが必要です。

9 情報メディアの紛失・盗難

情報メディアは年々コンパクトかつ大容量になってきています。たとえばUSBやSSD、SDカードなどには、膨大なデータの保存が可能です。これらは非常にコンパクトで可搬性が高いのが利点ですが、小さいがために紛失する危険性もあります。第三者に盗難にあっても、それに気づくのが遅くなる場合も考えられます。

USBは便利ですが、不特定の職員が個別に自由に外部に持ち出すのは禁止したり、私的なPCとの間でUSBデータのやりとりを禁止したりするなど、USB使用にセキュリティ制限を設ける必要があります。

10 パスワード設定などの情報セキュリティ管理ミス

現在、PCやスマートフォンをはじめ、多くのICT利用時には、パスワードや指紋認証など何らかのセキュリティ対策を行うことが常識となっています。PC本体や作成ファイル、USBデータなどには、原則パスワードをかけたり暗号化処理を施したりします。

しかし、管理すべきパスワードが複数になると、だれでも予想できるような簡易なパスワード設定をしたり、パスワードをその情報を使用する職員以外でも見える場所に備忘として貼り付けたりして、データのハッキングが起きることもあります。また、パスワードそのものを失念してしまってデータアクセスできなくなることもあります。

また、パスワードは定期的に変更が必要だという説と、あまり変更しないほうがよいという両方の説があります。変更するかしないかよりも、英大文字小文字、数字、記号を複数織り交ぜ、生年月日や語呂合わせなど第三者が容易に予想できるものにしないように気をつけることが重要です。

事業所には情報管理責任者を置き、業務に関する情報は原則事業所内でのみ使用可能とすること、外部に持ち出す場合は、持ち出す理由、持ち出す情報の内容と範囲、持ち出す方法、情報提供先などを事前に届け出て、許可を得たうえで持ち出すようにします。

2 個人情報の保護と活用

介護福祉職が入手し活用する情報のほとんどが、利用者の**個人情報**にあたります。介護福祉職と利用者の間には信頼関係が結ばれ、第三者は知り得ない極めてプライベートな個人情報をえる機会が増えます。社会福祉士及び介護福祉士法における秘密保持義務等や日本介護福祉士会倫理綱領におけるプライバシーの保護の規程など、介護福祉職にはその職業倫理として守秘義務が課せられています。得られた個人情報は、外部の第三者に漏れることがあってはいけません。

また、介護福祉職個人の職業倫理という側面だけでなく、事業者単位で個人情報保護法に基づいて、サービス利用者の個人情報が不適切に外部に流用されないような管理体制をしくことが求められています。

具体的な事業者の取り組みについては、「個人情報の保護に関する法律」や、「福祉分野における個人情報保護に関するガイドライン」「医療・介護関係事業者における個人情報の適切な取扱いのためのガイダンス」などにしたがうことが求められます。

介護福祉職として個人情報を保護するために守るべきコミュニケーション技術として次の視点が重要です。

1 よりよい介護の提供のために積極的に活用する

個人情報は、データとして蓄積しているだけでなく、積極的に活用することが必要です。個人情報保護だからといって集めたデータをただ蓄積しているだけでは、収集する必要性がなかったデータを集めたことになってしまいます。収集したデータを分析したり、事例検討や調査研究に活用したり、本人や家族等からの記録の開示の求めに応じたりなど、さまざまな活用が想定されます。

2 活用する際は、事前に本人の同意を得る

たとえば、事例研究のためにデータを活用したい場合には、そのデータを収集する前に本人に内容を説明して理解してもらったうえでデータ収集・活用します。情報が個人を特定されなければそれでよいというものではありません。個人情報はあくまでその利用者本人に帰属する資源であり、専門職だからといって本人に断りなしに情報を使用してはいけません。また、本人の判断能力や同意能力が不十分な場合には、本人の代理人等への説明と同意が必要です。

3 活用の際には、個人が特定されないよう配慮する

事例検討や研究で個人情報を活用する際には、本人から同意を得たからといっても、本人が特定されないような配慮が必要です。たとえば、氏名や都道府県市町村名、入所施設名などはイニシャルではなくアルファベット順にする、年齢は必要でも生年月日は不要など、必要な情報と不要な情報を厳密に分けたうえで、必要な情報は外部に特定されないようにブラインドの状態にする、不要な情報は用いないといった配慮を

します。

ただし、利用者への直接ケアを提供する施設内部の職員だけで事例検討をする場合にアルファベット等で匿名化するなど個人情報保護が行きすぎると、❶で述べた情報の活用が行われにくくなり、介護の質の向上がかえってはかれなくなります。

❹ 介護福祉職個人で私物化しない

介護福祉職が業務上得た情報は、勤務している事業者が得た情報となります。したがって、管理責任は勤務事業者にあり、施設帰属の情報になります。介護福祉職個人が勝手にその情報を持ち出したり、私的な流用をしたりしてはなりません。

また、同じ視点から、介護福祉職チームや多職種協働チームなどで積極的に事例検討や調査研究を行うなど、組織として有効に情報活用することも求められます。

このように、チームケアを促進し、利用者への介護の質を向上させるために、個人情報を含めたさまざまな情報をデータとして活用します。安全かつ扱いやすい情報管理の運用体制構築をめざします。

演習5－4 事例検討を行うにあたって必要な思考過程と情報獲得の必要性

次の事例を読んで、KさんのQOLの向上に向け、問題点はどこか、課題は何か、根拠、課題を計画に移すために利用できるフォーマルサービス・インフォーマルサービス（ソーシャルサービス）を検討してみよう。

> Kさん（66歳・女性）は1人で持ち家に暮らしている。夏に肺炎で2週間入院した。退院時、入院による体力低下から、これまでできていた家事全般が困難な状況となった。

事例の問題点	問題点からの課題	根拠	ソーシャルサービス

索引

『最新 介護福祉士養成講座』編集代表（五十音順）

秋山 昌江（あきやま まさえ）
聖カタリナ大学人間健康福祉学部教授

上原 千寿子（うえはら ちずこ）
元・広島国際大学教授

川井 太加子（かわい たかこ）
桃山学院大学社会学部教授

白井 孝子（しらい たかこ）
東京福祉専門学校副学校長

「5 コミュニケーション技術（第2版）」編集委員・執筆者一覧

編集委員（五十音順）

飯干 紀代子（いいぼし きよこ）
志學館大学人間関係学部教授

井上 善行（いのうえ よしゆき）
日本赤十字秋田短期大学介護福祉学科教授

執筆者（五十音順）

飯干 紀代子（いいぼし きよこ）……第1章第2節、第2章第1節・第2節、第3章第1節・第2節1～6・10
志學館大学人間関係学部教授

井上 善行（いのうえ よしゆき）……第1章第1節・第3節、第2章第3節、第4章、第5章第1節・第2節・第4節・第6節
日本赤十字秋田短期大学介護福祉学科教授

菅野 敦（かんの あつし）……第3章第2節8
東京学芸大学名誉教授

小池 敏英（こいけ としひで）……第3章第2節11
尚絅学院大学心理・教育学群教授

田村 綾子（たむら あやこ）……第3章第2節7
聖学院大学心理福祉学部教授

津田 理恵子（つだ りえこ）……第2章第4節
神戸女子大学健康福祉学部教授

中 知華穂（なか ちかほ）……第3章第2節11
品川区教育総合支援センター特別支援教育カウンセラー

野村 晴美（のむら はるみ）……………………………………………………………………………第５章第５節
北海道福祉教育専門学校専任教員

藤野 博（ふじの ひろし）………………………………………………………………………………第３章第２節９
東京学芸大学大学院教授

山谷 里希子（やまや りきこ）……………………………………………………………………………第５章第３節
さっぽろ高齢者福祉生活協同組合福祉生協イリス参与

最新 介護福祉士養成講座 5
コミュニケーション技術 第2版

2019年 3 月31日	初　版　発　行
2022年 2 月 1 日	第　2　版　発　行
2024年 2 月 1 日	第 2 版第 3 刷発行

編　　集	介護福祉士養成講座編集委員会
発 行 者	荘村　明彦
発 行 所	中央法規出版株式会社 〒110-0016　東京都台東区台東3-29-1　中央法規ビル TEL 03-6387-3196 https://www.chuohoki.co.jp/
印刷・製本	サンメッセ株式会社
装幀・本文デザイン	澤田かおり（トシキ・ファーブル）
カバーイラスト	のだよしこ
本文イラスト	小牧良次
口絵デザイン	株式会社ジャパンマテリアル

定価はカバーに表示してあります。
ISBN978-4-8058-8394-5